Abrasada

P. C. Cast y Kristin Cast

Traducción de Laura Rodríguez Manso

PANDORA

Libros publicados de P. C. Cast y Kristin Cast

LA CASA DE LA NOCHE
1. Marcada
2. Traicionada
3. Elegida
4. Indómita
5. Atrapada
6. Tentada
7. Abrasada

Próximamente:
8. El manual del iniciado

Título original: *Burned*
Primera edición

© P. C. Cast y Kristin Cast, 2010

Ilustración de portada: © Serie: Cara E. Petrus. Portada: Michael Storrings. Fotografía: Herman Estévez

Diseño de colección: Alonso Esteban y Dinamic Duo

Derechos exclusivos de la edición en español:
© 2011, La Factoría de Ideas. C/Pico Mulhacén, 24. Pol. Industrial «El Alquitón». 28500 Arganda del Rey. Madrid. Teléfono: 91 870 45 85

© Trakatrá es un sello de La Factoría de Ideas

informacion@lafactoriadeideas.es
www.lafactoriadeideas.es

ISBN: 978-84-9800-680-3   Depósito Legal: B-32025-2011

Impreso por Blackprint CPI

P.C.: Este va para mi Guardián. Te quiero.
Kristin: (Se refiere a ti, «Shawnus»).

Agradecimientos

P. C.:

Este libro no habría sido posible si tres hombres muy especiales no me hubiesen abierto sus historias, sus vidas y sus corazones. Tengo una deuda con Seoras Wallace, Alain Mac au Halpine y Alan Torrance. Cualquier error en la recreación de los hechos y en la narración de sus mitos escoceses e irlandeses será mío y solamente mío. Guerreros, os lo agradezco. Además, ¡Gracias, Denise Torrance, por salvarme de toda esa testosterona del clan Wallace!

Mientras investigaba en la isla de Skye, mi campamento base fue la encantadora Toravaig House. Me gustaría darle las gracias al personal por haber hecho mi estancia tan agradable… ¡incluso aunque no fuesen capaces de hacer nada con la lluvia!

A veces tengo que entrar en lo que mis amigos y familia llaman la «cueva del escritor» para acabar un libro. Ese fue el caso con *Abrasada* y mi cueva fue muuuuuy sobrellevable gracias a Paawan Arora, en el Grand Cayman Ritz Carlton, así como a Heather Lockington y el maravilloso personal del impresionante Cotton Tree. Gracias, gracias por ayudarme a hacer del Cayman mi segunda casa y por esconderme del mundo para que pudiese escribir y escribir.

He usado un poco de gaélico en este libro. Sí, es difícil de pronunciar (un poco como el cheroqui) y existen varias versiones diferentes (de nuevo, un poco como el cheroqui). Con la ayuda de mi(s) experto(s) escocés(es), he utilizado el gaélico principalmente de las antiguas lenguas del reino de Dalriada y de Galloway de la costa oeste de Escocia y de la costa nordeste de Irlanda. Este dialecto se conoce comúnmente como gal-gaélico o galgaél. Cualquier error es mío.

Kristin:

Gracias a al entrenador Mark, así como al campamento Tulsa y a Precision Body Art por ayudarme a sentirme fuerte, poderosa y hermosa.

¡Y gracias a los Shawnus por proporcionarme algo de paz y tranquilidad!

Ambas:

Como siempre, nos gustaría mencionar a nuestro equipo en St. Martin's Press: Jennifer Weis, Matthew Shear, Anne Bensson, Anne Marie Tallberg ¡y el impresionante equipo de diseño que sigue sorprendiéndonos con fabulosas portadas! ¡Os queremos St. Martin's Press!

Gracias a MK Advertising, que hace un trabajo genial en la página web *www.pccast.net* y en *www.houseofnightseries.com*.

Como siempre, Kristin y yo enviamos nuestro amor y nuestro agradecimiento a nuestra maravillosa agente y amiga, Meredith Bernstein. La Casa de la Noche no existiría sin ella.

Y, finalmente, gracias a nuestros leales fans. ¡Sois sin duda los mejores!

1

Kalona

Kalona levantó las manos. No lo dudó. No existía ni rastro de vacilación en su mente. Sabía lo que tenía que hacer. No permitiría que nada ni nadie se interpusiese en su camino, y ese chico humano se encontraba entre él y lo que él deseaba. En realidad, no tenía ningún interés en matar al chico; pero tampoco tenía ningún interés en que siguiera vivo. Se trataba de una simple necesidad. No sintió remordimientos o arrepentimiento. Durante los siglos que habían pasado desde su caída, Kalona había sentido muy pocas cosas. Así que, con indiferencia, el inmortal alado torció el cuello del chico y puso fin a su vida.

—¡¡¡¡No...!!!!

La angustia reflejada en esa única palabra paralizó el corazón de Kalona. Dejó caer el cuerpo sin vida del muchacho y se dio la vuelta rápidamente para ver a Zoey corriendo hacia él. Sus miradas se encontraron. En la de ella, había desesperación y odio; en la de él, un intento de negar lo evidente. Trató de formular las palabras que podrían hacer que lo entendiera... que podrían hacer que lo perdonase. Pero no había nada que él pudiese decir que lograra cambiar lo que Zoey había visto. Y, aunque pudiese lograr aquel imposible, no tenía tiempo.

Zoey lanzó todo el poder del elemento del espíritu contra el inmortal; lo golpeó azotándolo con una fuerza que iba más allá de los límites físicos. El espíritu era la esencia de Kalona, su interior, el elemento que lo había sustentando durante siglos y con el que siempre se había sentido más cómodo... y también más poderoso. El ataque de Zoey lo abrasó. Lo elevó con tal fuerza que lo arrojó sobre el enorme muro de piedra que separaba la isla de los vampiros del golfo de Venecia. El agua helada se lo tragó, ahogándolo. Durante un momento, el dolor interno que sentía le causó tal alivio que no luchó contra él. Quizás ahora podría dejar que acabase por fin esa terrible lucha por la vida y todo lo que eso conllevaba. Quizás, de nuevo, debería dejarse vencer por ella. Pero menos de un latido después, lo sintió: el alma de Zoey se rompió en pedazos y, del mismo modo en que su caída lo había transportado a él de un reino a otro, el espíritu de Zoey abandonó este mundo.

Darse cuenta de aquello le hizo más daño que el golpe asestado con el espíritu.

¡Zoey no! Él nunca había querido herirla. A pesar de todas las maquinaciones de Neferet, a pesar de todas sus manipulaciones y planes, él se había mantenido firme ante la idea de que, pasase lo que pasase, siempre usaría sus vastos poderes inmortales para mantener a Zoey a salvo porque, en última instancia, ella era lo más cerca que podía llegar a estar de Nyx en este reino… y este era el único reino que le quedaba.

Luchó por reponerse del ataque de Zoey, zafó su enorme cuerpo de las garras de las olas y se dio cuenta de lo que había sucedido: por su culpa, el espíritu de Zoey se había ido, lo que significaba que iba a morir. Con su primera inspiración de aire, soltó un desgarrador grito de desesperación cuya única sílaba se convirtió en eco.

—¡¡¡¡No…!!!!

¿Realmente había llegado a creerse que no era capaz de sentir de verdad desde su caída? Había sido un idiota; estaba equivocado, muy equivocado. Las emociones lo golpearon mientras volaba sin orden ni concierto justo por encima de la línea de flotación, debilitando más su espíritu ya herido, protestando furiosamente contra él, despertándolo, haciendo sangrar a su alma. Con la visión borrosa y ennegrecida, miró más allá de la laguna, entrecerrando los ojos para divisar las luces que anunciaban tierra firme. No conseguiría llegar. Tendría que ir al palacio. No tenía elección. Usando las últimas reservas de sus fuerzas, Kalona batió sus alas contra el viento glacial, se elevó sobre el muro y se dejó caer hecho un ovillo sobre la tierra helada.

No sabía cuánto tiempo llevaba allí tirado, en la fría oscuridad de la desgarrada noche, dejando que las emociones abrumasen su alma conmocionada. En algún lejano lugar de su mente, le resultó familiar lo que le había sucedido: había caído de nuevo, solo que esta vez era más una cuestión espiritual que corporal, aunque su cuerpo tampoco parecía responderle.

Sintió su presencia antes de que hablase. Había sido así desde el principio, lo desease o no: sencillamente, se sentían el uno al otro.

—¡Permitiste que Stark fuera testigo de la muerte del chico!

La voz de Neferet era más gélida que el mar convertido en hielo.

Kalona giró la cabeza para poder ver algo más que su dedo del pie asomando por la punta de un zapato de tacón. La miró desde abajo, parpadeando para enfocar la vista.

—Accidente —logró decir con un áspero susurro—. Zoey no debería haber estado ahí.

—Los accidentes son inadmisibles y no me importa en absoluto que ella estuviera allí. En realidad, las consecuencias de ese hecho son bastante convenientes.

—¿Sabes que su alma se ha roto?

Kalona odiaba la debilidad antinatural que reflejaba su voz y el extraño aletargamiento de su cuerpo casi tanto como el efecto que la belleza glacial de Neferet tenía sobre él.

—Imagino que la mayoría de los vampiros de la isla lo saben. Es típico de ella: el espíritu de Zoey no fue precisamente discreto en su despedida. Me pregunto, sin embargo, cuántos de los vampiros sintieron también el ataque que esa insolente te lanzó justo antes de marcharse.

Neferet se golpeteó la barbilla pensativamente con una larga y afilada uña.

Kalona permaneció en silencio, tratando de concentrase y de unir los pedacitos de su espíritu roto. Pero la tierra contra la que descansaba su cuerpo era demasiado real y no tenía fuerzas para levantarse y alimentar su alma con los tenues vestigios del Otro Mundo que flotaban por allí.

—No, me imagino que no lo sintieron —continuó Neferet con su voz más desapasionada—. Ninguno de ellos está conectado con la Oscuridad, contigo, como lo estoy yo. ¿No es así, mi amor?

—Estamos conectados de forma única —consiguió decir Kalona, aunque de repente deseó que sus palabras no fueran ciertas.

—Sin duda… —dijo ella, todavía distraída por sus pensamientos.

Después los ojos de Neferet se abrieron al caer en la cuenta.

—Me he preguntado muchas veces cómo consiguió A-ya herirte a ti, un inmortal físicamente tan poderoso, como para que esas brujas cheroqui te pudiesen atrapar. Creo que la pequeña Zoey me acaba de dar la respuesta que tú me has ocultado con tanto tino: tu cuerpo puede ser dañado, pero solo a través de tu espíritu. ¿No es fascinante?

—Me curaré —dijo imprimiendo a su voz toda la fuerza que era capaz de reunir—. Llévame de vuelta al castillo de Capri. Déjame en la terraza de la parte superior, lo más cerca del cielo que puedas, y así recuperaré mis fuerzas.

—Supongo que las recuperarías… si yo tuviese intención de hacer lo que me pides. Pero tengo otros planes para ti, amor mío.

Neferet levantó las manos y las extendió sobre él. Mientras seguía hablando, empezó a mover sus largos dedos en el aire, creando intrincados diseños, como una araña tejiendo su tela.

—No dejaré que Zoey vuelva a interponerse entre nosotros nunca más.

—Un alma rota es una sentencia de muerte. Zoey ya no es una amenaza para nosotros —dijo él.

Con una mirada cómplice, Kalona miró a Neferet. Ella empezó a hacer surgir hilos de una cosa negra pegajosa que él reconoció de inmediato. Se había pasado vidas enfrentándose a esa Oscuridad antes de abrazar su frío poder. Los hilos latían y revoloteaban con familiaridad, inquietos bajo los dedos de Neferet. *No debería ser capaz de convocar a la Oscuridad de forma tan tangible.* Ese pensamiento pasó como el eco de una sentencia de muerte en su agotada mente. *Una alta sacerdotisa no tiene tal poder.*

Pero Neferet ya no era una simple alta sacerdotisa. Había superado los límites de ese rango hacía algún tiempo y no tenía ningún problema para controlar a la retorcida oscuridad que había conjurado.

Se está haciendo inmortal, comprendió Kalona. Y al hacerlo, el miedo se unió al arrepentimiento y a la ira que se habían ido fermentando en el interior del guerrero caído de Nyx.

—Mucha gente pensaría que es una sentencia de muerte —dijo Neferet con tranquilidad mientras atraía más y más hilos oscuros hacia ella—, pero Zoey tiene la terrible e inconveniente manía de sobrevivir. Esta vez me voy a asegurar de que muera.

—El alma de Zoey también tiene el hábito de reencarnarse —dijo él, provocando a propósito que Neferet desviase la atención de lo que estaba haciendo.

—¡Entonces la destruiré una y otra vez!

La concentración de Neferet solo aumentó con la ira que sus palabras suscitaron. La negrura que tejía se intensificó, retorciéndose con fuerza en el aire, a su alrededor.

—Neferet. —Kalona trató de llegar a ella usando su nombre—. ¿Entiendes de verdad lo que estás tratando de conjurar?

Su mirada se encontró con la de ella y, por primera vez, Kalona pudo ver la mancha de color escarlata que se alojaba en la profundidad de sus ojos.

—Por supuesto que sí. Es lo que los seres inferiores llaman el mal.

—Yo no soy un ser inferior y también lo llamo así.

—Ah, no, hace siglos que no. —Su risa era despiadada—. Pero parece ser que últimamente has estado conviviendo demasiado con las sombras de tu pasado, en lugar de deleitarte con el precioso poder oscuro del presente. Y yo sé quién es la culpable de eso.

Con un tremendo esfuerzo, Kalona consiguió sentarse.

—No. No quiero que te muevas.

Neferet movió rápidamente un dedo hacia él y un hilo de oscuridad se enroscó en su cuello, lo apretó y lo empujó contra el suelo de nuevo.

—¿Qué quieres de mí? —dijo con voz ronca.

—Quiero que sigas al espíritu de Zoey al Otro Mundo y que te asegures de que ninguno de sus «amigos» —pronunció con aire despectivo— encuentre la manera de convencerla para que vuelva a unirse a su cuerpo.

La sorpresa sacudió el cuerpo del inmortal.

—Fui desterrado por Nyx del Otro Mundo. No puedo seguir a Zoey hasta allí.

—Oh, estás equivocado, amor mío. ¿Sabes? Siempre piensas demasiado literalmente. Nyx te hizo caer y tú caíste. No puedes volver. Has creído durante siglos que era así. Bueno, es cierto que tú, literalmente, no puedes volver. —Suspiró dramáticamente mientras él la miraba sin comprender nada—. Tu maravilloso cuerpo fue desterrado, eso es todo. ¿Dijo algo Nyx de tu alma inmortal?

—No necesitaba decirlo. Si un alma permanece separada de un cuerpo demasiado tiempo, ese cuerpo se muere.

—Pero tu cuerpo no es mortal, lo que significa que se le puede separar indefinidamente de su alma sin privarlo de su hálito vital —replicó ella.

Kalona luchó para evitar mostrar en su expresión el terror que sus palabras le habían infundido.

—Es verdad que no puedo morir, pero eso no significa que mi cuerpo vaya a seguir indemne si mi espíritu lo abandona demasiado tiempo.

Podría envejecer... volverme loco... convertirme en un mero recipiente mortuorio de mí mismo... Las posibilidades se arremolinaron en su mente.

Neferet se encogió de hombros.

—Entonces tendrás que asegurarte de acabar pronto tu tarea para poder volver a tu encantador cuerpo inmortal antes de que este se vea dañado irreparablemente. —Le sonrió seductoramente—. No me gustaría nada que le ocurriera algo a tu cuerpo, amor mío.

—Neferet, no lo hagas. Estás poniendo en marcha cosas que requerirán un pago y a cuyas consecuencias ni siquiera tú querrás enfrentarte.

—¡No me amenaces! Te liberé de tu prisión. Te amé. Y después vi cómo tú te ponías a corretear detrás de esa estúpida adolescente. ¡Quiero que desaparezca de mi vida! ¿Consecuencias? ¡Bienvenidas sean! Ya no soy la débil e incompetente alta sacerdotisa de una diosa, una mera acatadora de normas. ¿Entiendes? Si no hubieses estado tan distraído con esa cría, lo sabrías sin necesidad de que yo te lo dijese. ¡Soy una inmortal, igual que tú, Kalona! —Su voz era sobrecogedora al ser amplificada por su poder—. Somos la pareja perfecta. Antes tú también creías eso y lo volverás a hacer, cuando ya no exista Zoey Redbird.

Kalona la miró fijamente, aceptando que Neferet estaba completa y verdaderamente loca y preguntándose por qué la demencia no hacía más que alimentar su poder e intensificar su belleza.

—Así que esto es lo que he decidido hacer —continuó, hablando metódicamente—. Voy a mantener a salvo tu sexi e inmortal cuerpo oculto bajo tierra en algún lugar mientras tu alma viaja al Otro Mundo y se asegura de que Zoey no vuelva.

—¡Nyx nunca lo permitirá!

Las palabras salieron en tropel por su boca, antes de que pudiese evitarlo.

—Nyx permite la libre elección. Como su anterior suma sacerdotisa, sé sin lugar a dudas que te permitirá viajar en espíritu al Otro Mundo —dijo Neferet astutamente—. Recuerda, Kalona, mi amor verdadero, si te aseguras de que

Zoey muere, estarás eliminando el último impedimento para que tú y yo reinemos juntos. Nuestro poder superará los límites de este mundo lleno de maravillas modernas. Piénsalo: subyugaremos a los humanos y el reinado de los vampiros volverá con toda la belleza, la pasión y el poder ilimitado que ello implica. La tierra será nuestra. ¡Le daremos, sin duda, nueva vida al glorioso pasado!

Kalona sabía que estaba jugando con su debilidad. En silencio, se maldijo por haberle permitido conocer demasiado bien sus deseos más profundos. Había confiado en ella y por eso Neferet sabía que no era Érebo y que, por tanto, nunca podría reinar de verdad al lado de Nyx en el Otro Mundo. Por eso se veía forzado a recrear todo lo que había perdido allí en este mundo moderno.

—¿Lo ves, mi amor? Si lo piensas lógicamente, lo correcto es que sigas a Zoey y cortes la unión entre su cuerpo y su alma. Hacerlo sencillamente ayudaría a cumplir tus deseos más profundos.

Neferet habló despreocupadamente, como si estuviesen discutiendo sobre el tejido de su próximo vestido.

—¿Y cómo se supone que voy a poder encontrar el alma de Zoey? —dijo, intentando igualar su tono práctico—. El Otro Mundo es un reino tan vasto que solo los dioses y las diosas pueden atravesarlo.

La cara de Neferet, que hasta entonces mostraba una expresión bastante insulsa, se tensó, haciendo que su cruel belleza fuese imposible de soportar.

—¡No finjas que no tienes una conexión con su alma! —La *tsi sgili* inmortal respiró profundamente y continuó con un tono más razonable—. Admítelo, mi amor: podrías encontrar a Zoey aunque nadie más pudiese hacerlo. ¿Qué eliges, Kalona: reinar en la tierra a mi lado… o seguir siendo un esclavo del pasado?

—Elijo reinar. Siempre elijo reinar —contestó sin dudarlo.

En cuanto habló, los ojos de Neferet se transformaron. El verde de su interior se disipó en favor del escarlata. Ordenó a los orbes brillantes que fueran a él, sosteniéndolo, atrapándolo, entrando en él.

—Entonces escúchame, Kalona, guerrero caído de Nyx. Juro mantener tu cuerpo a salvo. Cuando Zoey Redbird, iniciada alta sacerdotisa de Nyx, no exista, prometo que retiraré estas cadenas oscuras y permitiré que regrese tu espíritu. Entonces te llevaré a la parte superior de nuestro castillo, en Capri, y dejaré que el cielo te dé vida y te fortalezca para que dirijas este reino como mi consorte, mi protector, mi Érebo.

Mientras Kalona la miraba, incapaz de detenerla, Neferet usó una de sus puntiagudas uñas para rasgar la piel de la palma de su mano derecha. Cerrando un poco la mano para recoger la sangre que se formó en ella, extendió el brazo, ofreciéndola.

—Mediante la sangre, conjuro este poder; mediante la sangre, cierro este juramento.

La Oscuridad se agitó a su alrededor y descendió a su palma, retorciéndose, estremeciéndose, bebiendo de ella. Kalona podía sentir la atracción de esa Oscuridad. Le habló a su alma con susurros seductores y poderosos.

—¡Sí!

Afirmación que salió como un gemido roto y profundo desde su garganta mientras Kalona se rendía a la avariciosa Oscuridad.

Cuando Neferet continuó, su voz sonaba magnificada, henchida de poder.

—Es por decisión tuya que he sellado este juramento de sangre con Oscuridad, pero si me fallas y lo rompes…

—No fallaré.

La belleza de su sonrisa era de otro mundo; sus ojos estaban enturbiados de sangre.

—Si tú, Kalona, guerrero caído de Nyx, rompes este juramento y fallas en la misión de destruir a Zoey Redbird, iniciada alta sacerdotisa de Nyx, yo dominaré tu espíritu mientras seas inmortal.

La respuesta llegó a él espontáneamente gracias a la seductora Oscuridad, a la que había preferido durante siglos frente a la Luz.

—Si fallo, dominarás mi espíritu mientras yo sea inmortal.

—Eso hemos jurado.

Neferet sajó de nuevo su palma, creando una sangrante equis en su carne. El aroma metálico llegó a Kalona como el humo que sale de una hoguera mientras ella levantaba su mano de nuevo hacia la Oscuridad.

—¡Que así sea!

El rostro de Neferet se retorció de dolor mientras la Oscuridad volvía a beber de ella, pero se mantuvo firme, no se movió hasta que el aire a su alrededor vibró y se hizo más denso con su sangre y su juramento.

Solo entonces bajó la mano. Sacó la lengua para lamer la línea escarlata y parar el sangrado. Neferet caminó hacia él, se inclinó y le colocó las manos con delicadeza en cada mejilla, en un gesto muy parecido al que él había tenido con el chico humano antes de asestarle su golpe de gracia. Kalona podía sentir que la Oscuridad latía alrededor de ella y en su interior. Se sentía como un toro enfurecido esperando ansiosamente las órdenes de su dueña.

Los labios rojos manchados de sangre de Neferet se acercaron justo hasta casi tocar los suyos.

—Por el poder que corre por mi sangre y por el poder de las vidas que he tomado, os ordeno, deliciosos hilillos de Oscuridad, que le separéis el alma del cuerpo a este inmortal que ha prestado juramento y la hagáis llegar hasta el Otro Mundo. Id y haced lo que os ordeno y os prometo que sacrificaré la vida de un inocente que vosotros hayáis sido incapaces de tentar. ¡Hacedlo por mí, que así sea!

Neferet respiró profundamente y Kalona vio cómo los oscuros hilos que había conjurado se deslizaban entre sus carnosos labios rojos. Inhaló Oscuridad hasta que estuvo saciada y después cubrió su boca con la suya. Con ese oscuro beso teñido de sangre, introdujo la Oscuridad en él con tanta fuerza que le desgarró el alma ya herida de su cuerpo. Mientras esta chillaba en una agonía silenciosa, Kalona fue elevado hacia el reino del que su diosa lo había desterrado, dejando su cuerpo sin vida, encadenado, unido por un juramento al mal y a merced de Neferet.

2

Rephaim

El sonido del tambor era como el latido de un inmortal: interminable, opresor, abrumador. Resonó en el alma de Rephaim al ritmo de los latidos de su sangre. Entonces, con el compás del tambor, las palabras antiguas tomaron forma. Envolvieron su cuerpo de tal manera que incluso mientras dormía, su pulso se alió en armonía con la melodía eterna. En su sueño, las voces de las mujeres cantaban.

Resurgir quiere aquel que desde antaño dormita.
El poder de la tierra deberá sangrar de un rojo sagrado,
para que la marca se haga realidad, tal y como la reina tsi sgili imagina
cuando él de su lecho de ultratumba sea izado.

La canción era seductora y, como un laberinto, daba vueltas interminablemente.

Él será libre a través de las manos de los fallecidos.
Terrible belleza, monstruoso panorama.
De nuevo serán regidos,
y ante este oscuro poder se arrodillarán las damas.

La música era como un encantamiento murmurado. Una promesa. Una bendición. Una maldición. El recuerdo de la premonición hizo que el cuerpo dormido de Rephaim se agitara, incómodo. Se retorció y, como un niño abandonado, susurró solo una palabra:
—¿Padre?

Dulce suena la canción de Kalona
mientras masacramos con gélido calor.

—Mientras masacramos con gélido calor...

A pesar de estar dormido, Rephaim respondió a las palabras. No se despertó, pero el ritmo de su corazón aumentó y, con los puños apretados, su cuerpo se tensó. En el límite entre el sueño y la vigilia, el sonido del tambor se paró, indeciso, y las suaves voces de las mujeres fueron reemplazadas por una sola, profunda y demasiado familiar.

—¡Traidor... cobarde... desleal... mentiroso!

La voz masculina sonó como una condena. Aquella letanía cargada de ira invadió el sueño de Rephaim y lo hizo volver al mundo consciente de una brusca sacudida.

—¡Padre!

Rephaim se puso de pie, tirando los papeles viejos y los pedacitos de cartón que había usado para crear un nido a su alrededor.

—Padre, ¿estás aquí?

Captó el destello de un movimiento por el rabillo del ojo y saltó hacia delante, sacudiendo su ala rota mientras buscaba con la mirada en las profundidades del armario oscuro de paneles de cedro.

—¿Padre?

Su corazón sabía que Kalona no estaba allí antes incluso de que una neblina de luz y movimiento tomase forma para revelar una niña.

—¿Qué eres?

Rephaim clavó en ella su mirada ardiente.

—Un fantasma, una aparición.

En lugar de desvanecerse, como debería haber hecho, la niña entrecerró los ojos para estudiarlo, intrigada.

—No eres un pájaro, pero tienes alas. Y no eres un chico, pero tienes brazos y piernas. Y tus ojos son como los de un muchacho, también, aunque rojos. ¿Qué eres?

Rephaim sintió crecer su ira. Con un movimiento rápido que hizo que punzadas de dolor traspasaran su cuerpo, saltó desde el armario, aterrizando a tan solo a unos centímetros del fantasma; depredador, peligroso, a la defensiva.

—¡Soy una pesadilla hecha realidad, espíritu! Márchate y déjame en paz antes de que aprendas que hay que temer cosas mucho peores que la muerte.

Por culpa de su abrupto movimiento, la niña fantasma había dado un pequeño paso hacia atrás, por lo que su hombro rozaba ahora la parte baja del cristal de la ventana. Pero se quedó allí, quieta, mirándolo todavía con ojos curiosos e inteligentes.

—Llamaste a tu padre en sueños. Te oí. No puedes engañarme. Soy lista y me acuerdo de las cosas. Además, no me asustas porque lo que te pasa es que estás herido y solo.

Entonces el espíritu de la niña cruzó los brazos de mal humor delante de su delgado pecho, sacudió hacia atrás su largo pelo rubio y desapareció, dejando a Rephaim tal y como ella había dicho: herido y solo.

Rephaim aflojó los puños. Sus latidos se ralentizaron. Se dejó caer pesadamente en su improvisado nido y apoyó la cabeza contra el lateral del armario que estaba tras él.

—Patético —murmuró—. El hijo favorito de un antiguo inmortal reducido a esconderse entre basura y a hablar con el fantasma de una niña humana.

Trató de reírse pero no pudo. Seguía oyendo el eco de la música de su sueño, de su pasado, a su alrededor. Igual que la otra voz… la que habría jurado que pertenecía a su padre.

No podía seguir sentado. Ignorando el dolor de su brazo y el tormento que le producía su ala, Rephaim se puso en pie. Odiaba la debilidad que había invadido su cuerpo. ¿Cuánto tiempo llevaba allí, herido, agotado por su huida desde los túneles, hecho un ovillo en aquella caja de la pared? No podía recordarlo. ¿Había pasado un día? ¿Dos?

¿Dónde está ella? Me había dicho que vendría a verme durante la noche. Y aquí estoy yo, donde Stevie Rae me dijo que viniera. Y ya es de noche y ella no ha venido.

Sintiendo odio hacia sí mismo, soltó un gruñido, abandonó el armario y su nido y pasó caminando airadamente al lado del alféizar ante el que se había materializado la niña, en dirección a la puerta que daba a la terraza. Al llegar allí, justo después del alba, su instinto lo había llevado hasta el segundo piso de la mansión abandonada. Al límite de su enorme reserva de fuerzas, solo había pensado en su seguridad y en dormir.

Pero ahora estaba muy despierto.

Contempló los desiertos terrenos del museo. El granizo que había estado presente durante días había cesado de caer, y había dejado los enormes árboles que rodeaban las onduladas colinas en las que se asentaba el museo Gilcrease y su mansión abandonada con las ramas dobladas por el peso y destrozadas. La visión nocturna de Rephaim era buena, pero no podía detectar ningún movimiento fuera. Las casas que poblaban el área entre el museo y la ciudad de Tulsa estaban casi tan oscuras como durante su viaje hasta allí, tras el amanecer. Solo pequeñas lucecitas salpicaban el paisaje, en lugar de la intensa y resplandeciente electricidad que Rephaim habría esperado ver en una ciudad moderna. Únicamente había velas débiles y parpadeantes, nada comparado con la majestuosidad del poder que este mundo podía reflejar.

No había, por supuesto, ningún misterio en lo que pasaba: las líneas que transportaban la electricidad a las casas de los humanos modernos habían sido cortadas. Eso estaba tan claro como que el hielo se acumulaba en las copas de los árboles. Rephaim sabía que eso era una ventaja para él. Las calles parecían medianamente transitables, excepto por las ramas caídas y otros restos dejados en las calzadas. Si la gran máquina eléctrica no se hubiese estropeado, la gente se habría agolpado en la zona, fuera de sus casas, recuperando su vida cotidiana.

—La falta de electricidad mantiene a los humanos alejados —dijo para sí mismo—. ¿Pero qué es lo que la mantiene a ella alejada?

Con un resoplido de pura frustración, Rephaim abrió de golpe la desvencijada puerta, buscando automáticamente el cielo abierto para calmar sus nervios. El aire era frío y húmedo. La niebla baja sobre la hierba invernal colgaba en capas onduladas, como si la tierra tratase de ocultarse de su mirada.

Rephaim levantó los ojos, dejó escapar un largo suspiro y se estremeció. Inhaló mirando hacia el firmamento, que parecía antinaturalmente brillante en comparación con la ciudad oscura. Las estrellas lo llamaban, al igual que la media luna menguante.

Todo el cuerpo y la esencia de Rephaim se morían por elevarse en el cielo. Quería sentirlo bajo sus alas, traspasando su cuerpo oscuro y plumoso, acariciándolo con el tacto de una madre que nunca había conocido.

Extendió su ala sana, que era más grande que un cuerpo adulto. Su otra ala tembló y el aire nocturno que Rephaim había inhalado salió de él con un gemido desesperado.

¡Tullido! La palabra se quedó grabada en su mente.

—No. No estás seguro.

Rephaim habló en voz alta. Sacudió la cabeza, tratando de expulsar aquella inusual fatiga que lo hacía sentir cada vez más indefenso, cada vez más herido.

—¡Concéntrate! —Rephaim se reprendió a sí mismo—. Es hora de que encuentres a Padre.

La mente de Rephaim todavía no se había recuperado del todo pero, aunque cansada, estaba más clara que nunca desde su caída. Ya debería ser capaz de poder detectar algún rastro de su padre. No importaba la distancia o el tiempo que los separase porque estaban unidos por sangre y espíritu y, especialmente, por el don de la inmortalidad, derecho de nacimiento de Rephaim.

Este miró hacia arriba, al cielo, pensando en las corrientes de aire sobre las que estaba tan acostumbrado a planear. Respiró profundamente, levantó su brazo sano y extendió la mano, tratando de tocar aquellas escurridizas corrientes y los vestigios de la magia oscura del Otro Mundo que allí languidecían.

—¡Muéstrame algún rastro de él! —le rogó con urgencia a la noche.

Durante un momento pensó que había notado un destello como respuesta, lejos, muy lejos, hacia el este. Pero después solo pudo sentir agotamiento.

—¿Por qué no te puedo sentir, Padre?

Frustrado e inusualmente extenuado, dejó que su mano cayese flácidamente a su lado.

Fatiga inusual…

—¡Por todos los dioses!

Rephaim de repente se dio cuenta de qué era lo que le había minado las fuerzas y dejado como un burdo reflejo de sí mismo. Supo qué era lo que le impedía que sintiese el camino que su padre había tomado.

—Ha sido ella.

Su voz sonó dura y tenía los ojos de un carmesí abrasador.

Sí, lo habían herido terriblemente; pero como hijo de un inmortal que era, su cuerpo tendría que haber comenzado ya a recuperarse. Había dormido… dos veces desde que el guerrero lo había disparado mientras volaba. Su mente se había aclarado. El sueño tendría que haber seguido reparándolo. Aunque su ala, como sospechaba, tuviese daños permanentes, el resto de su cuerpo debería estar notablemente mejor. Sus poderes deberían haber vuelto a él.

Pero la Roja había bebido de su sangre, se había conectado con él. Y, al hacerlo, había alterado el equilibro del poder inmortal de su interior.

Su ira aumentó para unirse a la frustración que ya sentía.

Ella lo había usado y después lo había abandonado.

Igual que Padre.

—¡No! —se corrigió inmediatamente.

Su padre se había alejado de él por culpa de la iniciada alta sacerdotisa. Volvería cuando pudiese y Rephaim volvería a estar a su lado una vez más. Era la Roja quien lo había usado y después lo había dejado tirado.

¿Por qué aquella simple idea le causaba ese curioso dolor en su interior? Ignorando aquel sentimiento, elevó la cara hacia el cielo familiar. Él no había pedido esa conexión. Solo la había salvado porque le debía la vida y sabía demasiado bien que uno de los verdaderos peligros de este mundo, así como del siguiente, era el poder de una deuda de vida impagada.

Bueno, ella lo había rescatado; lo había encontrado, escondido y después liberado. Pero en el tejado de aquel edificio él le había devuelto el favor ayudándola a esquivar una muerte segura. Su deuda de vida estaba ahora pagada. Rephaim era el hijo de un inmortal, no un débil hombrecillo humano. Casi no albergaba dudas de que podía romper esa conexión, aquella ridícula consecuencia de salvarle la vida. Usaría lo que le quedaba de sus fuerzas para desear que desapareciese y después comenzaría a sanarse de verdad.

Inspiró en la noche de nuevo. Ignorando la debilidad de su cuerpo, Rephaim se concentró con fuerza en su deseo.

—Convoco al poder del espíritu de los antiguos inmortales, mío por derecho de nacimiento, para romper…

Una ola de desesperación lo golpeó y Rephaim se tambaleó contra la barandilla del balcón. La tristeza invadió su cuerpo con tal fuerza que lo arrojó sobre sus rodillas. Así se quedó, jadeando entre el dolor y la sorpresa.

¿Qué me está sucediendo?

Después lo inundó un extraño miedo y Rephaim empezó a entender lo que ocurría.

—Estos no son mis sentimientos —se dijo a sí mismo, intentando encontrar la calma entre aquella vorágine de angustia—. Son los suyos.

Rephaim respiró entrecortadamente mientras el miedo se iba convirtiendo en desesperanza. Armándose de valor para enfrentarse a aquella constante arremetida de sentimientos, trató de permanecer de pie, luchando contra las ondas que le enviaban las emociones de Stevie Rae. Con firmeza, se obligó a concentrarse y traspasar los ataques y el cansancio, que tiraba constantemente de él, para tratar de llegar a aquel lugar lleno de poder que permanecía cerrado e inactivo para la mayoría de la humanidad... al lugar que solo su sangre abriría.

Rephaim empezó de nuevo la invocación. Esta vez con otro objetivo.

Más tarde se diría a sí mismo que su respuesta había sido automática, que había actuado bajo la influencia de su conexión; sencillamente, ese vínculo había sido más poderoso de lo que esperaba. Había sido esa detestable conexión la que le había hecho creer que la forma más segura y rápida de acabar con aquella horrible lluvia de emociones que le llegaban desde la Roja era atraerla hasta él y así alejarla de lo que fuera que le estaba causando tanto dolor.

No podía deberse a que le importase que ella estuviese sufriendo. Eso nunca.

—Convoco al poder del espíritu de los antiguos inmortales, mío por derecho de nacimiento.

Rephaim habló rápidamente. Ignorando el dolor de su cuerpo maltrecho, atrajo la energía hacia él desde las sombras más oscuras de la noche y después canalizó aquel poder a través de él, cargándolo con inmortalidad. El aire a su alrededor brilló al teñirse de un resplandor escarlata oscuro.

—Mediante el poder inmortal de mi padre, Kalona, que sembró mi sangre y mi espíritu con vigor, te envío a mi...

Su frase quedó en suspenso. ¿Su? Ella no era su nada. Ella era... ella era...

—¡Ella es la Roja! La alta sacerdotisa vampira de los que están perdidos —consiguió decir finalmente—. Está conectada conmigo a través de un vínculo de sangre y de una deuda de vida. Vete junto a ella. Fortalécela. Tráela hasta mí. Por la parte inmortal de mi ser, ¡te lo ordeno!

La neblina roja se dispersó al instante, volando hacia el sur, en la dirección por la que él había venido, buscándola.

Rephaim se giró para seguirla con la mirada. Y después esperó.

3

Stevie Rae

Stevie Rae se despertó sintiéndose como un gran saco de estiércol. Bueno, en realidad, se sentía como un gran saco de estiércol estresado.

Estaba conectada con Rephaim.

Casi se había abrasado por completo en aquel tejado.

Durante un momento recordó la excelente segunda temporada de *True Blood*, el episodio en el que Goderick había ardido en un tejado ficticio. Stevie Rae soltó una risotada.

—Parecía mucho más fácil en la tele.

—¿El qué?

—¡Por todos los demonios, Dallas! Casi me matas de un infarto —Stevie Rae se agarró fuertemente a la sábana blanca, tipo hospital, que la cubría—. ¿Qué te crees que estás haciendo?

Dallas frunció el ceño.

—Jesús, tranquilízate. Subí poco después del anochecer para ver qué tal estabas y Lenobia me dijo que podía quedarme aquí sentado un rato, por si te despertabas. Estás un poco nerviosilla.

—Casi me muero. Creo que tengo derecho a estar un poco nerviosilla.

Dallas pareció arrepentirse al momento. Acercó rápidamente el taburete y la cogió de la mano.

—Lo siento. Tienes razón. Lo siento. Me asusté muchísimo cuando Erik nos contó a todos lo que había pasado.

—¿Qué os contó Erik?

Sus cálidos ojos castaños se endurecieron.

—Que casi ardes en aquel tejado.

—Sí, fue algo bastante estúpido. Tropecé, caí y me golpeé la cabeza. —Stevie Rae tuvo que apartar la mirada mientras hablaba—. Cuando me levanté, estaba casi abrasada.

—Sí, y una mierda.

—¿Qué?

—Guárdate ese montón de mentiras para Erik, Lenobia y todos los demás. Esos gilipollas intentaron matarte, ¿no?

—Dallas, no sé de qué me estás hablando.

Trató de apartar la mano de la suya, pero él siguió agarrándosela con firmeza.

—Eh. —Su voz se suavizó y la tomó de la barbilla, haciendo que lo mirara de nuevo—. Soy yo. Sabes que puedes contarme la verdad y que mantendré el pico cerrado.

Stevie Rae respiró profundamente.

—No quiero que Lenobia o los demás sepan nada. Y, sobre todo, que no se entere ninguno de los iniciados azules.

Dallas la miró un rato largo antes de hablar.

—No le diré nada a nadie, pero que sepas que me parece que estás cometiendo un gran error. No puedes seguir protegiéndolos.

—¡No los estoy protegiendo! —protestó ella. Esta vez siguió sosteniendo la mano cálida y segura de Dallas, tratando de hacerle entender así algo que ella no le podría contar jamás—. Solo quiero arreglar esto, todo esto, a mi manera. Y si alguien se entera de que trataron de atraparme allá arriba, se me escapará todo de las manos.

¿Y si Lenobia captura a Nicole y a los otros, y ellos le cuentan lo de Rephaim? Aquel asqueroso pensamiento pasó como un susurro lleno de culpabilidad por la mente de Stevie Rae.

—¿Y qué vas a hacer? No puedes dejar que se vayan de rositas.

—No lo haré. Pero son responsabilidad mía y me voy a ocupar de ellos por mi cuenta.

Dallas sonrió.

—Vas a darle unas cuantas pataditas en el culo, ¿eh?

—Algo así —dijo Stevie Rae, sin tener ni idea de lo que haría a continuación. Después cambió rápidamente de tema—. Eh, ¿qué hora es? Tengo la impresión de que me estoy muriendo de hambre.

La sonrisa de Dallas se transformó en una carcajada mientras se levantaba.

—¡Ahora sí que vuelves a ser mi chica!

La besó en la frente y después se dirigió a la mininevera empotrada que estaba entre las estanterías metálicas, al otro lado de la habitación.

—Lenobia me dijo que había bolsas de sangre por aquí. Dijo que con lo rápido que te estabas curando y lo profundo que dormías, seguramente te despertarías hambrienta.

Mientras él iba a por las bolsas, Stevie Rae se sentó y miró con cuidado bajo el camisón estándar de hospital, haciendo una mueca de dolor por el agarrotamiento que sintió al moverse. Se esperaba lo peor. Y es que su espalda parecía una asquerosa hamburguesa quemada cuando Lenobia y Erik la sacaron del agujero que había hecho en la tierra. Cuando la apartaron de Rephaim.

No pienses en él ahora. Concéntrate en...

—Oh, dios mío —susurró Stevie Rae sobrecogida mirando su espalda hasta donde le alcanzaba la vista. Ya no parecía una hamburguesa. Estaba lisa y de un rosa brillante, como si se hubiese quemado por el sol. Pero su piel parecía nueva y tersa, como la de un bebé.

—Es sorprendente —dijo Dallas en bajito—. Un verdadero milagro.

Stevie Rae levantó la cabeza hacia él. Sus ojos se encontraron y sostuvieron la mirada.

—Me has acojonado, niña —dijo—. No lo vuelvas a hacer, ¿vale?

—Lo intentaré —contestó ella suavemente.

Dallas se inclinó hacia delante y, con cuidado, solo con la puntita de los dedos, le tocó la piel rosada de la espalda, a la altura del hombro.

—¿Sigue doliéndote?

—En realidad no. Solo me siento un poco acartonada.

—Sorprendente —repitió—. O sea, Lenobia ya me había dicho que se había estado curando mientras dormías, pero estabas muy mal y no me esperaba nada como...

—¿Cuánto tiempo he dormido? —lo interrumpió Stevie Rae, intentando imaginar las consecuencias de haber estado inconsciente durante días y días.

¿Qué pensaría Rephaim si ella no apareciese? O peor... ¿qué haría?

—Solo un día.

La inundó una sensación de alivio.

—¿Un día? ¿En serio?

—Sí, bueno, anocheció hace un par de horas, así que técnicamente has estado durmiendo durante más de un día. Te trajeron ayer, después del alba. Fue bastante espectacular. Erik metió el Hummer directamente a campo traviesa, derribó una verja y aparcó en los establos de Lenobia. Después hubo un montón de confusión mientras todos tratábamos de hacerte llegar a la enfermería.

—Sí, hablé con Z en el Hummer cuando volvíamos y me sentía casi bien, pero después fue como si alguien me apagara las luces. Creo que me desmayé.

—Sí que lo hiciste.

—Bueno, pues qué mala suerte —dijo Stevie Rae sonriendo—. Me habría gustado ver la que se montó.

—Sí —le sonrió en respuesta—, eso es exactamente lo que pensé una vez que me sobrepuse a la idea de que te ibas a morir.

—No voy a morirme —dijo ella con firmeza.

—Bueno, me alegro de oírlo.

Dallas se inclinó, le cogió la barbilla con las manos y la besó tiernamente en los labios.

Stevie Rae se apartó de él. Fue una extraña reacción automática.

—Eh, ¿qué hay de esa bolsita de sangre? —dijo rápidamente.

—Oh, sí.

Dallas se encogió de hombros ante su rechazo, pero tenía las mejillas de un color rojo poco natural cuando le pasó la bolsa.

—Lo siento, no lo pensé. Sé que estás herida y que no te sientes como para… eh… bueno, ya sabes. —Su voz se fue apagando y parecía muy incómodo.

Stevie Rae sabía que tenía que contestarle de alguna manera. Después de todo, había algo entre ellos dos. Era dulce, listo y había demostrado que la entendía por el simple hecho de estar allí de pie, sintiéndose fatal y bajando la cabeza de una manera adorable que lo hacía parecer un chiquillo. Y era guapo, alto y delgado, con la cantidad justa de músculos y un pelo tupido del color de la arena. En realidad, le gustaba besarlo. O solía gustarle…

¿Es que ya no?

Un desconocido sentimiento de desazón le impedía encontrar las palabras que lo podían hacer sentir mejor, así que en lugar de hablar, Stevie Rae cogió la bolsa que le ofrecía, la rasgó por una esquina y la sostuvo en alto, mientras la sangre bajaba por su garganta y se expandía como un megachupito de Red Bull desde su estómago llenando de energía el resto de su cuerpo.

No era su intención, pero desde algún lugar de su interior, Stevie Rae comparó aquella sangre normal, mortal y ordinaria y la sangre de Rephaim, que era más como un relámpago, como un golpe de energía y calor.

Su mano solo tembló un poquito cuando se limpió la boca y miró finalmente a Dallas.

—¿Mejor? —le preguntó él como si no hubiera pasado nada, como si fuese de nuevo el Dallas familiar y dulce.

—¿Me das otra?

Sonrió y le enseñó otra bolsa.

—Me he adelantado a tus deseos, niña.

—Gracias, Dallas. —Hizo una pausa antes de ponerse a sorber el contenido de la segunda bolsa—. No me siento al cien por cien ahora mismo, ¿sabes?

Dallas asintió.

—Lo sé.

—¿Todo bien entre nosotros?

—Sí —contestó él—. Si tú estás bien, nosotros estamos bien.

—Bueno, esto ayudará.

Stevie Rae estaba levantando la bolsa cuando entró Lenobia en la habitación.

—Eh, Lenobia… Mira, la bella durmiente se ha despertado por fin —dijo Dallas.

Stevie Rae engulló la última gota de sangre y se giró hacia la puerta, pero la sonrisa de bienvenida que había puesto en su cara se congeló en cuanto vio a Lenobia.

La profesora de equitación había estado llorando. Mucho.

—¡Oh, diosa! ¿Qué ha pasado?

Stevie Rae estaba tan sorprendida al ver a la profesora, normalmente un ejemplo de entereza, tan destrozada, que su primera reacción fue dar una palmadita en la cama, a su lado, invitándola a sentarse con ella, como solía hacer su madre cuando ella aparecía con alguna herida, llorando para que la ayudara.

Lenobia dio varios pasos sobre la madera de la habitación. No se sentó en la cama de Stevie Rae. Se quedó a sus pies y respiró profundamente, como preparándose para hacer algo terrible.

—¿Quieres que me vaya? —preguntó Dallas, dubitativo.

—No. Quédate. Puede que ella te necesite. —Tenía la voz ronca y la cara llena de lágrimas. Miró a Stevie Rae a los ojos—. Es Zoey. Le ha pasado algo.

El miedo atenazó el estómago de Stevie Rae y las palabras le salieron antes de que pudiese contenerlas.

—¡Zoey está bien! Hablé con ella, ¿no te acuerdas? Cuando dejamos la estación, antes de que la luz del sol y el dolor y todo eso me hicieran desmayarme. Eso fue ayer.

—Erce, mi amiga, la ayudante del Alto Consejo, lleva intentando contactar conmigo desde hace horas. Fui tan tonta como para dejarme el teléfono en el Hummer y no he podido hablar con ella hasta ahora. Kalona mató a Heath.

—¡Mierda! —balbuceó Dallas.

Stevie Rae lo ignoró y miró fijamente a Lenobia. *¡El padre de Rephaim había matado a Heath!* El miedo enfermizo en su estómago empeoraba a cada segundo.

—Zoey no está muerta. Yo lo sabría.

—Zoey no está muerta, pero vio cómo Kalona mataba a Heath. Trató de impedirlo y no pudo. Eso la ha destrozado, Stevie Rae.

Las lágrimas habían empezado a deslizarse por las mejillas de porcelana de Lenobia.

—¿Destrozado? ¿Qué significa eso?

—Significa que su cuerpo sigue respirando, pero que su alma se ha ido. Cuando se rompe el alma de una alta sacerdotisa, solo es cuestión de tiempo que su cuerpo también se desvanezca en este mundo.

—¿Desvanezca? No sé de qué me estás hablando. ¿Me estás diciendo que va a desaparecer?

—No —dijo Lenobia desolada—. Va a morir.

Stevie Rae empezó a mover la cabeza de un lado para otro.

—No. No. ¡No! Solo tenemos que traerla hasta aquí. Entonces se pondrá bien.

—Aunque traigamos su cuerpo, Zoey no va a volver, Stevie Rae. Tienes que prepararte para ello.

—¡No pienso hacerlo! —gritó ella—. ¡No puedo! Dallas, acércame mis vaqueros y lo demás. Tengo que salir de aquí. Tengo que encontrar una manera de ayudar a Z. Ella no me abandonó en su día y yo tampoco la voy a abandonar.

—No se trata de ti —dijo Dragon Lankford desde la puerta abierta de la habitación de la enfermería. Su robusta cara estaba demacrada y macilenta por el poco tiempo que hacía que había perdido a su compañera, pero su voz era calmada y firme—. Se trata del hecho de que Zoey ha sido testigo de un hecho dramático que no ha podido soportar. Y yo sé algo sobre el sufrimiento: cuando te hace añicos el alma, el camino para volver al cuerpo al que pertenece se rompe. Y sin el espíritu en su interior, el cuerpo se muere.

—No, por favor. No puede ser verdad. No puede estar pasando esto —le dijo Stevie Rae.

—Tú eres la primera vampira roja alta sacerdotisa. Tienes que encontrar las fuerzas para superar esta pérdida. Tu gente te necesita —le respondió Dragon.

—No sabemos adónde ha huido Kalona ni el papel que Neferet ha tenido en todo esto —dijo Lenobia.

—Lo que sí que sabemos es que la muerte de Zoey sería un buen momento para que nos atacasen de nuevo —añadió Dragon.

La muerte de Zoey... Las palabras resonaron en la mente de Stevie Rae causando sorpresa, miedo y desesperación.

—Tus poderes son inmensos. Lo rápido que te has recuperado es buena prueba de ello —dijo Lenobia—. Y necesitaremos todo el poder que podamos aprovechar para enfrentarnos a la oscuridad que estoy segura que va a descender sobre nosotros.

—Controla tu dolor —dijo Dragon—. Y toma el testigo de Zoey.

—¡Nadie puede sustituir a Zoey! —gritó Stevie Rae.

—No te estamos pidiendo que la sustituyas. Solo te pedimos que nos ayudes a los demás a llenar el hueco que nos ha dejado —replicó Lenobia.

—Tengo... tengo que pensarlo —dijo Stevie Rae—. ¿Podéis dejarme sola un rato? Necesito vestirme y pensar.

—Por supuesto —respondió Lenobia—. Estaremos en la sala del Consejo. Reúnete allí con nosotros cuando estés lista.

Dragon y ella abandonaron la habitación en silencio, apenados pero resueltos.

—Eh, ¿estás bien?

Dallas se acercó a Stevie Rae, alargando la mano para coger la suya.

Ella solo le permitió tocarla por un momento antes de apretársela y soltarse.

—Necesito mi ropa.

—La vi en ese armario.

Dallas señaló con la cabeza uno de los armaritos del otro lado de la habitación.

—Bien, gracias —dijo Stevie Rae rápidamente—. Tienes que salir para que pueda vestirme.

—No has respondido a mi pregunta —dijo él, mirándola fijamente.

—No. No estoy bien y no voy a estarlo mientras sigan diciendo que Z va a morir.

—Pero, Stevie Rae, hasta yo he oído lo que pasa cuando un alma abandona un cuerpo… la gente sin alma se muere —dijo, y era obvio que trataba de pronunciar esas palabras tan duras de la forma más amable posible.

—Esta vez no —replicó Stevie Rae—. Y ahora sal para que pueda vestirme.

Dallas suspiró.

—Te esperaré fuera.

—Vale. No tardaré.

—Tómate tu tiempo, niña —dijo Dallas suavemente—. No me importa esperar.

Pero en cuanto se cerró la puerta, Stevie Rae no saltó de la cama y se puso a vestirse, como era su intención. En lugar de eso, su memoria se entretuvo rebuscando en el *Manual del iniciado* y se detuvo en una historia tristísima sobre el alma destrozada de una antigua alta sacerdotisa. Stevie Rae no era capaz de recordar lo que había causado que aquella alma se hiciera añicos. En realidad, no se acordaba mucho de la historia, aparte del hecho de que la alta sacerdotisa había muerto. A pesar de todo lo que habían intentado hacer por ella, había muerto.

—La alta sacerdotisa murió —susurró Stevie Rae.

Y Zoey no era ni siquiera una verdadera alta sacerdotisa con experiencia. Técnicamente, seguía siendo una iniciada. ¿Cómo iba ella a encontrar el camino de vuelta cuando ni siquiera una alta sacerdotisa adulta había podido hacerlo?

Lo cierto era que Zoey no iba a volver.

¡No era justo! ¿Habían pasado por tanto para que ahora Zoey se muriera? Stevie Rae no quería creérselo. Quería luchar, gritar y encontrar la manera de recuperar a su mejor amiga, pero ¿cómo? Z estaba en Italia y ella en Tulsa. ¡Y demonios! Stevie Rae ni siquiera podía solucionar el problemilla que tenía con unos cuantos molestos rojos iniciados. ¿Quién era ella para creerse capaz de hacer algo para ayudar al alma destrozada de Zoey?

Ni siquiera podía confesar que tenía una conexión con el hijo de la criatura que había causado aquel terrible daño.

La tristeza invadió a Stevie Rae. Se hizo un ovillo, se abrazó al almohadón y retorciendo un rizo rubio alrededor de un dedo, como solía hacer cuando era pequeña, comenzó a llorar. Los sollozos la sacudieron y tuvo que enterrar el rostro en la almohada para que Dallas no la escuchara llorar. Había pasado de la sorpresa al miedo, y del miedo a la más completa y abrumadora desesperación.

Justo cuando se había dado por vencida, el aire a su alrededor se agitó, como si alguien hubiese roto la ventana de la pequeña habitación.

Al principio lo ignoró, demasiado entregada al llanto como para preocuparse por una estúpida brisa fría. Pero era insistente. Esta acarició la piel tersa y rosa de su espalda descubierta de una manera que le produjo un sorprendente placer. Durante un momento se relajó, permitiéndose disfrutar de aquella agradable sensación.

¿Sensación? ¡Le había dicho que esperara fuera!

Stevie Rae levantó la cabeza bruscamente. Tenía los labios separados, preparada para gruñirle a Dallas.

No había nadie en la habitación.

Estaba sola. Completamente sola.

Stevie Rae apoyó la cara entre las manos. ¿La conmoción la había vuelto tan loca como una cabra? No tenía tiempo para eso. Debía levantarse y vestirse. Tenía que poner un pie delante del otro y salir para enfrentarse a la realidad de lo que le había pasado a Zoey, a sus iniciados rojos, a Kalona y, finalmente, a Rephaim.

Rephaim...

Su nombre resonó en el aire como si fuese otra caricia fría en su piel, envolviéndola. No se conformó con rozarle la espalda sino que le acarició los brazos y se enroscó alrededor de su cintura y sus piernas. Y allá donde el aire fresco la rozaba, parecía restarle un poco de su dolor. Aquella vez pudo controlar mejor su reacción cuando levantó la vista. Se secó los ojos y miró su cuerpo.

La neblina que la rodeaba estaba formada por minúsculas gotitas brillantes exactamente del mismo color que había visto en sus ojos.

—Rephaim —susurró en contra de su voluntad.

Él te llama...

—¿Qué está pasando? —murmuró Stevie Rae.

Su ira empezaba a superar su desesperación.

Ve con él...

—¿Que vaya con él? —dijo, sintiéndose cada vez más cabreada—. Su padre ha sido quien ha causado esto.

Ve con él...

Dejando que la marea de caricias frescas mezcladas con su furia tomaran la decisión por ella, Stevie Rae cogió su ropa. Acudiría junto a Rephaim pero solo porque cabía la posibilidad de que él supiese algo que pudiera servir para ayudar a Zoey. Era el hijo de un peligroso y poderoso inmortal. Obviamente, tenía habilidades que ella no conocía. La cosa roja que flotaba a su alrededor era suya, eso estaba claro, y debía de estar compuesta por parte de su espíritu.

—Muy bien —le dijo en voz alta a la neblina—. Iré junto a él.

En cuanto pronunció en voz alta aquellas palabras, la bruma roja se evaporó, dejando solo una persistente frescura en su piel y una sensación de calma sobrenatural.

Iré junto a él y, si no puede ayudarme, creo que entonces, a pesar de nuestra conexión, lo tendré que matar.

4

Aphrodite

—En serio, Erce, solo te lo voy a decir una vez más: no me importan tus estúpidas reglas. Zoey está ahí. —Aphrodite se detuvo y señaló con una uña de manicura perfecta la puerta de piedra cerrada—. Y, por tanto, ahí es donde voy a entrar.

—Aphrodite, tú eres humana… y ni siquiera eres la consorte de un vampiro. No puedes entrar en la sala del Alto Consejo con toda tu juvenil y mortal histeria, y especialmente durante un momento de crisis como este.

La gélida mirada de la vampira repasó el pelo revuelto de Aphrodite, su cara manchada de lágrimas y sus ojos rojos.

—El Consejo te invitará a unirte a ellos. Probablemente. Hasta entonces, debes aguardar.

—No estoy histérica. —Aphrodite habló lentamente, pronunciando cada palabra por separado con una calma forzada, tratando de simular que la razón por la que la habían dejado fuera de la sala del Alto Consejo cuando Stark, seguido de Darius, Damien, las gemelas e incluso Jack habían introducido allí el cuerpo de Zoey sin vida, no había sido que se hubiera comportado exactamente como Erce había descrito: como una humana histérica. No pudo seguirlos entonces, principalmente porque lloraba con tanta fuerza que los mocos y las lágrimas le habían impedido hacer otra cosa que no fuese respirar o ver. Cuando consiguió recomponerse, le habían cerrado la puerta en las narices y Erce se había plantado delante, de guardiana.

Pero Erce se equivocaba de pleno si creía que Aphrodite no sabía cómo manejar a una adulta estirada y amargada. La había educado una mujer que habría hecho que Erce pareciese la maldita Mary Poppins a su lado.

—Así que opinas que solo soy una niñata humana, ¿no? —Aphrodite invadió por completo el espacio personal de Erce, obligándola a dar un paso atrás—. Pues va a ser mejor que te lo vuelvas a pensar porque yo soy una profetisa de Nyx. Sabes quién es, ¿no? Nyx es tu diosa, tu jefa. No necesito ser la bolsita de la merienda de nadie para poder entrar en el Alto Consejo. La propia Nyx me concedió ese derecho. ¡Y ahora apártate de mi maldito camino!

—Aunque podría haberlo dicho de forma más educada, la niña tiene razón, Erce. Déjala pasar. Me hago responsable de su presencia si el Consejo lo desaprueba.

Aphrodite sintió erizarse el vello de sus antebrazos cuando escuchó la voz de Neferet detrás de ella.

—Esto no es lo habitual —dijo Erce, pero su rendición era ya obvia.

—Tampoco es habitual que el alma de una iniciada se rompa —dijo Neferet.

—No puedo dejar de estar de acuerdo contigo, sacerdotisa. —Erce se apartó a un lado y abrió la gruesa puerta de piedra—. Ahora eres responsable de la presencia de esta humana en la sala.

—Gracias, Erce. Muy amable de tu parte. Oh… Voy a hacer que algunos de los guerreros del Consejo me traigan algo. Por favor, asegúrate de franquearles el paso también, ¿de acuerdo?

—Por supuesto, sacerdotisa.

Aphrodite ni miró hacia atrás cuando Erce murmuró la predecible respuesta. En lugar de eso, entró dando zancadas en el antiguo edificio.

—¿No es raro que volvamos a ser aliadas, niña? —La voz de Neferet la seguía de cerca.

—Nunca seremos aliadas y yo no soy ninguna niña —dijo Aphrodite sin mirar hacia ella o disminuir el paso.

La entrada del vestíbulo se abrió para dar paso a un enorme anfiteatro de piedra con asientos distribuidos en filas circulares. Los ojos de Aphrodite se vieron atrapados inmediatamente por las vidrieras que tenía delante de ella y que representaban a Nyx enmarcada por un brillante pentagrama, con sus gráciles brazos levantados, sosteniendo entre las manos una luna creciente.

—Es realmente encantadora, ¿verdad? —dijo Neferet con voz natural y coloquial—. Los vampiros han sido los responsables de la creación de las mayores obras de arte del mundo.

Aphrodite seguía negándose a mirar a la antigua alta sacerdotisa. En lugar de hacerlo, se encogió de hombros.

—Los vampiros tienen dinero. El dinero compra cosas bonitas, estén hechas por humanos o no. Y no puedes estar segura de que fueran vampiros los que realizaran esa vidriera. Quiero decir que eres vieja, pero no tan vieja.

Mientras Aphrodite trataba de ignorar la suave y condescendiente risa de Neferet, su mirada se dirigió al el centro de la sala. Al principio no comprendió del todo lo que estaba viendo y cuando lo hizo, fue como si alguien le hubiese dado un puñetazo en el estómago.

Había siete tronos tallados en mármol sobre la inmensa plataforma elevada, situada en la parte baja de la sala. Las vampiras estaban sentadas en los tronos. Pero no fue aquello lo que captó su atención. Lo que no podía dejar de contemplar era el cuerpo de Zoey, echado sobre la tarima delante de los tronos, como una muerta yaciendo sobre una losa funeraria. Y también estaba Stark... Estaba arrodillado al lado de Zoey, girado de tal manera que Aphrodite podía verle la cara. No emitía ningún sonido, pero las lágrimas caían libremente por sus mejillas y empapaban su camisa. Darius estaba de pie, a su lado, y le decía algo que ella no alcanzaba a escuchar a la mujer sentada en el primer trono, de pelo negro salpicado con algunas canas. Damien, Jack y las gemelas estaban acurrucados todos juntos, como si fuesen ovejitas, en una fila de bancos de piedra cercana. También lloraban, pero sus lágrimas sonoras y turbias eran tan diferentes del sufrimiento silencioso de Stark como lo era un océano de un pequeño arroyo.

Aphrodite dio un paso adelante automáticamente, pero Neferet la agarró de la muñeca. Finalmente, aquello la hizo girarse y mirar a su mentora.

—Deberías soltarme —le dijo Aphrodite suavemente.

Neferet levantó una ceja.

—¿Por fin has aprendido a enfrentarte a una figura maternal?

Aphrodite dejó que la rabia ardiera tranquilamente en su interior.

—Tú no eres la figura maternal de nadie. Y aprendí a enfrentarme a hijas de puta hace mucho tiempo.

Neferet frunció el ceño y la soltó.

—Nunca me gustó ese lenguaje tuyo tan ordinario.

—Yo no soy ordinaria; soy sincera. Son dos cosas diferentes. ¿Y de verdad crees que me importa una mierda lo que te gusta y lo que no?

Neferet cogió aire para responderle, pero Aphrodite la interrumpió.

—¿Y qué demonios estás haciendo tú aquí?

Neferet parpadeó, sorprendida.

—Estoy aquí porque hay una iniciada herida.

—¡Oh, venga ya! Estás aquí porque esto va a permitirte conseguir algo que tú deseas. Así es como funcionas, Neferet, lo sepan ellos o no.

Aphrodite señaló con la barbilla a los miembros del Alto Consejo.

—Ten cuidado, Aphrodite. Puede que me necesites en un futuro cercano.

Aphrodite le sostuvo la mirada y se sorprendió al darse cuenta de que sus ojos habían cambiado. Ya no eran de color verde esmeralda brillante; se habían oscurecido. *¿Y eso que brilla en medio, en lo más profundo, es rojo?* Justo después de que Aphrodite tuviese ese pensamiento, Neferet parpadeó. Sus ojos se aclararon y volvieron a ser de nuevo del color de las gemas.

Aphrodite tomó aliento, temblando, y el vello de los brazos se le volvió a erizar. Aun así, le habló con voz seca y sarcástica.

—Muy bien. Me arriesgaré a no contar con tu ayuda.

Efectuó un movimiento para marcar la última palabra.

—¡Neferet, el Consejo te reconoce!

Neferet se dio la vuelta para observar al Consejo, pero antes de que pudiese descender por las escaleras, se detuvo e hizo un gesto elegante que incluyó a Aphrodite.

—Ruego al Consejo que permita la presencia de esta humana. Es Aphrodite, la niña que dice ser la profetisa de Nyx.

Aphrodite avanzó sorteando a Neferet y miró directamente a cada uno de los miembros del Consejo.

—Yo no digo ser una profetisa. Soy la profetisa de Nyx porque la Diosa así lo ha decidido. La verdad es que si pudiese escoger, no querría este trabajo —continuó aunque alguno de los miembros del Consejo soltaron un grito de sorpresa ahogado—. Oh, y solo para vuestra información: no os estoy diciendo nada que Nyx no sepa.

—La Diosa cree en Aphrodite aunque ella no esté tan segura de sí misma —dijo Darius.

Aphrodite le sonrió. Él era algo más que su enorme guerrero, sensual y fornido. Podía contar con Darius; él siempre veía lo mejor en ella.

—Darius, ¿por qué hablas en nombre de esta humana? —le preguntó la morena.

—Duantia, yo hablo en nombre de esta profetisa —dijo pronunciando el título con cuidado— porque le he prestado mi juramento de guerrero.

—¿El juramento de guerrero? —Neferet no pudo evitar que la sorpresa se notara en su voz—. Pero eso significa…

—Eso significa que no puedo ser totalmente humana porque es imposible que un guerrero vampiro haga su juramento a una humana —acabó Aphrodite por ella.

—Puedes entrar en la sala, Aphrodite, profetisa de Nyx. El Consejo te reconoce —proclamó Duantia.

Aphrodite bajó rápidamente las escaleras, dejando que Neferet la siguiera a corta distancia. Quería ir directamente junto a Zoey, pero el instinto hizo que se parara antes delante de la vampira morena llamada Duantia. Formalmente, cerró su mano en un puño, lo apretó contra el corazón y se inclinó respetuosamente.

—Gracias por dejarme entrar.

—Estos tiempos extraordinarios nos obligan a adoptar prácticas poco habituales —dijo una voz proveniente de una vampira alta y delgada con los ojos del color de la noche.

Aphrodite no estaba segura de qué contestar, así que simplemente asintió y se acercó a Zoey. Cogió la mano de Darius y la apretó firmemente, tratando de extraer algo de su impresionante fuerza de guerrero. Después bajó la vista hacia su amiga.

No me había dado cuenta, pero ¡los tatuajes de Zoey han desaparecido! La única marca que le quedaba era el perfil de una luna creciente de color zafiro en medio de la frente, de aspecto ordinario. ¡Y estaba tan pálida! *Parece muerta.* Aphrodite borró ese pensamiento inmediatamente. Zoey no estaba muerta. Seguía respirando. Su corazón seguía latiendo. *Zoey-no-está-muerta.*

—¿Te revela algo la Diosa cuando la miras, profetisa? —le preguntó la mujer alta y delgada que le había hablado antes.

Aphrodite dejó caer la mano de Darius y se arrodilló despacio al lado de Zoey. Miró a Stark seguidamente porque estaba de rodillas justo del otro lado, pero él ni se inmutó. Apenas pestañeaba. Lo único que hacía era llorar quedamente y mirar fijamente a Zoey. *¿Se comportaría así Darius si algo me sucediese a mí?* Aphrodite alejó aquel pensamiento morboso de su mente y se volvió a concentrar en Zoey. Despacio, extendió la mano y la colocó en el hombro de su amiga.

La piel estaba fría al tacto, como si ya estuviese muerta. Aphrodite esperó a que sucediese algo. Pero ni siquiera sintió una punzada de visión, ni una sensación. Nada.

Con un suspiro de frustración, Aphrodite sacudió la cabeza.

—No. No puedo deciros nada. No puedo controlar mis visiones. Simplemente aparecen de golpe, lo quiera o no, y la verdad es que normalmente no quiero.

—No estás usando todos los dones que te ha concedido Nyx, profetisa.

Sorprendida, Aphrodite levantó la vista de Zoey y vio que la vampira de ojos oscuros se había levantado y se acercaba elegantemente a ella.

—¿Eres una profetisa de Nyx de verdad o no? —le preguntó.

—Sí —dijo Aphrodite sin dudarlo, pero medio confusa y convencida solo a medias.

Con un revuelo de la toga de seda del color del cielo nocturno, la mujer se arrodilló al lado de Aphrodite.

—Yo soy Tánatos. ¿Sabes lo que significa mi nombre?

Aphrodite negó con la cabeza, deseando tener a Damien más cerca para que pudiese susurrarle la respuesta.

—Significa muerte. No soy la líder del Consejo. Duantia tiene ese honor, pero tengo el privilegio único de estar inusualmente cerca de nuestra Diosa porque el don que me concedió hace mucho tiempo fue la habilidad para ayudar a las almas en su transición de este al otro mundo.

—¿Puedes hablar con los fantasmas?

La sonrisa de Tánatos transformó su duro rostro y casi lo convirtió en hermoso.

—En cierto modo, sí. Y a causa de ese don, sé algo sobre visiones.

—¿En serio? Las visiones no tienen nada que ver con hablar con los muertos.

—¿No? ¿De qué mundo llegan tus visiones? No, quizás sería más preciso preguntar en qué reino estás tú cuando recibes esas visiones…

Aphrodite pensó en todas las malditas visiones de muertes que había tenido, en cómo siempre había empezado a ver todo lo que pasaba desde el punto de vista de la gente muerta. Respiró aceleradamente, entendiéndolo.

—¡Recibo mis visiones del Otro Mundo!

Tánatos asintió.

—Tú viajas al Otro Mundo y al reino de los espíritus mucho más que yo, profetisa. Lo único que yo hago es guiarlos en su camino y, a través de ellos, alcanzo a ver el más allá.

Aphrodite miró rápidamente a Zoey.

—Ella no está muerta.

—No, todavía no. Pero su cuerpo no durará más de siete días en este estado, sin alma, así que está cerca de la muerte. Lo suficientemente cerca para que el Otro Mundo la tenga bien sujeta, con más fuerza de lo que atrae a los muertos recientes. Tócala de nuevo, profetisa. Esta vez concéntrate y procura aprovechar los dones que has recibido.

—Pero yo...

De forma bastante molesta, Tánatos la interrumpió.

—Profetisa, haz lo que Nyx querría que hicieses.

—¡No sé qué es lo que quiere!

La expresión severa de Tánatos se relajó y sonrió de nuevo.

—Oh, niña, simplemente pídele ayuda.

Aphrodite parpadeó.

—¿Simplemente?

—Sí, profetisa, exactamente.

Despacio, Aphrodite volvió a colocar su mano en el hombro frío de Zoey. Esta vez cerró los ojos y respiró profundamente tres veces, como había visto hacer a Zoey antes de convocar un círculo. Después envió una plegaria silenciosa pero ferviente a Nyx. *No te lo pediría si no fuese importante, pero esto no es nada nuevo para ti porque sabes de sobra que no me gusta andar pidiendo favores. A nadie. Además, no soy muy buena en este rollo de los ruegos, pero eso también lo sabes ya.* Aphrodite suspiró internamente. *Nyx, necesito tu ayuda. Tánatos parece pensar que tengo algún tipo de unión con el Otro Mundo. Si es verdad, ¿podrías por favor hacerme saber qué le está pasando a Zoey?* Hizo una pausa en su plegaria interna, suspiró y se concentró en Nyx. *Diosa, por favor. Y no solo porque Zoey es como la hermana que mi madre fue tan egoísta de no darme. Necesito tu ayuda en esto porque mucha gente depende de Zoey y, tristemente, eso es más importante que yo.*

Aphrodite sintió una calidez empezando a formarse bajo su palma y después se sintió como si saliese de su cuerpo y se deslizase en el de Zoey. Solo estuvo dentro de su amiga un momento, no más de lo que dura un latido, pero lo que sintió, vio y supo la sorprendió tanto que, inmediatamente después, se encontró de vuelta en su propio cuerpo. Recogió la mano que había tenido sobre Zoey sobre su pecho, jadeando aterrorizada. Después, con un gemido, se inclinó, mareada, respirando agitadamente mientras las lágrimas y la saliva se mezclaban en su cara.

—¿Qué pasa, profetisa? ¿Qué has visto? —preguntó Tánatos tranquilamente mientras le limpiaba las mejillas y la sujetaba con una mano firme alrededor de su cintura.

—¡Se ha ido! —Aphrodite evitó el sollozo que pugnaba por salir y trató de recomponerse—. Sentí lo que le había sucedido. Durante solo un segundo. Zoey lanzó todo el poder del espíritu contra Kalona. Trató de detenerlo con todas sus fuerzas y no funcionó. Heath murió delante de ella. Eso le hizo añicos el espíritu.

Sintiéndose extrañamente mareada, miró desesperadamente a través de las lágrimas a Tánatos.

—Tú también sabes dónde está, ¿no?

—Creo que sí. Pero debes confirmármelo.

—Los pedazos de su espíritu están con los muertos, en el Otro Mundo —dijo Aphrodite, parpadeando con fuerza para impedir que las lágrimas salieran de sus doloridos ojos rojos—. Zoey se ha ido por completo. Lo que sucedió allí… no pudo soportarlo, sigue sin poder hacerlo.

—¿No viste nada más? ¿Nada que pueda ayudar a Zoey?

Aphrodite tragó la bilis que subía por su garganta y levantó una mano temblorosa.

—No, pero lo intentaré de nuevo y…

La mano de Darius en su hombro evitó que volviese a tocar a Zoey.

—No. Todavía estás muy débil por la ruptura de tu conexión con Stevie Rae.

—Eso no importa. ¡Zoey se está muriendo!

—Sí que importa. ¿Quieres que a tu alma le pase lo mismo que a la de Zoey? —preguntó Tánatos con calma.

Aphrodite sintió una punzada de miedo.

—No —murmuró, cubriendo la mano de Darius con la suya.

—Y esta es exactamente la razón por la que suele ser desafortunado que los jóvenes reciban dones extraordinarios de nuestra amante Diosa. Rara vez tienen la madurez necesaria para saber usarlos sabiamente —dijo Neferet.

Aphrodite sintió el escalofrío que recorrió el cuerpo de Stark en cuanto oyó la voz fría y condescendiente de Neferet. Él levantó por fin la vista de Zoey.

—¡No se le debería permitir estar aquí a esta criatura! ¡Ella fue la que causó esto! ¡Ella mató a Heath y destrozó a Zoey!

Stark sonaba como si tuviese que triturar las palabras con gravilla para poder pronunciarlas.

Neferet lo miró fríamente.

—Entiendo que estás sufriendo, pero no deberías hablarle de esa manera a una alta sacerdotisa, guerrero.

Stark se puso de pie de un salto. Darius, veloz como el rayo, como siempre, lo agarró. Aphrodite le escuchó susurrar apresuradamente.

—¡Piensa antes de actuar, Stark!

—Guerrero —se dirigió Duantia a Stark—, tú estabas presente cuando mataron al humano y el alma de Zoey se hizo añicos. Nos prestaste testimonio de que había sido el inmortal alado el causante de ese hecho. No nos dijiste nada sobre Neferet.

—Pregúntele a cualquiera de los amigos de Zoey. Llame a Lenobia o a Dragon Lankford de la Casa de la Noche de Tulsa. Todos ellos le dirán que no es necesario que Neferet esté físicamente presente para causar la muerte de alguien —contestó Stark.

Apartó la mano de Darius, que lo sujetaba, y se limpió la cara malhumorada, como si acabara de descubrir que había estado llorando.

—Ella... ella puede hacer que sucedan cosas horribles aunque no esté presente —balbuceó Damien desde el otro lado de la habitación.

Las gemelas y Jack, llenos de lágrimas, lo apoyaron firmemente con asentimientos de cabeza.

—No hay pruebas de que Neferet tuviese algo que ver en esto —les dijo Duantia a todos amablemente.

—¿No puedes decirnos lo que le pasó a Heath? ¿No puedes hablar con su fantasma y averiguarlo? —le preguntó Aphrodite a Tánatos, quien había regresado a su trono cuando Neferet comenzó a hablar.

—El espíritu humano no se demoró en este reino y, antes de marcharse, te aseguro que no me buscó —dijo Tánatos.

—¡¡Dónde está Kalona?! —le gritó Stark a Neferet, ignorando a todos los demás presentes—. ¿Dónde escondes a tu amante, aquel que ha causado esto?

—Si te refieres a mi consorte inmortal, Érebo, debo decir que esa es la razón por la que he venido hasta el Consejo. —Neferet le dio la espalda a Stark y habló solo para los siete miembros del Consejo—. Yo también sentí romperse el alma de Zoey. Estaba caminando por el laberinto y preparándome mentalmente para mi viaje, para abandonar la isla de San Clemente por lo que podría ser un largo tiempo.

Neferet tuvo que hacer una pausa porque Stark soltó una risotada sarcástica.

—Kalona y tú planeáis dominar el mundo desde Capri. Así que no, seguramente no volveréis por aquí en un futuro próximo... a no ser que sea para lanzar bombas contra este lugar.

Darius volvió a tocarle el hombro como advertencia silenciosa para que tuviese cuidado, pero Stark lo apartó.

—No niego que Érebo y yo queramos traer de vuelta las antiguas costumbres, los tiempos en que los vampiros gobernaban desde Capri y el mundo nos veneraba y respetaba, como nos merecemos —dijo Neferet dirigiéndose primero a él—. Pero no destruiré ni esta isla ni este Consejo. En realidad, lo que deseo es su apoyo.

—Querrás decir su poder, y ahora que Zoey está fuera de circulación, tienes mayores posibilidades de conseguirlo —replicó Stark.

—¿En serio? ¿Es que he malinterpretado lo que sucedió entre tu Zoey y mi Érebo no hace tanto en esta misma sala del Consejo? Ella admitió que él era un inmortal buscando una diosa a la que servir.

—¡Ella nunca lo llamó Érebo! —gritó Stark.

—Y mi inmortal Érebo amablemente la llamó falible en lugar de mentirosa —contestó Neferet.

—¿Entonces qué hiciste tú, Neferet? ¿Obligarle a matar a Heath y a romper el alma de Zoey porque estabas celosa del vínculo que existía entre ellos? —preguntó Stark.

Para Aphrodite era obvio que a Stark se le hacía difícil admitir que hubiese habido tanto entre Zoey y Kalona.

—¡Por supuesto que no! ¡Usa tu cabeza y no tu patético corazón roto, guerrero! ¿Podría Zoey haberte obligado a matar a un inocente por ella? Por supuesto que no. Tú eres su guerrero, pero sigues teniendo elección y sigues estado unido a Nyx; así que, en última instancia, debes cumplir con la voluntad de la Diosa. —Sin permitir que Stark volviese a hablar, Neferet se giró hacia el Consejo—. Como estaba diciendo, sentí que el alma de Zoey se rompía y me dispuse a regresar al palacio cuando me encontré con Érebo. Se hallaba malherido y a duras penas consciente. Solo tuvo tiempo de decir estas palabras: «Estaba protegiendo a mi Diosa», y después se fue.

—¿Kalona ha muerto?

Aphrodite no pudo evitar preguntarlo.

En lugar de responder, Neferet se giró para mirar hacia la entrada de la sala. Allí, de pie, había cuatro guerreros del Consejo transportando una camilla que se combaba con el peso de su ocupante. Un ala blanca cayó por uno de sus laterales y se arrastró por el suelo.

—¡Traedlo aquí! —ordenó Neferet.

Bajaron las escaleras despacio hasta dejar la litera en el suelo, delante de la tarima. Stark y Darius se situaron automáticamente entre el cuerpo de Zoey y el de Kalona.

—Por supuesto que no está muerto. Es Érebo, un inmortal —empezó diciendo Neferet con su voz familiar y altanera, pero después se le quebró y continuó con un sollozo—. No está muerto, pero como podéis ver, ¡se ha ido!

Sin poder controlarse, Aphrodite se puso de pie y se acercó a Kalona. Darius se colocó a su lado inmediatamente.

—No. No lo toques —le advirtió.

—Lo llamemos Érebo o no, es obvio que este ser es un antiguo inmortal. Debido al poder de su sangre, la profetisa no podrá entrar en su cuerpo aunque su espíritu no esté presente. No le supone el mismo riesgo que Zoey, guerrero —dijo Tánatos.

—Estoy bien. Déjame intentar ver qué puedo averiguar —le dijo Aphrodite a Darius.

—Estoy aquí a tu lado. No te voy a soltar —le dijo, cogiéndola de la mano y caminando hacia Kalona con ella.

Aphrodite podía sentir la tensión que emanaba del cuerpo del guerrero, pero respiró profundamente tres veces y se concentró en Kalona. Dudando solo un instante, Aphrodite alargó la mano y la colocó en su hombro, igual que había hecho con Zoey. Tenía la piel tan fría que tuvo que obligarse a no apartarse. En lugar de eso, Aphrodite cerró los ojos. *¿Nyx? Otra vez, por favor. Déjame solo saber algo… cualquier cosa que nos pueda ayudar.* Después la silenciosa plegaria de Aphrodite acabó con un pensamiento que solidificaba su vínculo con la Diosa y definitivamente la convertía en una auténtica profetisa por derecho. *Por favor, úsame como instrumento para ayudarme a luchar contra la oscuridad y seguir tu camino.*

Su palma se calentó pero Aphrodite no tuvo que entrar en él para saber que Kalona se había ido. Se lo dijo la Oscuridad (y con un sobresalto se dio cuenta de que debía pensar en ella con una «o» mayúscula). Era algo real, una vasta y poderosa entidad, un ser. Estaba por todas partes. Abarcaba todo el cuerpo del inmortal. Aphrodite pudo ver una imagen muy clara de una red oscura, como tejida por una enorme araña invisible. Los pegajosos hilos tenebrosos rodeaban todo su cuerpo, sosteniéndolo, acariciándolo, atándolo firmemente, como una retorcida versión de una caja fuerte. Porque estaba claro que el cuerpo del inmortal estaba preso, tan claro como el hecho de que lo que había dentro de su cuerpo era un completo vacío.

Aphrodite ahogó un grito y apartó rápidamente la mano de su piel, frotándola contra su muslo por si la red negra la hubiese teñido a ella también. Se cayó contra Darius cuando le fallaron las rodillas.

—Es como el interior de Zoey —dijo mientras el guerrero la cogía en brazos.

No dijo nada de que el cuerpo de Kalona estaba siendo retenido como rehén a la fuerza.

—Ya no está aquí, tampoco.

5

Zoey

—Zo, tienes que despertarte. ¡Por favor! Despiértate y háblame.

La voz del chico era agradable. Sabía que era guapo antes de verlo. Después abrí los ojos y le sonreí desde abajo porque no me había equivocado. Era, como mi mejor amiga Kayla habría dicho, «un bomboncito cubierto de caramelo». ¡Mmm, ñam, ñam! Aunque estaba un poco mareada, me sentía calentita y feliz. Mi sonrisa se convirtió en una mueca.

—Estoy despierta. ¿Quién eres?

—Zoey, deja de jugar. No es divertido.

El chico me miró frunciendo el ceño y de repente me di cuenta de que estaba tumbada en su regazo, entre sus brazos. Me senté rápidamente y me alejé de él. A ver, vale, estaba superbueno, pero estar en el regazo de alguien que no conocía no me hacía sentir precisamente cómoda.

—Eh, no intento ser graciosa.

Su atractivo rostro se tensó por la sorpresa.

—Zo, ¿me estás diciendo de verdad que no sabes quién soy?

—Vale, mira. Sabes de sobra que no sé quién eres. Aunque sé que hablas como si tú supieras que sí… —Hice una pausa, confundida con tanto «saber».

—Zoey, ¿sabes quién eres tú?

Parpadeé.

—Esa es una pregunta tonta. Claro que sé quién soy. Soy Zoey.

Menos mal que el chico era guapo, porque obviamente no era ninguna lumbrera.

—¿Sabes dónde estás? —Su voz era amable, casi dubitativa.

Miré a mi alrededor. Estábamos sentados sobre una hierba bien sedosa y cuidada, al lado de un muelle que se internaba en un lago que parecía de cristal gracias a la luz del sol de aquella maravillosa mañana.

¿Luz del sol?

Eso no estaba bien.

Algo no estaba bien.

Tragué con fuerza y miré los ojos castaños y amables del chico.

—Dime tu nombre.

—Heath. Soy Heath. Me conoces, Zo. Siempre me conocerás.

Sí que lo conocía.

Imágenes de él desfilaron por mi memoria como si se tratara de una película proyectada a toda velocidad: Heath, en tercero, diciéndome que mi horrible pelo trasquilado le gustaba... Heath salvándome de aquella araña gigantesca que cayó delante de mí, ante toda la clase de sexto curso... Heath besándome por primera vez después del partido de fútbol en octavo curso... Heath bebiendo demasiado y cabreándome... yo estableciendo la conexión con Heath... y después una vez más y, finalmente, yo viendo cómo Heath...

—¡Oh, Diosa!

Mis recuerdos se fusionaron y recordé. Lo recordé todo.

—Zo... —me atrajo de nuevo hacia sus brazos— todo va bien. Todo va a ir bien.

—¿Cómo va a ir bien? —sollocé—. ¡Estás muerto!

—Zo, nena, son cosas que pasan. No tuve miedo y ni siquiera me dolió mucho.

Me meció lentamente y me dio palmaditas en la espalda mientras me hablaba con su voz tranquila y familiar.

—¡Pero me acuerdo! ¡Me acuerdo! —No pude evitar empezar a sollozar y a moquear de forma muy poco sexi—. Kalona te mató. Yo lo vi. Oh, Heath, traté de detenerlo. De verdad que lo intenté.

—Shhh, nena, shhh. Sé que lo intentaste. No había nada que pudieses hacer. Te llamé para que vinieras y tú viniste. Lo hiciste bien, Zo. Lo hiciste bien. Ahora tienes que volver y enfrentarte a él y a Neferet. Ella mató a aquellos dos vampiros de tu escuela, a la profesora de teatro y al otro.

—¿A Loren Blake?

La impresión secó mis lágrimas y me limpié la cara. Heath, como siempre, sacó un manojo de pañuelos de papel usados del bolsillo de sus vaqueros. Los miré fijamente durante un segundo y después nos sorprendí a ambos desternillándonos de risa.

—¿Te has traído un montón de pañuelos de papel usados al paraíso? ¿En serio? —me reí.

Él pareció ofendido.

—Zo. No están usados. Bueno, al menos no mucho.

Sacudí la cabeza mirándolo y cogí los pañuelos con cuidado, limpiándome la cara.

—Suénate la nariz también. Tienes mocos. Siempre moqueas cuando lloras. Por eso tengo siempre pañuelos de papel.

—¡Oh, no te pases! No lloro tanto —dije, olvidando por un momento que estaba muerto y todo eso.

—Ya, pero cuando lo haces, moqueas un montón, así que tengo que estar preparado.

Lo miré fijamente de nuevo cuando la realidad me volvió a golpear.

—¿Y qué va a pasar cuando tú ya no estés y no me puedas dar pañuelos para que me suene? —Un sollozo se escapó de mi garganta—. ¿Y… y cuando no estés ahí para recordarme cómo es mi hogar, qué es el amor? ¿Cómo es ser humano?

Estaba llorando de nuevo, con todas mis fuerzas.

—Oh, Zo. Eso lo descubrirás por ti misma. Tienes mucho tiempo. Eres una gran alta sacerdotisa vampira. ¿Te acuerdas?

—No quiero serlo —le dije con completa sinceridad—. Quiero ser Zoey y quedarme aquí, contigo.

—Esta solo es una parte de ti. Eh, y quizás es la parte de ti que necesita madurar.

Habló suavemente con una voz que parecía de repente demasiado antigua y sabia como para ser la de mi Heath.

—No.

Mientras pronunciaba aquella palabra, una oscuridad negruzca me pasó rápidamente por el rabillo del ojo. Se me encogió el estómago y tuve la impresión de haber visto la forma de unos cuernos afilados.

—Zo, no puedes cambiar el pasado.

—No —repetí, apartando la vista de Heath, observando lo que hasta hacía poco había sido un precioso y brillante prado que rodeaba un lago perfecto.

Esta vez vi, sin lugar a dudas, sombras y figuras donde antes no había nada más que la luz del sol y mariposas.

La oscuridad de aquellas sombras me asustó, pero las figuras que estaban dentro de ellas me atrajeron como atraen las cosas brillantes a los bebés. Unos ojos destellaron entre las tinieblas, cada vez más profundas, y conseguí ver bien un par de ellos. Sentí que los reconocía. Me recordaban a alguien…

—Conozco a alguien que está ahí.

Heath me cogió de la barbilla con la mano y me obligó a olvidar las sombras y a mirarlo.

—Zo, no creo que sea muy buena idea que te dejes embobar por lo que haya aquí. Necesitas convencerte de que tienes que volver a casa y después dar un golpecito con los tacones, o hacer algún truco de esos con tu varita mágica de alta sacerdotisa para volver al mundo real, adonde perteneces.

—¿Sin ti?

—Sin mí. Yo estoy muerto —dijo suavemente, limpiándome la mejilla con unos dedos que parecían muy vivos—. Yo debo estar aquí; de hecho, creo que esta es la primera parada antes de llegar al sitio al cual se supone que debo ir. Pero tú sigues viva, Zo. Tú no perteneces a este lugar.

Aparté la mano de su cara y me alejé de él de golpe. Me levanté mientras sacudía la cabeza, lo que hizo que el pelo se agitara a mi alrededor como si fuese una loca.

—¡No! ¡No voy a volver sin ti!

Otra sombra atrajo mi mirada entre lo que era ahora una neblina oscura que se retorcía a nuestro alrededor. Estaba segura de haber visto el brillo de un par de cuernos afilados y puntiagudos. Después la bruma se alteró de nuevo y una silueta tomó una forma más humana, mirándome desde la oscuridad.

—Te conozco —le susurré a unos ojos que se parecían mucho a los míos, solo que eran más viejos y más tristes... mucho más tristes.

Después otra forma tomó su lugar. Aquellos ojos también me miraron, pero no estaban tristes. Eran azules y burlones pero eso no borraba la familiaridad que desprendían.

—Tú... —susurré, tratando de separarme de los brazos de Heath, que me apretaba fuertemente contra su cuerpo.

—No mires. Contrólate y vuelve a casa, Zo.

Pero yo no podía dejar de mirar. Algo dentro de mí me obligaba a hacerlo. Vi una nueva cara, formándose alrededor de esos ojos que me parecían tan familiares... y esta vez los reconocí y me alejé de Heath, girándome hacia él para que pudiese ver el lugar que yo señalaba en la oscuridad.

—¡Demonios, Heath! Mira eso. ¡Soy yo!

Y era verdad. Mi yo se congeló mientras nos mirábamos fijamente. Ella tenía probablemente unos nueve años y me miraba parpadeando en un silencio alimentado por el pánico.

—Zoey, mírame —dijo Heath tirando de mí, sosteniéndome los hombros con tanta fuerza que sabía que me saldrían moratones más tarde—. Tienes que salir de aquí.

—Pero soy yo de niña.

—Creo que tú eres todas esas formas ... son pedacitos de ti. Algo le está pasando a tu alma, Zoey, y tienes que salir de aquí para arreglarla.

De repente me sentí mareada y me hundí en sus brazos. No sabía cómo lo sabía, pero lo sabía. Las palabras que dije eran tan ciertas y definitivas como su muerte.

—No puedo irme, Heath. No hasta que todos mis pedazos vuelvan a ser parte de mí. Y no sé cómo hacer que eso suceda... ¡simplemente no lo sé!

Heath apretó su frente contra la mía.

—Bueno, Zo, quizás deberías tratar de usar esa molesta voz de mamá que usabas conmigo cuando bebía demasiado y decirles que, no sé, que paren de andar vampipululando por ahí y vuelvan a su sitio.

Sonó tan parecido a mí misma que casi me hizo sonreír. Casi.

—Pero si lo consigo, tendré que irme. Eso puedo sentirlo, Heath —le susurré.

—Si no te rehaces, nunca podrás salir de aquí porque te morirás, Zo. Yo puedo sentir eso.

Lo miré a sus cálidos y cercanos ojos.

—¿Y eso sería tan malo? Quiero decir que este lugar parece mucho mejor que todo lo que me espera en el mundo real.

—No, Zoey —Heath sonaba molesto—. Esto no está bien. No es para ti.

—Bueno, quizás sea porque no estoy muerta. Todavía.

Tragué y admití, solo para mí misma, que decirlo en alto me asustaba bastante.

—Creo que se trata de algo más.

Heath ya no me miraba a mí. Estaba mirando por encima de mi hombro y sus ojos se habían abierto como platos. Me giré. Las figuras que se retorcían y parecían extrañas versiones inacabadas de mí, se elevaban en el aire y volvían a entrar en la bruma, arremolinándose, vibrando y básicamente actuando de forma extraña y agitada. Después hubo un relámpago de luz que se transformó en un par de peligrosos y afilados cuernos. Con un terrible sonido de alas, algo descendió en aquel lado del prado, obligando a aquellos espíritus, a aquellos fantasmas, a aquellas partes incompletas de mí a empezar a gritar sin descanso hasta que se dispersaron y desaparecieron.

—¿Qué está pasando? —le pregunté a Heath intentando (sin conseguirlo) disimular el terror en mi voz mientras retrocedíamos por el prado.

Heath me cogió de la mano y la apretó.

—No lo sé, pero estaré contigo suceda lo que suceda. Y ahora —me susurró con voz tensa— no mires atrás, solo ven conmigo ¡y corre!

Casi por primera vez en mi vida, no discutí con él. No le cuestioné. Hice exactamente lo que me decía. Agarré su mano y corrí.

6

Stevie Rae

—Stevie Rae, esto no es buena idea —dijo Dallas mientras apretaba el paso para intentar alcanzarla.

—No tardaré mucho, te lo prometo —contestó ella deteniéndose en el aparcamiento y buscando el pequeño coche azul de Zoey—. ¡Ja! Ahí está y ella siempre deja las llaves dentro porque, total, las puertas no se cierran…

Stevie Rae correteó hasta el Escarabajo, abrió la puerta chirriante y soltó un gritito de victoria cuando descubrió las llaves del colgando del contacto.

—En serio, me gustaría que vinieses a la sala del Consejo conmigo y les contases a los vampiros lo que andas haciendo, aunque a mí no me lo quieras decir. Escucha su opinión sobre lo que sea que se te pasa por esa cabecita tuya, niña.

Stevie Rae se giró hacia Dallas.

—Bueno, ese es el problema. No tengo muy claro lo que estoy haciendo. Y Dallas, nunca le contaría a un montón de vampiros nada que no te contase a ti antes, que lo sepas.

Dallas se pasó una mano por la cara.

—Solía confiar en ello, pero han pasado demasiadas cosas en muy poco tiempo y te comportas de una forma muy extraña.

Ella le puso una mano en el hombro.

—Es que tengo la sensación de que hay algo que puedo hacer para ayudar a Zoey, pero no voy a conseguir averiguar qué es sentándome en una habitación con un montón de vampiros altaneros. Necesito estar fuera —dijo Stevie Rae estirando los brazos, abarcando la tierra a su alrededor—. Necesito usar mi elemento para pensar. Me da la impresión de que se me está escapando algo, algo que no consigo entender. Tengo que usar la tierra para que me ayude a comprenderlo.

—¿Y no lo puedes hacer desde aquí? Hay un montón de buena tierra por la escuela.

Stevie Rae se obligó a sonreírle. Odiaba mentirle a Dallas aunque, en realidad, no le estaba mintiendo. Era verdad que iba a intentar buscar una manera de ayudar a Zoey y que no lo podía hacer en la Casa de la Noche.

—Aquí hay muchas distracciones.

—Vale, mira, sé que no puedo conseguir que no te vayas, pero tienes que prometerme algo o voy a tener que hacer el ridículo intentando retenerte.

Stevie Rae abrió mucho los ojos y esta vez no tuvo que forzar la sonrisa.

—¿De verdad vas a tratar de detenerme, Dallas?

—Bueno, tú y yo sabemos que solo podría intentarlo, y sin éxito, por eso lo de hacer el ridículo.

—¿Qué quieres que te prometa? —dijo, todavía sonriéndole.

—Que no vas a volver ahora a los túneles. Ellas casi acaban contigo. Aunque parezcas estar recuperada, casi te matan. Ayer. Por eso tienes que prometerme que no vas a bajar de nuevo hoy para enfrentarte con ellos.

—Te lo prometo —dijo, de todo corazón—. No voy a bajar hasta allí. Te lo he dicho: quiero encontrar la manera de ayudar a Z. Y estoy segura de que ponerme a pelear con ellos no es algo que le vaya a ayudar.

—¿Prometido?

—Prometido.

Soltó un suspiro de alivio.

—Bueno. Y ahora… ¿qué se supone que le tengo que contar a los vampiros para explicarles por qué te has ido?

—Pues lo que te he dicho… que necesito estar rodeada de tierra y a solas. Que estoy tratando de comprender algo y que no lo puedo hacer aquí.

—Vale. Eso les diré. Se van a cabrear.

—Sí, bueno, volveré pronto —dijo, entrando en el coche de Zoey—. Y no te preocupes. Tendré cuidado.

Acababa de encender el motor cuando Dallas golpeó la ventanilla. Sofocando un suspiro molesto, la bajó.

—Casi me olvido de decírtelo… Oí a unos tíos hablando mientras te esperaba. En internet se anda diciendo que la de Z no fue la única alma que se hizo pedazos en Venecia.

—¿Qué demonios significa eso, Dallas?

—Se rumorea que Neferet arrojó el cuerpo de Kalona ante el Alto Consejo… literalmente. Su cuerpo está allí, pero su alma se ha ido.

—Gracias, Dallas. ¡Tengo que irme!

Sin esperar su respuesta, Stevie Rae arrancó el Escarabajo y salió del aparcamiento y de los terrenos de la escuela. Giró con rapidez hacia la derecha, por Utica Street, condujo hacia el centro, en dirección nordeste, hacia los terrenos ondulados de las afueras de Tulsa, camino del museo Gilcrease.

El alma de Kalona también había desaparecido.

Stevie Rae no se creyó ni por un momento que se hubiese sentido tan destrozado por la pena de perder a Zoey como para que su alma se rompiera.

—Va a ser que no… —murmuró para sí misma mientras circulaba por las oscuras y silenciosas calles de Tulsa—. La está persiguiendo.

En cuanto Stevie Rae dijo las palabras en voz alta, supo que tenía razón.

¿Y qué podía hacer ella?

No tenía ni idea. No sabía nada de inmortales, ni de almas rotas ni del mundo de los espíritus. Es verdad que ella había muerto, pero también había no muerto. Y no recordaba que su alma se hubiese ido a ninguna parte. *Atrapada... Sentí frío, no se oía ningún sonido y quería gritar, y gritar y...* Stevie Rae se estremeció, tratando de controlar sus pensamientos. No recordaba mucho de aquellos terribles momentos, de aquellos momentos sin vida... no quería hacerlo. Pero sí que conocía a alguien que sabía un montón sobre inmortales, especialmente sobre Kalona, y sobre el mundo de los espíritus. Según la abuela de Z, Rephaim no era más que un espíritu hasta que Neferet había liberado al asqueroso de su papá.

—Rephaim sabrá algo. Y lo que él sepa, lo averiguaré —dijo con decisión, apretando los dedos con fuerza alrededor del volante.

Si tuviera que hacerlo, Stevie Rae usaría la fuerza de su conexión, la intensidad de su elemento y cada pedacito de su poder interno para sacarle esa información. Ignorando la terrible y enfermiza sensación de culpabilidad que le causaba pensar en luchar con Rephaim, aceleró y giró para entrar en la Gilcrease Road.

Stevie Rae

No tuvo que preguntarse dónde estaba Rephaim. Stevie Rae lo sabía. La puerta delantera de la antigua mansión ya había sido forzada y se deslizó dentro de la oscura y fría casa siguiendo su rastro invisible hacia arriba. No necesitó ver la puerta de la terraza entornada para saber que estaba fuera. Sabía que estaba allí. *Siempre sabré dónde está,* pensó tristemente.

Él no se giró para mirarla inmediatamente y ella se alegró. Stevie Rae necesitaba tiempo para acostumbrarse a verlo de nuevo.

—Así que has venido —dijo, aún sin dirigirle la mirada.

Esa voz... esa voz humana. La sorprendió de nuevo, como la primera noche que la había escuchado.

—Tú me llamaste —le contestó, tratando de mantener la voz tranquila, de contener toda la rabia que sentía por lo que su horrible padre había hecho.

Él se giró para mirarla y sus ojos se encontraron.

Parece agotado, fue lo primero que pensó Stevie Rae. *Su brazo está sangrando de nuevo.*

Sigue sufriendo, fue el primer pensamiento de Rephaim. *Y está llena de ira.* Se miraron fijamente sin hablar, ninguno quería poner en palabras sus pensamientos.

—¿Qué ha pasado? —preguntó finalmente él.

—¿Cómo sabes que ha pasado algo? —le replicó ella.

Dudó un poco antes de hablar, obviamente escogiendo sus palabras con cuidado.

—Lo sé por ti.

—Lo que dices no tiene ningún sentido, Rephaim.

El sonido de su voz pronunciando su nombre pareció restallar en el aire que los rodeaba y la noche se tiñó de repente del recuerdo de la neblina rojiza brillante que le había enviado el inmortal para acariciar su piel y llamarla para que fuese junto a él.

—Eso es porque tampoco tiene mucho sentido para mí —dijo con voz profunda, suave y dubitativa—. No sé nada de cómo funciona esto de las conexiones, vas a tener que enseñarme.

Stevie Rae sintió que sus mejillas se ponían coloradas. *Me está diciendo la verdad,* descubrió. *¡Nuestra conexión le permite saber cosas sobre mí! ¿Y cómo puede entenderlo? Si yo casi no soy capaz.*

Se aclaró la garganta.

—Entonces, ¿dices que sabes que algo ha pasado porque lo puedes adivinar a través de mí?

—Sentir, no adivinar —la corrigió—. Sentí tu dolor. No como antes, justo después de que bebieses de mí. Entonces tu cuerpo te dolía. El dolor de esta noche era emocional, no físico.

Ella no podía apartar la mirada de él ni evitar mostrar su sorpresa.

—Sí que lo fue. Y lo sigue siendo.

—Cuéntame qué ha pasado.

—¿Por qué me has llamado? —le preguntó en lugar de responderle.

—Estabas sintiendo dolor. Yo también podía sentirlo. —Hizo una pausa, obviamente desconcertado por lo que estaba diciendo, y después continuó—: Quería que parase. Así que te envié mi fuerza y te llamé.

—¿Cómo lo hiciste? ¿Qué era esa bruma rojiza?

—Responde a mi pregunta y yo responderé a la tuya.

—Vale. Lo que ha pasado es que tu padre ha matado a Heath, el chico humano consorte de Zoey. Ella le vio hacerlo, no pudo deternerlo y eso hizo añicos su alma.

Rephaim siguió mirándola fijamente hasta que a ella le pareció que estaba penetrando en su cuerpo, llegando directamente hasta su alma. Sin embargo, no conseguía apartar la vista y cuanto más tiempo permanecían así, más le costaba a ella aferrarse a su rabia. Sus ojos eran tan humanos... Solo su color desentonaba y, para Stevie Rae, el escarlata de su interior no era tan extraño como para cualquier otra persona. En realidad, se le hacía alarmante familiar porque ese mismo color había teñido sus propios ojos en su día.

—¿No tienes nada que decir? —le soltó, apartando la vista para contemplar la noche desierta.

—Hay algo más. ¿Qué es lo que no me estás contando?

Recuperando su ira, Stevie Rae lo volvió a mirar.

—Se dice que el alma de tu padre también se rompió.

Rephaim parpadeó, mostrando claramente sorpresa en sus ojos del color de la sangre.

—No me lo puedo creer —dijo.

—Ni yo, pero Neferet arrojó su cuerpo sin espíritu ante el Alto Consejo y se ve que ellos sí se creen la historia. ¿Sabes lo que pienso yo? —No esperó a que le contestase sino que continuó, subiendo el tono de voz debido a la frustración, ira y miedo que sentía—. Creo que Kalona ha seguido a Zoey al Otro Mundo porque está totalmente obsesionado con ella.

Stevie Rae se limpió las lágrimas que pensaba que ya no le recorrían las mejillas.

—Eso es imposible —Rephaim sonaba casi tan molesto como ella—. Mi padre no puede volver al Otro Mundo. La entrada a ese reino le está totalmente prohibida.

—Bueno, obviamente ha encontrado una manera de evitar esa prohibición.

—¿Una manera de evitar el haber sido desterrado por toda la eternidad por la mismísima Diosa de la Noche? ¿Cómo iba a hacer eso?

—¿Nyx lo expulsó del Otro Mundo? —preguntó Stevie Rae.

—Mi padre lo eligió así. En su día fue el guerrero de Nyx. Su juramento se rompió cuando cayó.

—Oh, Diosa, ¿Kalona solía estar del lado de Nyx?

Sin ser consciente de ello, Stevie Rae se acercó a Rephaim.

—Sí. La protegía de la Oscuridad.

Rephaim miró a la noche.

—¿Qué sucedió? ¿Por qué cayó?

—Padre nunca habla de su caída. Sé que fuese lo que fuese, lo llenó de una furia que ardió durante siglos.

—Y así fue como tú fuiste creado. A partir de esa furia.

La volvió a mirar.

—Sí.

—¿También la sientes dentro? ¿Esa furia y oscuridad? —no pudo evitar preguntarle Stevie Rae.

—¿No lo sabrías si así fuera? ¿Igual que yo siento tu dolor? ¿No es así como funciona la conexión que tenemos?

—Bueno, es complicado. Mira, tú te has visto obligado a desempeñar el papel de consorte porque yo soy la vampira. Y es más fácil para el consorte sentir cosas sobre su vampiro que al revés. Lo que yo recibo de ti es…

—Mi poder —la interrumpió él. A ella no le pareció que sonase enfadado, solo cansado y casi desalentado—. Tú recibes mi fuerza inmortal.

—¡Demonios! Por eso me curé tan malditamente rápido.

—Sí, y por eso yo no.

Stevie Rae parpadeó de la sorpresa.

—Bueno, caray. Debes de sentirte fatal… tienes bastante mala pinta.

Rephaim emitió un sonido medio risa, medio gruñido.

—Y tú pareces llena de vitalidad y sana de nuevo.

—Estoy sana, pero no estaré bien del todo hasta que encuentre una manera de ayudar a Zoey. Ella es mi mejor amiga, Rephaim. No puede morirse.

—Él es mi padre. Tampoco puede morirse.

Se quedaron mirándose, luchando por buscarle sentido a aquello que había entre ellos y que los atraía, incluso a pesar de todo el dolor y de la ira que flotaba a su alrededor, definiendo y separando sus mundos.

—A ver qué te parece este plan: vamos a buscarte algo de comer. Te voy a volver a colocar esa ala, algo que no nos va a gustar a ninguno de los dos, y después vamos a intentar averiguar qué está pasando con Zoey y con tu padre. Pero antes hay algo que debes comprender: yo no puedo sentir tus emociones como tú sientes las mías, pero sí que puedo sentir si intentas mentirme. Y también tengo la certeza de que podría encontrarte, sin importar dónde estuvieras. Así que si me mientes y le tiendes una trampa a Zoey, te doy mi palabra de que usaré todo el poder de mi elemento contra ti y contra tu sangre.

—No te voy a mentir —dijo él.

—Bien. Vamos al museo, a ver si encontramos la cocina.

Stevie Rae dejó la terraza y el cuervo del escarnio la siguió como si estuviese atado a la alta sacerdotisa por una cadena invisible pero irrompible.

Stevie Rae

—Podrías tener todo lo que deseases en este mundo con ese poder —dijo Rephaim entre los mordiscos que le daba a un enorme bocadillo que Stevie Rae le había preparado con todo lo que no se había estropeado en las neveras industriales del restaurante del museo.

—No, en realidad no. O sea, a ver, puedo hacer que un guardia de seguridad nocturno cansado, con demasiado trabajo y algo incauto nos deje entrar en el museo y después se olvide de que nos ha visto; pero no puedo, digamos, dominar el mundo ni ninguna locura por el estilo.

—Es un poder excelente.

—No, es una responsabilidad que no he pedido y que realmente no deseo. Mira, no me interesa conseguir que los humanos hagan todo lo que me dé la gana que hagan. No está bien… no si estoy del lado de Nyx.

—¿Porque tu Diosa no cree que sus súbditos deban obtener lo que desean?

Stevie Rae lo miró durante un momento, retorciéndose un rizo una y otra vez antes de contestarle, pensando que igual estaba jugando con ella. Pero los ojos rojos que le devolvieron la mirada hablaban completamente en serio, así que respiró profundamente antes de contestar.

—No por eso, sino porque Nyx cree en que todo el mundo debe tener voluntad propia y cuando yo me introduzco en la mente de un humano e implanto cosas que él no puede controlar, estoy robándole su poder de decisión, estoy robándole su voluntad. Eso no es justo.

—¿De verdad crees que todo el mundo debería tener elección?

—Sí. Por eso estoy aquí hoy, hablando contigo. Zoey me devolvió la mía. Y después, en una especie de pago por adelantado, yo hice lo mismo contigo.

—Me dejaste vivir esperando que eligiera mi propio camino y no el de mi padre.

Stevie Rae se sorprendió al oírselo decir tan abiertamente; pero no cuestionó lo que le había hecho hablar con tanta honestidad, sino que siguió con la conversación.

—Sí. Te lo dije cuando cerré el túnel tras de ti y te dejé ir en lugar de entregarte a mis amigos. Ahora estás a cargo de tu vida. No estás en deuda ni con tu padre ni con nadie. —Hizo una pausa durante un segundo y después soltó el resto de golpe—: Y ya empezaste tu nuevo camino al salvarme en aquel tejado.

—Una deuda de vida no pagada es algo peligroso. Era lógico que quisiera saldarla.

—Sí, eso lo entiendo, ¿pero qué hay de esta noche?

—¿Esta noche?

—Me enviaste tu fuerza y me llamaste. Si tienes ese tipo de poder, ¿por qué no rompiste directamente nuestra conexión? Eso también habría acabado con tu dolor.

Él paró de comer y sus ojos escarlata se engancharon a los suyos.

—No me describas como algo que no soy. He pasado siglos en la oscuridad. Viví con el demonio como compañero de habitación. Estoy unido a mi padre. Él está lleno de una cólera que podría consumir este mundo y, si vuelve, mi destino es estar a su lado. Tienes que verme tal y como soy, Stevie Rae. Soy una criatura de pesadilla creada a través de la furia y la violación. Camino entre los vivos, pero siempre estoy a un lado, siempre soy diferente. Ni inmortal, ni hombre, ni bestia.

Stevie Rae dejó que sus palabras se hundieran en sus venas. Sabía que estaba siendo totalmente honesto con ella. Pero en realidad él era algo más que un ser concebido como máquina de ira y maldad. Stevie Rae lo sabía porque lo había visto.

—Bueno, Rephaim, quizás deberías pensar que es posible que tengas razón. Ella vio que entendía lo que quería decirle en sus ojos de color sangre.

—¿Lo que significa que también podría estar equivocado?

Ella se encogió de hombros.

—Nunca se sabe.

Sin hablar, Rephaim sacudió la cabeza y siguió comiendo. Ella sonrió y continuó preparándose un bocadillo de pavo.

—Entonces —dijo untando mostaza en el pan blanco— ¿cuál es tu teoría para explicar que el alma de tu padre esté rota y desaparecida?

Mirándola fijamente, pronunció una única palabra que hizo que la sangre de Stevie Rae se congelara.

—Neferet.

7

Stevie Rae

—Dallas me dijo que Neferet había arrojado el cuerpo sin espíritu de Kalona ante el Alto Consejo.

—¿Quién es Dallas? —preguntó Rephaim.

—Un tío que conozco. Parece que Neferet ha traicionado a Kalona, aunque se supone que están juntos.

—Neferet ha seducido a mi padre y pretende ser su compañera, pero lo único que le preocupa es ella misma. Él está lleno de ira y ella está llena de odio. El odio es un aliado más peligroso.

—¿Entonces estás seguro de que Neferet traicionaría a Kalona para salvarse a sí misma? —le preguntó Stevie Rae.

—Estoy seguro de que Neferet traicionaría a cualquiera para salvarse a sí misma.

—¿Y qué gana traicionando a Kalona, especialmente si está sin alma?

—Entregándolo al Alto Consejo, diluye todas las sospechas que pudieran pesar sobre ella —contestó él.

—Sí, lo que planteas tiene bastante sentido. Para mí resulta evidente que desea a Zoey muerta. Y obviamente, no le importa Heath en absoluto. Es más, seguro que a Neferet le encantó que Zoey viese a Kalona a punto de matar a Heath, que lanzara el poder del espíritu contra él y que, al no haber sido capaz de detenerlo, su alma se rompiese. Por lo visto, eso la deja a medio paso de la muerte.

Los ojos de Rephaim la miraron duramente.

—¿Zoey atacó a mi padre con el elemento del espíritu?

—Sí, eso fue lo que nos dijeron Lenobia y Dragon.

—Entonces ha sido gravemente herido.

Rephaim apartó la vista y no dijo nada más.

—Tienes que contarme lo que sabes —dijo Stevie Rae seriamente. Como él no habló, suspiró antes de continuar—: Vale, esta es la verdad: Hoy he venido aquí preparada para forzarte a hablar sobre tu padre, el Otro Mundo y todas estas cosas; pero ahora que estoy aquí y que estamos charlando, no quiero forzarte.

Le tocó el brazo, dudosa. Su cuerpo se agitó cuando sus dedos le tocaron la piel, pero no se apartó.

—¿No podemos trabajar juntos en esto? ¿De verdad quieres que Zoey muera?

Volvió a fijar sus ojos en ella.

—No tengo ningún motivo para desear la muerte de tu amiga, pero tú sí que deseas que algo malo le suceda a mi padre.

Stevie Rae dejó escapar un suspiro de frustración.

—A ver qué te parece esto… a ver si llegamos a un acuerdo. ¿Y si te digo que lo que lo único que yo quiero es que Kalona nos deje en paz a todos?

—No sé eso si eso será posible algún día —dijo Rephaim.

—Pero para mí es posible desearlo. Ahora mismo, tanto Zoey como Kalona están sin alma. Y ya sé que tu padre es inmortal, pero no creo que a su cuerpo le vaya a sentar bien ser una especie de caparazón vacío.

—No, no le va a sentar nada bien.

—Pues trabajemos juntos para ver si podemos conseguir que vuelvan y después ya nos ocuparemos de lo que vaya surgiendo.

—Creo que puedo estar de acuerdo con eso —dijo él.

—¡Bien! —dijo apretándole el brazo antes de apartar la mano—. Has dicho que Kalona está herido. ¿A qué te referías?

—Su cuerpo no puede resultar herido, pero si su espíritu se halla dañado, se encontrará debilitado físicamente. De ahí que pudieran usar a A-ya para atraparlo. Su espíritu permaneció nublado por las emociones que sentía por ella. Eso lo confundió y lo debilitó tanto que su cuerpo se volvió vulnerable.

—Y así fue como Neferet pudo arrojarlo delante del Alto Consejo —dijo Stevie Rae—. Zoey hirió su espíritu, así que su cuerpo se volvió vulnerable.

—Tiene que haber algo más. Si no lo mantienen cautivo, como hizo A-ya en la tierra, Padre se empezaría a recuperar casi instantáneamente. Mientras esté libre, puede curar su espíritu.

—Bueno, obviamente Neferet lo encontró antes de que sanase. Es tan malditamente malvada que seguro que lo enredó en esa mierda de espeluznante oscuridad que la rodea y entonces…

—¡Justo! —Se incorporó por la emoción y después hizo una mueca debido al dolor de su ala. Frotando su brazo herido, se volvió a sentar, manteniéndolo cerca de su cuerpo—. Ella siguió atacando su espíritu. Neferet es una *tsi sgili*. Usando las fuerzas oscuras del reino del espíritu es como consigue su poder.

—Ella mató a Shekinah sin ni siquiera tocarla —recordó Stevie Rae.

—Neferet tocó a la alta sacerdotisa, pero no con sus manos. Manipuló los hilos de las muertes de las que es responsable, de los sacrificios que había hecho y de las oscuras promesas que pretende mantener. Ese poder fue lo que mató a Shekinah y lo que blandió contra el espíritu ya debilitado de mi padre.

—¿Pero qué está haciendo con él?

—Mantener su cuerpo cautivo y usando su espíritu en su propio interés.

—Lo que la hace parecer de los buenos ante el Alto Consejo. Apuesto a que está actuando en plan «Oh, pobre Zoey» y «No sé en qué estaría pensando Kalona» delante de sus narices.

—La *tsi sgili* es muy poderosa. ¿Por qué iba a fingir de tal manera ante vuestro Consejo?

—Neferet no quiere que sepan lo malvada que es porque quiere dominar el maldito mundo. No debe de estar preparada para tomar el Alto Consejo de los vampiros y el mundo humano. Todavía. Así que no puede dejar que el Consejo sepa que está encantada de que Zoey esté casi muerta, aunque en verdad se alegre.

—Padre no quiere a Zoey muerta. Simplemente quiere poseerla.

Stevie Rae lo miró con dureza.

—Algunos de nosotros pensamos que estar poseída contra tu voluntad es algo peor que la muerte.

Rephaim bufó.

—¿Te refieres a estar conectados por accidente?

Stevie Rae frunció el ceño.

—No, no me refería a eso en absoluto.

Él volvió a bufar y siguió frotándose el brazo.

Todavía con el ceño fruncido, Stevie Rae continuó hablando.

—¿Entonces lo que estás diciendo es que Kalona no deseaba que la muerte de Heath le rompiese el alma a Zoey?

—No, porque eso implicaría su muerte casi con toda seguridad.

—¿Casi con toda seguridad? —Stevie Rae sopesó esas palabras—. Eso significa que no es cien por cien seguro que Z se vaya a morir. Porque eso es lo que andan diciendo los vampiros.

—Los vampiros no piensan con la mente de un inmortal. Ninguna muerte es tan segura como creen los mortales. Zoey se morirá si su espíritu no retorna a su cuerpo, pero no es imposible que su espíritu vuelva entero de nuevo. Puede ser difícil, sí, y necesitaría un guía y un protector en el Otro Mundo, pero…

Interrumpió sus palabras y Stevie Rae vio sorpresa en sus ojos.

—¿Qué?

—Neferet está utilizando a mi padre para asegurarse de que el espíritu de Zoey no vuelva. Ella ha atrapado el cuerpo de mi padre mientras estaba herido y le ha ordenado a su alma que haga lo que le pide en el Otro Mundo.

—Pero tú dijiste que Kalona fue expulsado de allí por Nyx. ¿Cómo ha podido volver?

Los ojos de Rephaim se abrieron.

—Su cuerpo fue desterrado.

—¡Y su cuerpo sigue en este reino! Es su espíritu el que ha vuelto —acabó Stevie Rae por él.

—¡Sí! Neferet le ha obligado a volver. Conozco bien a mi padre. Nunca volvería a merodear por el Otro Mundo de Nyx. Tiene demasiado orgullo. Solo volvería si la misma Diosa le pidiese que lo hiciera.

—¿Cómo puedes estar seguro de eso? Quizás haya seguido a Zoey porque finalmente ha entendido que ella nunca va a estar con él y, cual horrible acosador psicópata, prefiere verla antes muerta que con otro. Eso puede haberlo cabreado tanto como para que su orgullo pueda soportar un pequeño viajecito.

Rephaim sacudió la cabeza.

—Padre nunca admitiría la posibilidad de que Zoey eligiera no estar con él. A-ya lo hizo y parte de esa doncella sigue viva en el alma de Zoey. —Se detuvo y antes de que Stevie Rae pudiese hacer otra pregunta, añadió—: Pero sé cómo puedes asegurarte. Si Neferet lo está usando, tendrá el cuerpo de Padre atado por la Oscuridad.

—¿La Oscuridad? ¿Te refieres a lo opuesto a la luz?

—En cierto modo es eso. Es difícil definirlo porque ese tipo de pura maldad está siempre en constante cambio, evolucionando. La Oscuridad de la que hablo es un ser sensorial. Encuentra a alguien que pueda percibir a los seres del reino de los espíritus y podrá ver las cadenas de la *tsi sgili* atando a Padre, si es que existen.

—¿Tú puedes sentir el mundo de los espíritus?

—Sí —dijo, sosteniendo su mirada sin dudar—. ¿Me harías entregarme al Alto Consejo de los vampiros?

Stevie Rae se mordió el labio inferior. ¿Lo haría? Sería dar la vida de Rephaim por la de Zoey e incluso quizás la suya, porque tendrían que ir juntos y no habría manera de que el megapoderoso Alto Consejo de los vampiros se imaginase siquiera que estaban conectados. Ella moriría por Zoey... por supuesto que sí. Pero estaría mejor si no tuviese que hacerlo. Además, seguro que Zoey tampoco querría que perdiera la vida. Bueno, Zoey tampoco habría deseado que se salvara y después estableciera una conexión con un cuervo del escarnio. Demonios, nadie querría eso. La Diosa sabe que ella tampoco. Bueno, al menos casi nunca.

—¿Stevie Rae?

Dejó su discusión interna y vio que Rephaim la estudiaba.

—¿Me harías entregarme al Alto Consejo de los vampiros? —repitió solemnemente.

—Solo como última opción y, si fueras allí, yo también iría. Demonios, el Alto Consejo probablemente no se creería nada de lo que le contases. Pero has afirmado que lo único que necesitamos es a alguien a quien se le dé bien el reino de los espíritus, alguien lo suficientemente bueno que pueda sentir la Oscuri-dad y ese rollo de los espíritus, ¿no?

—Sí.

—Bueno, hay una pandilla entera de poderosos vampiros en el Alto Consejo. Alguno de ellos tiene que ser capaz de hacerlo.

Él inclinó la cabeza hacia un lado.

—Sería raro que un vampiro tuviese la habilidad de sentir las fuerzas oscuras que está blandiendo la *tsi sgili*. Esa es una de las razones por las que Neferet ha podido mantener su charada durante tanto tiempo. Ser capaz de verdad de identificar la Oscuridad oculta es una habilidad singular. Sentir esa maldad es difícil, a no ser que estés familiarizado con ella.

—Sí, bueno, se supone que el Alto Consejo de los vampiros puede hacer todo eso. Alguien tiene que poder.

Habló con mucha más confianza de la que sentía. Todos sabían que las vampiras del Alto Consejo eran elegidas por su honor, su integridad y básicamente por su bondad, lo que no casaba mucho con estar familiarizado con la Oscuridad. Se aclaró la garganta.

—Vale, bueno, tengo que volver a la Casa de la Noche y hacer una llamada a Venecia —dijo con firmeza. Después le miró el brazo y el ala que colgaba inerte entre vendas manchadas, a su espalda—. Te duele bastante, ¿no?

Asintió brevemente.

—Vale, bueno, ¿has acabado de comer?

Volvió a asentir.

Ella tragó con fuerza y recordó el dolor compartido que había sentido la última vez que había vendado esa ala rota.

—Tengo que ir a buscar los medicamentos. Desgraciadamente, probablemente estén en esa oficina de seguridad a la que mandé al incauto del guarda, lo que significa que voy a tener que meterme de nuevo en su cerebro de guisante.

—¿Pudiste sentir que su cerebro era tan pequeño?

—¿No viste lo altos que llevaba los pantalones? Nadie mayor de ocho años con un cerebro de tamaño normal se pondría unos pantalones de viejo subidos hasta los sobacos. Un cerebro de guisante, eso es lo que tiene.

Entonces, para sorpresa de ambos, Rephaim se rió.

Me gusta el sonido de su risa. Y antes de que su propio cerebro pudiese hacer callar a su boca, sonrió.

—Deberías reírte más. Es agradable.

Rephaim no dijo nada, pero Stevie Rae no pudo descifrar la extraña mirada que le lanzó. Sintiéndose un poco incómoda, se bajó de un salto del taburete de la cocina.

—Bueno, voy a buscar el material de primeros auxilios para colocarte esa ala lo mejor que pueda, cogeré comida y algunas cosas para ti y después volveré para empezar a hacer importantes llamadas a larga distancia. Espera aquí. Volveré enseguida.

—Preferiría ir contigo —dijo, poniéndose de pie con cuidado y sosteniendo su brazo contra su costado.

—Sería más fácil para ti que te quedases aquí —argumentó ella.

—Sí, pero preferiría estar contigo —pronunció despacio.

Stevie Rae sintió un pequeño sobresalto en su interior al oírlo, pero se encogió de hombros despreocupadamente.

—Vale, como quieras. Pero no gimotees si te duele al andar.

—¡Yo no gimoteo!

La miró con unos ojos tan llenos de orgullo masculino que le tocó a ella reírse mientras abandonaban la cocina, uno al lado del otro.

Stevie Rae

Conduciendo de vuelta a casa, Stevie Rae debería haber estado pensando en Zoey y planeando los pasos de su próximo plan. Pero eso era fácil: tenía que llamar a Aphrodite. Daba igual qué tragedias estuviesen sucediendo en el mundo: seguro que Aphrodite tenía su pequeña naricita puntiaguda en medio, y ahora especialmente porque todo aquello tenía que ver con Zoey.

Así que el próximo paso de Stevie Rae en su «Plan para salvar a Zoey» ya estaba decidido y eso le daba libertad a su mente para pensar en Rephaim.

Recolocarle esa maldita ala había sido horrible. Todavía sentía el dolor fantasma en todo su hombro derecho y su espalda. Aunque encontró un tarro de lidocaína anestésica, y se la había extendido por todo el ala y el brazo que tenía destrozados, no pudo evitar sentir el profundo y terrible sufrimiento que le causó. Rephaim no había dicho ni una palabra durante todo el suplicio. Había girado la cabeza para no mirarla y le había dicho algo justo antes de que ella le tocase la zona afectada.

—¿Vas a ponerte a parlotear como siempre mientras la vendas?

—¿A qué te refieres con ese «como siempre»? —preguntó ella.

Él la miró por encima de su hombro y ella habría jurado que había una sonrisa en sus ojos.

—Tú parloteas. Mucho. Así que adelante, hazlo. Así estaré ocupado con algo más molesto que el dolor.

Ella carraspeó, pero su comentario le había hecho sonreír. Así que habló todo el rato, mientras limpiaba, vendaba y recolocaba su ala destrozada. De hecho, parloteó sin sentido, vomitando las palabras, charlando de nada y de todo mientras intentaba remontar la ola del dolor con él. Al acabar, él la siguió lentamente, en silencio, de vuelta a la mansión abandonada. Una vez allí, ella intentó hacer que el armario fuese más confortable colocando unas mantas que había cogido de la sala de personal del museo.

—Tienes que irte. No te preocupes por eso.

Rephaim recogió la última manta de sus manos y se dejó caer en el armario.

—Mira, he puesto la bolsa con comida ahí. Es comida que no se pondrá mala. Y acuérdate de beber mucha agua y zumos. Hidratarse es bueno —le dijo, sintiéndose preocupada de repente por dejarlo tan débil y cansado allí.

—Lo haré. Vete.

—Vale. Sí. Me voy. Pero intentaré venir mañana.

Asintió, cansadísimo.

—Bueno. Vale. Me voy.

Se giró para irse.

—Deberías hablar con tu madre —le dijo Rephaim.

Stevie Rae se paró en seco, como si hubiese tropezado de golpe con un tractor John Deere.

—¿A qué demonios viene eso de hablar de mi madre?

Antes de responderle, Rephaim parpadeó un par de veces, como si ella le hubiese confundido.

—Hablaste de ella mientras me vendabas el brazo. ¿No te acuerdas?

—No. Sí. Supongo que no estaba prestando mucha atención a lo que decía. —Automáticamente se frotó su propio brazo derecho—. Más bien me dediqué a mover los labios mientras me concentraba en acabar lo que estaba haciendo.

—Yo te presté atención a ti, en lugar de al dolor.

—Oh —Stevie Rae no supo qué contestar.

—Dijiste que creía que estabas muerta. Yo solo... —Se interrumpió, confuso, como si tratase de descifrar un lenguaje que no le era familiar—. Yo solo pensé que deberías decirle que estás viva. Le gustaría saberlo, ¿no?

—Sí.

Se miraron fijamente hasta que ella fue capaz de hacer que le saliese la voz.

—Adiós, y no te olvides de comer.

Después prácticamente salió corriendo del museo.

—¿Por qué demonios me ha sorprendido tanto que mencionase a mi madre? —se preguntó Stevie Rae en voz alta.

Ella sabía la respuesta y no, no quería decirla en voz alta: a él le importaba lo que le había contado; le preocupaba que echase de menos a su madre. Cuando aparcó en la Casa de la Noche y salió del coche de Zoey, tuvo que admitir que no había sido su preocupación lo que la había sorprendido. Había sido la forma en que su interés la había hecho sentir. Su preocupación la había confortado y sabía que era peligroso alegrarse de que un monstruo se preocupase por ella.

—¡Ahí estás! Ya era hora de que volvieses.

Dallas prácticamente saltó desde los arbustos hacia ella.

—¡Dallas! Juro por la misma Diosa que te voy a dar de leches hasta en el carné de identidad si no dejas de darme sustos.

—Dame más tarde. Ahora mismo tienes que subir a la sala del Consejo porque Lenobia no está nada contenta con tu desaparición.

Stevie Rae suspiró y siguió a Dallas escaleras arriba hasta la habitación situada enfrente de la biblioteca y que la escuela usaba como su sala del Consejo. Entró rápidamente y después dudó ante el umbral. La tensión en el aire era tan densa que casi se podía palpar. La mesa era grande y redonda y debería haber reunido a todo los presentes a su alrededor. Pero aquel día no. Aquel día la mesa parecía más una cafetería de colegio llena de odiosos corrillos excluyentes.

En uno de los extremos redondeados se sentaban Lenobia, Dragon, Erik y Kramisha. Al otro lado estaban los profesores Pentesilea, Garmy y Vento. Los encontró en medio de lo que parecía una peligrosa guerra de miradas cuando Dallas se aclaró la garganta y Lenobia levantó la vista hacia ellos.

—¡Stevie Rae! Por fin. Soy consciente de que estos son tiempos extraños y de que todos estamos bajo un estrés increíble, pero me gustaría que controlases tu próxima necesidad imperiosa de salir corriendo a un parque, o adonde hayas ido, si hay convocada una reunión del Consejo de la escuela. Eres una alta sacerdotisa, así que deberías recordar comportarte como tal.

La voz de Lenobia era tan dura que el vello de Stevie Rae se erizó automáticamente. Abrió la boca para contestar a la profesora de equitación que ella no era su jefa para poder así dejar la maldita habitación y llamar a Venecia, pero ya no era una cría iniciada y salir dando portazos de una habitación donde había vampiros que se preocupaban por Zoey (bueno, al menos algunos) no mejoraría la situación.

Empieza como te gustaría acabar, casi podía oír la voz de su madre en su cabeza.

Así que en lugar de dar un puñetazo sobre la mesa y marcharse, Stevie Rae entró en la habitación y se sentó en una de las sillas colocadas entre los dos grupos. Cuando habló, no dejó que su voz trasluciera que se sentía molesta. De hecho hizo todo lo posible por imitar la manera en que su madre hablaba cuando se sentía decepcionada por su actitud.

—Lenobia, mi afinidad es con la tierra. Eso significa que a veces necesitaré alejarme de todo el mundo y estar a solas con ella. Eso me ayuda a pensar y creo que ahora mismo es algo que todos precisamos. Así que a veces desapareceré con el permiso de alguien o sin él y se haya o no convocado una reunión. Y no actúo como alta sacerdotisa, sino que soy la primera y única vampira roja alta sacerdotisa del mundo entero. Esto es algo nuevo y va a conllevar nuevas características laborales. Hasta puede que tenga que ir rehaciendo las normas sobre la marcha.

Se giró hacia el otro lado de la habitación.

—Hola, profesoras P, Garmy y Vento —saludó rápidamente—. Hacía mucho tiempo que no os veía.

Las tres profesoras murmuraron unos saludos y ella ignoró el hecho de que no pudieran apartar la vista de sus tatuajes, como si ella se tratase de un proyecto de ciencias que hubiera salido mal en una feria escolar.

—A ver, Dallas me dijo que Neferet había arrojado el cuerpo de Kalona ante el Alto Consejo y que, al parecer, su alma también estaba rota —dijo Stevie Rae.

—Sí, aunque algunos no quieren creérselo —aclaró la profesora P, mirando mal a Lenobia.

—¡Kalona no es Érebo! —prácticamente estalló Lenobia—. ¡Como también todos sabemos que Neferet no es la encarnación terrenal de Nyx! Todo este asunto es ridículo.

—El Consejo informó de que la profetisa Aphrodite anunció que el espíritu del inmortal alado se había roto, igual que el de Zoey —intervino la profesora Garmy.

—Espera —Stevie Rae levantó la mano para detener la bronca que estaba a punto de explotar ante Kramisha—. ¿Has pronunciado juntas las palabras Aphrodite y profetisa?

—Así la ha nombrado el Alto Consejo —dijo Erik secamente—. Aunque la mayoría de nosotros no la llamaríamos así.

Stevie Rae levantó las cejas mirándolo.

—¿En serio? Yo sí. Zoey también. Y hasta tú lo has hecho. Quizás no en voz alta, pero has seguido sus visiones más de una vez. Yo he estado conectada con ella y no es que aquello me gustase, pero puedo deciros que no hay duda de que Aphrodite ha sido tocada por Nyx y que sabe cosas. Muchas cosas, de hecho. —Miró a la profesora Garmy—. ¿Aphrodite puede sentir cosas sobre el espíritu de Kalona?

—Eso es lo que cree el Alto Consejo.

Stevie Rae soltó un largo suspiro de alivio.

—Esa es la mejor noticia que he escuchado en días.

Miró el reloj y le añadió siete horas para calcular la hora que era en Venecia. Eran cerca de las diez y media de la noche en Tulsa, lo que significaba que probablemente aún no habría amanecido allí.

—Necesito un teléfono. Tengo que llamar a Aphrodite. ¡Demonios! Me he dejado el móvil en la habitación.

Empezó a levantarse.

—Stevie Rae, ¿qué estás haciendo? —le preguntó Dragon mientras todos la miraban.

Ella dudó el tiempo suficiente para valorar con la mirada el ambiente, evaluando a cada uno de los alterados vampiros que la observaban con odio.

—¿Qué tal si os cuento lo que no voy a hacer? No me voy a sentar aquí para ponerme a discutir sobre quién es Kalona o quién es Neferet cuando Zoey necesita mi ayuda. No voy a perder la fe en ella y no voy a permitir que me hagáis entrar en una extraña guerra entre profesores. —Miró a una sorprendida Kramisha—. ¿Tú me consideras tu alta sacerdotisa?

—Sí —dijo sin dudarlo.

—Bien. Entonces ven conmigo. Aquí estás perdiendo el tiempo. ¿Dallas?

—Como siempre, estoy contigo, niña —dijo.

Stevie Rae miró a un vampiro tras otro.

—Tenéis que arreglar vuestra mierda. Esta es una noticia de última hora de la única alta sacerdotisa que queda en esta maldita escuela: Zoey no está muerta. Y creedme que sé de lo que hablo. He conocido lo que es estar muerta y hasta me he traído una maldita camiseta de recuerdo.

Stevie Rae le dio la espalda a la habitación y, con sus iniciados, salió de aquel horrible lugar.

8

Aphrodite

Aphrodite no dejó que Darius la alejara en brazos de la sala del Consejo como él pretendía. No podía dejar a Zoey a solas en medio del caldero de líquido putrefacto que Neferet removía sin que nadie, excepto un guerrero completamente destrozado y una pandilla de lerdos semihistéricos, se interpusiera entre ella y la locura total.

—Sí, creo que es importante mantener el cuerpo de Érebo bajo estrecha vigilancia mientras su espíritu está ausente. Quizás sea solo un estado temporal en el que ha caído como respuesta al ataque de Zoey —le estaba diciendo Neferet al Alto Consejo.

—¿Al ataque de Zoey? ¿De verdad que acabas de decir tal cosa? —Stark, con los ojos hinchados y las mejillas hundidas, parecía estar a punto de explotar.

—Vete junto a Stark e intenta ayudarlo a que domine su temperamento —le susurró Aphrodite a su guerrero. Lo vio vacilar y le dijo—: Estoy bien. Me voy a sentar aquí a escuchar y a aprender… como si estuviese en una de esas fiestas que monta mi madre y que acaban en desastre.

Darius asintió. Se movió rápidamente hasta colocarse al lado de Stark y le puso una mano sobre el hombro. Aphrodite pensó que era buena señal que Stark no la apartase de un manotazo pero aun así, el chico flecha estaba hecho un asco. Se preguntó qué le pasaría a un guerrero si su sacerdotisa moría y después se estremeció con la terrible premonición de lo que podría ocurrir.

—Zoey atacó a Érebo. Su cuerpo sin espíritu es prueba de ello —dijo Neferet, con la satisfacción tiñendo su voz.

—Zoey estaba intentando impedir que el inmortal matase a su consorte —dijo Darius antes de que Stark pudiese gritar su réplica.

—Ah, ese es el quid de la cuestión, ¿verdad?

Neferet le sonrió aterciopeladamente a Darius, haciendo que Aphrodite quisiera arrancarle los ojos con las uñas.

—¿Por qué sintió mi consorte la necesidad de dañar al de Zoey, a Heath? Lo único que podemos saber con seguridad sobre eso fue lo que el propio Érebo dijo antes de que su espíritu fuese separado de su cuerpo. Sus últimas palabras fueron «Estaba protegiendo a mi Diosa». Así que lo sucedió entre Zoey, Heath y Érebo seguramente es mucho más complicado de lo que puede parecerle a un joven y consternado testigo.

—¡No fue un combate en defensa de Nyx! ¡Kalona mató a Heath! Probablemente porque estaba celoso de lo mucho que Zoey lo amaba —dijo Stark, con pinta de no querer hacer otra cosa que envolver la blanca garganta de Neferet con sus manos y apretar.

—¿Y cómo te sentías tú por el amor que Zoey compartía con Heath? El vínculo de un guerrero es algo íntimo, ¿no? Tú estabas con ellos cuando se le rompió el alma. ¿Cuál es tu parte de culpa, guerrero? —inquirió Neferet.

Darius evitó que Stark se lanzase contra Neferet y Duantia habló rápidamente en medio de la tensión, que iba en aumento.

—Neferet, creo que todos estamos de acuerdo en que hay muchas preguntas sin respuesta sobre la tragedia que ha sucedido en esta isla hoy. Stark, también entendemos la pasión y la rabia que sientes por la pérdida de tu sacerdotisa. Es un duro golpe para un guerrero que…

Las sabias palabras de Duantia se vieron interrumpidas por el sonido de la impresionante voz de Aretha Franklin interpretando el estribillo de *Respect* desde un pequeño bolsito de marca que Aphrodite llevaba colgado al hombro.

—Ups, mmm, lo siento. —Aphrodite abrió la cremallera de su bolso y rebuscó frenéticamente en él tratando de encontrar su iPhone—. Pensé que tenía el sonido apagado. No sé quién puede ser…

Su voz se cortó cuando vio que quien llamaba era Stevie Rae. Casi aprieta el botón de «ignorar», pero un presentimiento la golpeó, de forma clara y contundente. Necesitaba hablar con Stevie Rae.

—Eh, lo siento de nuevo, pero es necesario que conteste.

Aphrodite subió corriendo las escaleras y salió de la sala, sintiéndose demasiado expuesta mientras todo el mundo la miraba como si acabase de abofetear a un bebé o ahogar a un maldito cachorro.

—Stevie Rae —susurró rápidamente—, sé que seguramente ya sepas lo que le ha pasado a Z y estés conmocionada, pero este no es para nada un buen momento.

—¿Puedes sentir espíritus y cosas así del Otro Mundo? —le preguntó Stevie Rae sin ni siquiera un «Eh, ¿qué tal?» introductorio.

Algo en su tono de voz hizo que Aphrodite se replantease la típica respuesta sarcástica que tenía preparada.

—Sí, empiezo a hacerlo. Parece ser que estoy conectada con el Otro Mundo desde que tengo visiones… Únicamente que no me había dado cuenta hasta hoy.

—¿Dónde está el cuerpo de Kalona?

Aphrodite se agazapó en un rincón del vestíbulo. No había nadie a su alrededor pero siguió hablando en voz baja.

—Aquí abajo, delante del Alto Consejo, en la sala.

—¿Está Neferet ahí también?

—Por supuesto.

—¿Y Zoey?

—Ella también está aquí. Bueno, su cuerpo. Z se ha ido por completo. Stark está totalmente destrozado por lo que ha pasado y Neferet le está tocando las narices de tal manera que casi no puede pensar. Darius está salvándole el culo impidiendo que le arranque la piel a tiras con las manos. La panda de lerdos está histérica.

—Pero tú sigues con la cabeza fría.

Stevie Rae no lo dijo como una pregunta, pero Aphrodite le contestó, de todas maneras.

—Alguien tiene que hacerlo.

—Bien. Vale, creo que he conseguido averiguar algo sobre Kalona. Si tengo razón, Neferet está sumida hasta los codos en la maldad, tanto que ha conseguido atrapar el cuerpo de Kalona para obligar a su espíritu a obedecerla si quiere regresar.

—¿Y eso es una sorpresa para alguien?

—Apuesto a que sí para la mayoría del Alto Consejo. Neferet encuentra siempre la manera de poner a todo el mundo de su parte.

Aphrodite bufó.

—En mi opinión la mayoría no tiene ni idea de cómo es ella en realidad.

—Eso creo yo. Así que posicionarnos contra Neferet ahí, al descubierto, va a ser más difícil que cuando estaba aquí.

—Eso es un buen resumen. Entonces, ¿qué pasa con Kalona?

—Necesitas observar su cuerpo usando esos supersentidos de Spiderman tuyos.

—Eres una imbécil. Spiderman no existe. Es un personaje inventado que aparece en una mierda de cómic —se molestó Aphrodite.

—Se llaman novelas gráficas, no cómics… no seas tan tocapelotas. No tengo tiempo para ponerme a discutir contigo sobre los beneficios que las novelas gráficas producen en la imaginación de la gente —dijo Stevie Rae.

—Oh, por favor, blanco y en botella. Los dibujitos con bocadillos llenos de palabras se llaman cómics. Y los estúpidos cómics son para gente idiota y antisocial que no se baña. Fin de la discusión.

—¡Aphrodite! ¡Concéntrate! Regresa a la sala y revisa el cuerpo de Kalona con tus sentidos espirituales del Otro Mundo. Busca cualquier tipo de cosas extrañas que nadie más pueda ver. Como, no sé…

—¿Una desagradable y pegajosa tela de araña hecha de oscuridad envolviéndole, como si fuesen unas extrañas cadenas? —propuso Aphrodite.

—No me tomes el pelo. Esto es muy importante —dijo Stevie Rae con voz seria.

—No te estoy tomando el pelo. Te estoy diciendo lo que ya he visto. Su cuerpo está completamente cubierto por unos hilos oscuros de una cosa asquerosa que parece ser que nadie excepto *moi* puede ver.

—¡Es Neferet! —La voz de Stevie Rae sonó tensa por la emoción—. Ha accedido a algo que se llama Oscuridad... que es algo malvado y va con «o» mayúscula. Por eso está usando el poder de las *tsi sgili*. Así fue como consiguió atrapar a Kalona justo después de que Zoey hiriera su alma... que era el único momento en que su cuerpo estaba lo suficientemente débil como para ser vulnerable.

—¿Y cómo sabes eso?

—Así es como los cheroquis lo atraparon la última vez —dijo Stevie Rae, evitando la pregunta usando la única parte de la verdad que le podría contar nunca a nadie—. A-ya llenó su espíritu de emociones que no estaba acostumbrado a sentir y las ancianas usaron su debilidad para atraparlo.

—Eso tiene sentido. Así que Neferet lo tiene en su poder, atado y sin alma. ¿Por qué? Es su superasquerosa amante. ¿Por qué no iba a querer que estuviese aquí, con ella? Los dos podrían haber huido juntos y librarse de que los pillaran por la muerte de Heath.

—Sí, excepto por dos cosas: Neferet habría parecido culpable y eso habría obligado al Alto Consejo a actuar contra ella y tampoco habría estado segura al cien por cien de que Zoey desapareciera del todo.

—¿Qué demonios? El Consejo dice que le queda una semana, pero que después se morirá.

—No es verdad. Si su alma vuelve a su cuerpo, Z no morirá. Neferet lo sabe y por eso...

—Por eso ha atrapado el cuerpo de Kalona y le ha ordenado que siga a Z al Otro Mundo y se asegure de que no retorna a su cuerpo —acabó Aphrodite por ella—. ¡Eso tiene sentido, maldita sea! Pero no me cuadra. Kalona está totalmente obsesionado con Z. No creo que desee su muerte.

—Ya, pero ¿y si la única manera de que pueda volver a su cuerpo es matando a Zoey?

La voz de Aphrodite se endureció.

—Entonces la matará. Stevie Rae, ¿qué demonios vamos a hacer?

—Tenemos que encontrar la manera de proteger a Z y de ayudarla a volver a su cuerpo y no, no tengo ni idea de cómo vamos a hacerlo. —Dudó y cruzó los dedos detrás de la espalda por la medio mentira que iba a decir—. Hoy la tierra me ayudó a averiguar unas cosas muy raras sobre Kalona. Parece ser que solía ser el guerrero de Nyx. Vamos, que solía ser de los buenos. Entonces algo sucedió en el Otro Mundo y la Diosa lo desterró y así fue como cayó a la tierra.

—Lo que significa que conoce el Otro Mundo mucho mejor que ninguno de nosotros —dijo Aphrodite con tristeza.

—Sí. ¡Maldita sea! Lo que necesitamos es un guerrero en el Otro Mundo que pueda enfrentarse a Kalona y hacer que Zoey vuelva a su cuerpo.

A Aphrodite se le encendió la bombilla al escuchar las palabras de Stevie Rae.

—Pero ella ya tiene un guerrero.

—Stark está en este mundo. No en el Otro Mundo.

—Pero un guerrero y su sacerdotisa están conectados por un vínculo de espíritu a través de un juramento y su dedicación. ¡Eso lo sé! Es lo que yo tengo con Darius. —La voz de Aphrodite mostraba una emoción cada vez mayor mientras razonaba—. Y no puedes decirme que mi guerrero no me seguiría directamente a la boca del infierno para protegerme. Lo único que necesitamos es llevar el alma de Stark al Otro Mundo para que pueda proteger a Z allí, igual que lo hace aquí.

Y puede que eso lo salve a él también, añadió en silencio para sí misma.

—No lo sé, Aphrodite. Stark debe de estar bastante destrozado después de haber perdido a Zoey...

—Por eso mismo. Tiene que salvarse a sí mismo salvándola a ella.

—Pero eso no va a funcionar. Acabo de recordar algo del *Manual del iniciado,* la historia de una alta sacerdotisa y su guerrero, quien murió cuando el alma de su protegida se rompió y quiso seguirla hacia el Otro Mundo.

—Por favor, idiota. Está en el *Manual* para meter el miedo en las cabecitas de los retardados de tercer año como tú y hacer así que las jóvenes buenorras iniciadas se mantengan alejadas de los guerreros Hijos de Érebo. Esa estúpida historia la escribió probablemente una alta sacerdotisa arpía y amargada que no había practicado sexo desde hacía, digamos, un centenar de años. Literalmente. Stark necesita seguir a Zoey al Otro Mundo, darle una patada en el culo al espíritu de Kalona y traerla de vuelta aquí.

—Tiene que ser más complicado que eso.

—Probablemente, pero da igual. Encontraremos la manera.

—¿Cómo?

Aphrodite hizo una pausa, pensando en Tánatos, en sus oscuros e inteligentes ojos.

—Quizás conozca a alguien que al menos pueda indicarnos la dirección correcta.

—No dejes que Neferet sepa que vas tras ella —la advirtió Stevie Rae.

—No soy estúpida, estúpida —dijo Aphrodite—. Deja todo esto en mis manos extremadamente capaces y de manicura perfecta. Te llamaré más tarde para informarte. ¡Adiós!

Pulsó el botón de «colgar» antes de que Stevie Rae pudiese molestarla más. Después, sonriendo astutamente, se dirigió de nuevo a la sala del Consejo.

9

Stark

Cuanto más tiempo pasaba en la misma habitación que Neferet, más ardía la ira de Stark. Y aquello era bueno. Era capaz de pensar a través de la ira. Sin embargo, no podía pensar a través de la tristeza. ¡Diosa! La insoportable pena de perder a su sacerdotisa… su Zoey…

—Así que estamos de acuerdo, entonces —dijo Neferet—. Me llevaré el cuerpo de mi consorte a Capri. Allí podré vigilarlo hasta el momento en que…

Finalmente Stark asimiló lo que esa zorra estaba diciendo y se volvió hacia ella, deteniéndose poco antes de lanzarse contra la maldita bruja gracias a la mano de hierro con que Darius le agarraba el brazo.

—¡No podéis dejar que se escape con él! —le gritó Stark a Duantia, la líder del Alto Consejo—. Kalona mató a Heath; yo lo vi. Zoey lo vio. Y por eso está así.

Señaló el cuerpo sin alma de Zoey bajando los ojos. No era capaz de mirarla.

—¿Escapar? —se burló Neferet—. Ya he aceptado ser escoltada por un grupo de guerreros Hijos de Érebo y debo informar con regularidad al Consejo sobre el estado de consciencia de Érebo. Después de todo, mi consorte no es ningún criminal. No va contra nuestras leyes que un guerrero elimine a un humano si es al servicio de la Diosa.

Stark ignoró a Neferet y se concentró en Duantia.

—No dejéis que se vaya. No permitáis que se lo lleve. Han hecho algo más que matar a un humano y no están al servicio de Nyx.

—¡Eso son mentiras propagadas por una adolescente celosa que tenía tan poco control sobre sí misma que su alma eterna se ha hecho pedazos! —soltó Neferet.

—¡Eres una jodida zorra! —Stark le gritó a Neferet con todas sus fuerzas.

Ella ni se movió. En lugar de eso, levantó elegantemente una mano que usó para señalar a Stark con la palma hacia arriba. Mientras este intentaba que Darius lo soltase, creyó ver un humo negro empezando a materializarse alrededor de los dedos de Neferet.

—¡Ya está bien, Stark, tonto del culo!

De repente, Aphrodite estaba ahí, delante de él. Stark sabía que era amiga de Zoey, pero si Darius no lo estuviese agarrando como con unas tenazas, no habría dudado en apartarla para llegar a Neferet.

—¡Stark! —le gritó Aphrodite—. ¡No estás ayudando a Zoey!

Después la rubia hizo algo que lo sorprendió totalmente y, por el modo de inspirar de Darius, también a su guerrero. Le cogió la cara con sus suaves palmas e hizo que la mirara a los ojos, susurrando las palabras que le cambiaron la vida.

—Sé cómo ayudar a Zoey.

—¡Ya veis que no hay quien lo controle! Si el cuerpo de mi consorte permanece aquí, ¿quién sabe lo que este niño indisciplinado puede hacer?

Neferet escupió su veneno a Stark mientras este mantenía los ojos fijos en Aphrodite.

—¿Lo juras? —le susurró Stark solemnemente—. ¿No estás diciendo tonterías?

Aphrodite levantó una de sus rubias cejas.

—Si me conocieses mejor, sabrías que yo nunca digo tonterías, pero sí. Juro por mi nuevo y fastidioso título de profetisa que sé cómo ayudar a Zoey, pero necesitamos alejarla de Neferet. ¿Lo pillas?

Stark asintió y dejó de luchar contra Darius. Aphrodite apartó las manos de su cara. Comportándose y sonando como toda una profetisa de Nyx, se giró para enfrentarse a Neferet y al Alto Consejo.

—¿Por qué estáis tan seguras de que Zoey morirá?

Duantia fue la primera en responder.

—Su alma ha abandonado su cuerpo y no solamente para realizar una visita al Otro Mundo, o en comunión temporal con la Diosa. Zoey está destrozada.

Una de las vampiras miembro del Consejo, que había permanecido prácticamente callada hasta entonces, habló.

—Debes entender lo que significa eso, profetisa. El espíritu de Zoey está en el Otro Mundo, hecho pedazos. Las vidas pasadas han sido arrancadas de ella, igual que sus recuerdos y diferentes aspectos de su personalidad. Se está convirtiendo en una *caoinic shi'*, algo ni muerto ni vivo… Un ser atrapado en el reino de los espíritus, pero sin el sosiego que le debería proporcionar contar con su propia alma.

—No. A ver. Hablemos en un idioma que yo pueda entender y no en esa antigua y jodidamente confusa lengua de las épocas doradas europeas.

Aphrodite colocó una mano en la curva de su cintura y con la otra señaló al Alto Consejo de los vampiros en general.

—Sin las confusas referencias de ocultismo, explicadme por qué descartáis que Zoey pueda volver.

Stark escuchó a algunos de los miembros del Consejo sorprenderse por las descaradas palabras de Aphrodite y notó la arrogante mirada de Neferet de «Ya os dije que estaban fuera de control», compartida por la mayoría de las vampiras, pero Tánatos respondió suavemente.

—Lo que Aether está diciendo es que las capas de espíritu que convierten a Zoey en lo que es actualmente (sus vidas anteriores, sus experiencias pasadas, su personalidad…) le han sido arrancadas, y si esas capas no están intactas, es imposible que pueda descansar en el Otro Mundo o que su espíritu vuelva a su cuerpo aquí, en el nuestro. Imagínate que has tenido un terrible accidente y que se te han desprendido las capas de piel, músculo y hueso que protegen tu corazón, dejando ese órgano vital desnudo e indefenso. ¿Qué te sucedería entonces?

Aphrodite se quedó callada y Stark pensó que dudaba porque no quería reconocer lo que era obvio, pero ella lo miró y, cuando sus ojos se encontraron, le sorprendió ver el triunfo y la excitación en ellos.

—Si mi corazón no contase con ninguna protección, no podría seguir latiendo. ¿Así que por qué motivo no le ofrecemos a Zoey alguna protección?

¡Protección! *¡Yo soy la protección de Zoey!* Un pequeño estremecimiento de esperanza atravesó su cuerpo.

—¡Yo soy su protección! —dijo rápidamente—. No me importa si es en este mundo o en el siguiente. Solo mostradme cómo llegar hasta donde está y yo iré.

—Eso, sin duda, suena lógico, Stark —dijo Tánatos—. Pero tus dones son los de un guerrero, lo que significa que tus habilidades son corpóreas y no pertenecen al reino de los espíritus.

—La protección es la protección —insistió Stark—. Indicadme cómo llegar adonde está y ya me las apañaré.

—Zoey debe conseguir que su espíritu vuelva a estar completo de nuevo y esa es una batalla que tú no puedes librar por ella —dijo Aether.

—Pero puedo estar allí con ella mientras se repone. Puedo protegerla —insistió Stark.

—Un guerrero vivo no puede entrar en el Otro Mundo. Ni siquiera para seguir a su alta sacerdotisa —adujo Aether.

—Si lo intentases, tú también estarías perdido —intervino Duantia.

—Eso no lo sabes seguro —replicó Stark.

—En nuestra historia escrita, no existe ningún guerrero que se haya recuperado después de intentar seguir al espíritu roto de su alta sacerdotisa al Otro Mundo. Todos ellos perecieron… cada uno de los guerreros y cada una de las altas sacerdotisas —dijo Tánatos.

Stark se sorprendió. No había pensado en eso… en que él también moriría. Con una indiferente curiosidad, se dio cuenta de que en realidad no le molestaba la idea de morirse, no si podía cumplir con el juramento que le había hecho a

Zoey; pero antes de que pudiese responder, la fría voz de Neferet se entrometió de nuevo.

—Y todos esos guerreros y altas sacerdotisas eran más mayores y tenían más experiencia que tú.

—Quizás ese fuera el problema. —Aphrodite bajó el tono de su voz lo suficiente como para que solo Stark escuchase su murmullo—. Eran demasiado viejos y tenían demasiada experiencia.

La esperanza volvió a Stark. Se volvió hacia Duantia.

—Me equivoqué antes. Neferet debería llevarse a Kalona adonde quiera, pero yo quiero disponer del mismo derecho y llevarme a Zoey conmigo.

Se detuvo e hizo un gesto que incluía a Aphrodite, a Darius y al grupo de chicos que estaba no muy lejos de ellos.

—Queremos llevarnos a Zoey con nosotros.

—Stark, no puedo acceder a algo que sería el equivalente a una sentencia de muerte también para ti. —La voz de Duantia era compasiva pero firme—. En esta semana, Zoey morirá. El mejor lugar para ella es este, nuestra enfermería, aquí estará cómoda durante el tiempo que le queda. Lo mejor que puedes hacer tú es prepararte para ese final y no sacrificarte en un vano intento de salvarla.

—Eres muy joven —dijo Tánatos—. Tienes una larga y productiva vida por delante. No cortes los hilos que el destino te ha preparado.

—Zoey se quedará aquí hasta el final —asintió Duantia, de acuerdo con ella—. Por supuesto, puedes quedarte a su lado.

—Disculpen. No quiero sonar irrespetuoso ni nada parecido.

Toda la atención se centró en el grupo de amigos de Zoey que, hasta entonces, había estado en su mayoría callado a causa de la tristeza y la conmoción. La mano de Damien estaba levantada como si estuviese en un aula esperando a que el profesor le diese permiso para hablar.

—¿Quién eres, iniciado? —preguntó Duantia.

—Mi nombre es Damien y soy uno de los amigos de Zoey.

—También tiene afinidad con el aire —añadió Jack, enjugándose las lágrimas con una mano.

—Ah, me han hablado de ti —dijo Duantia—. ¿Quieres dirigirte al Consejo?

—Es un iniciado. Debe ser visto pero no escuchado en las reuniones del Consejo —soltó Neferet.

—No sabía que tú hablaras en nombre del Alto Consejo de los vampiros, Neferet —dijo Aphrodite.

—No lo hace —replicó Tánatos mirando duramente a Neferet antes de girarse hacia Damien—. Iniciado, ¿quieres dirigirte al Consejo?

Damien se sentó más recto y tragó con fuerza.

—Afirmativo.

Los labios de Tánatos se movieron en un intento de formar una sonrisa.

—Entonces puedes hablar. También puedes bajar la mano, Damien.

—Oh, gracias. —Damien bajó rápidamente el brazo—. Bueno, lo que quería decir, con todo mi respeto, es que las leyes de los vampiros dicen que, como guerrero vinculado por juramento a Zoey, Stark tiene derecho a decidir dónde y cómo debe ser protegida. Al menos eso es lo que recuerdo de mis apuntes del último semestre de la clase de sociología vampírica.

—Zoey se está muriendo —dijo Duantia con palabras duras pero tono amable—. Debes comprender que su guerrero pronto se verá liberado de su juramento.

—Lo entiendo. Pero ella aún no está muerta y lo único que digo es que su guerrero tiene derecho a ser su protector de la manera que él crea más conveniente para ella, mientras esté viva.

—Debo coincidir con el iniciado —dijo Tánatos, premiando con un respetuoso gesto de asentimiento a Damien—. Su principio es totalmente correcto. Es la ley, así como una responsabilidad otorgada al guerrero por su juramento, que él decida lo que es mejor para la seguridad de su alta sacerdotisa. Zoey Redbird está viva; por lo tanto, sigue estando bajo la protección de su guerrero.

—¿Y el resto de mi Consejo? ¿Estáis de acuerdo con Tánatos? —preguntó Duantia.

Stark contuvo la respiración mientras las otras altas sacerdotisas o bien pronunciaban solemnes síes o bien asentían con pequeños movimientos de cabeza.

—Bien hecho, iniciado Damien —le felicitó Tánatos.

Damien se puso colorado.

—Gracias, sacerdotisa.

Duantia sacudió la cabeza.

—Por mi parte, yo no estoy tan contenta como Tánatos ante la perspectiva de la muerte de un prometedor y joven guerrero. —Se encogió de hombros, dando su consentimiento—. Pero el Consejo está de acuerdo. Aunque me entristece, me inclino ante el deseo de mi Consejo y ante nuestras leyes. Stark, ¿dónde te gustaría llevar a tu alta sacerdotisa para que pase sus últimos días?

Antes de que pudiese responder, la voz de Neferet volvió a interrumpirlos.

—¿Debo asumir que este pequeño quórum implica que yo también puedo marcharme y llevarme a mi consorte conmigo?

—Eso ya está decidido, Neferet —le contestó Tánatos con un tono que igualaba el suyo—. Bajo las condiciones acordadas, puedes volver a Capri con el cuerpo de tu consorte.

—Gracias —dijo Neferet brevemente.

Les hizo un gesto brusco a los Hijos de Érebo que habían transportado a Kalona hasta la sala del Consejo en la camilla.

—Traed a Érebo. Nos vamos de aquí.

Con una inclinación mínima ante el Consejo, Neferet salió imperiosamente de la habitación dando zancadas.

Todo el mundo la observó mientras se marchaba. Aphrodite aprovechó ese momento para agarrar del brazo a Stark y decirle algo rápidamente.

—Dales una evasiva. No les cuentes adónde quieres llevarte a Zoey.

—Ahora que se ha acabado la interrupción, ya eres libre de decirle al Consejo adónde quieres llevar a tu alta sacerdotisa, Stark —continuó Tánatos.

—Ahora mismo quiero llevarla a nuestra habitación, en el palacio. Eso, si os parece bien. Necesito algún tiempo para pensar en lo mejor para Zoey. Aún no he podido hacerlo.

—Joven pero sabio —sonrió Tánatos, aprobando la decisión.

—Me alegro de ver que parece que has sido capaz de dominar tu ira, guerrero —dijo Duantia—. Ojalá sigas pensando con claridad y sabiduría.

Stark apretó fuertemente los dientes e inclinó su cabeza respetuosamente, cuidándose de no mirar a los ojos a ninguno de los miembros del Consejo, por miedo a que viesen la verdadera furia desatada en su mirada.

—El Consejo te da permiso para retirarte al palacio con tu alta sacerdotisa herida y tus amigos. Te preguntaremos si has decidido adónde quieres llevarla en el día de mañana. Por favor, ten en cuenta que todavía puedes considerar que se quede aquí. Si así lo solicitas, os daremos asilo a todos vosotros, durante tanto tiempo como sea necesario.

—Gracias —respondió Stark.

Se inclinó formalmente ante el grupo de poderosas altas sacerdotisas.

—Se levanta la sesión. Se os convocará de nuevo el día de mañana. Hasta entonces, os bendigo desde el fondo de mi corazón.

Antes de que Darius pudiese evitarlo, Stark se acercó a Zoey, levantó su cuerpo en sus brazos y, manteniéndola cerca de él, la sacó de la sala del Consejo.

Stark

—Cuéntame todo lo que sabes.

Apenas había posado Stark el cuerpo de Zoey sobre la cama de la habitación que les habían asignado cuando se dirigió a Aphrodite.

—Bueno, no es mucho, pero es suficiente como para hacerme pensar que las vampiras se equivocan —le adelantó Aphrodite, acomodándose en una enorme silla de terciopelo al lado de Darius.

—¿Quieres decir que conoces un caso en que un guerrero sí que consiguió traer de vuelta a su alta sacerdotisa desde el Otro Mundo? —preguntó Damien mientras él y Jack traían unas sillas del salón de la suite hasta el dormitorio.

—No. No exactamente.

—¿A qué te refieres, Aphrodite? —inquirió Stark sin dejar de caminar de un lado para otro ante la cama de Zoey.

—Me refiero a que me importa una mierda la historia antigua. Zoey no es ninguna alta sacerdotisa del año de la polca que se cree divina de la muerte.

—Los pueblos que ignoran su historia acaban por repetirla —aportó Damien suavemente.

—No digo que la ignore, chico gay. Digo que me importa una mierda.

La dura mirada de Aphrodite se dirigió de Damien a las gemelas, que seguían de pie en la entrada de la habitación.

—Gemelas lelas, ¿se puede saber qué hacéis ahí, espiando?

—No estamos espiando, odiosa. —La voz de Shaunee era poco más que un murmullo.

—Eso, estamos… *respetuando* —añadió Erin con otro susurro idéntico.

—Oh, demonios. ¿Pero de qué estáis hablando vosotras dos? —dijo Aphrodite.

—No es respetuoso para… mmm… el cuerpo de Zoey que estemos hablando de todo esto mientras ella se halla…

Shaunee enmudeció, mirando a su gemela en busca de ayuda.

Antes de que Erin pudiese, como de costumbre, acabar su frase, habló Stark.

—No. No la vamos a tratar como si estuviese muerta. Simplemente no está aquí; eso es todo.

—Esto es más una sala de espera que una habitación de hospital —dijo Jack, estirándose desde su silla para tocar la mano de Zoey.

—Sí —convino Stark—. Solo que estamos esperando que pase algo realmente bueno.

—¿Como cuando acabas de aprobar el examen de conducir, te han sacado una foto horrible y estás esperando a que te traigan tu carné? —preguntó Jack.

—Exacto, solo que aquí no está todo sucio y lleno de pueblerinos —dijo Aphrodite—. Así que coged unas sillas, cerebros compartidos, y dejad de actuar como si Zoey fuese un cadáver.

Las gemelas dudaron, se miraron, se encogieron de hombros y después llevaron unas sillas a la habitación y se unieron al pequeño círculo del grupo.

—Vale, ahora que estamos todos juntos en esto, tienes que contarnos lo que te dijo Stevie Rae —dijo Darius.

Aphrodite sonrió a su guerrero.

—¿Cómo sabes que obtuve la información de Stevie Rae?

Darius le tocó la cara con cariño.

—Te conozco.

Stark apretó los puños y apartó la vista del evidente vínculo entre Aphrodite y Darius. Quería golpear algo. Necesitaba golpear algo. Iba a explotar si no se liberaba de algunos de los sentimientos que lo ahogaban desde dentro. Las palabras de Aphrodite penetraron en su mente confusa y se giró para mirarla.

—¡Repite eso!

—He dicho que Kalona está en realidad en el Otro Mundo. Neferet lo ha enviado allí para asegurarse de que Zoey no se recupera y vuelva.

—Espera, no, recuerdo haber escuchado a Kalona hablando con Rephaim una vez. Estaba realmente enfadado porque el cuervo del escarnio había dicho algo de volver al Otro Mundo. Estoy seguro de que Kalona dijo que no podía volver porque Nyx lo había echado de allí a patadas —replicó Stark.

—Echó de una patada a su cuerpo. Su cuerpo no está allí —explicó Aphrodite—. Es su alma la que se ha colado de nuevo.

—¡Oh, Diosa! —exclamó Damien.

—Zoey está metida en un lío más grande de lo que pensábamos —dijo Erin con tristeza.

—Y ya era un lío bastante grande —asintió Shaunee.

—Aún es peor —dijo Aphrodite—. Neferet está detrás de todo esto.

Suspiró y miró a Stark a los ojos.

—Vale, no te va a gustar oír esto, pero necesitas escucharlo y superarlo. Kalona solía ser el guerrero de Nyx.

El color desapareció de la cara de Stark.

—Eso fue lo que Zoey me dijo justo antes de… —Se pasó una mano por el pelo—. Yo no la creí. Me enfadé, me puse celoso y fui un estúpido. Por eso no estaba con ella cuando vio cómo Kalona mataba a Heath.

—Vas a tener que encontrar la manera de perdonarte por ese error —le dijo Darius a Stark—. Si no lo haces, no vas a poder concentrarte en el presente.

—Y necesitaremos una caja entera de concentración para salvar a Zoey —añadió Aphrodite.

—Porque Stark va a tener que ir al Otro Mundo a luchar contra Kalona por Zoey —murmuró Jack, casi como si estuviese hablando durante una misa.

—Y tiene que encontrar la manera de ayudarla a reunir los pedazos de su alma —dijo Damien.

—Pues eso es lo que voy a hacer.

Stark se alegró de sonar tan confiado porque tenía el estómago como si alguien le hubiese pegado un puñetazo.

—Si lo intentas sin la preparación necesaria, no tendrás ninguna oportunidad de conseguirlo, joven guerrero.

Los ojos de Stark se desviaron hacia el origen de la voz, en la entrada de la habitación, donde estaba Tánatos, alta y lúgubre, como si fuese la muerte personificada.

—¡Entonces dime cómo prepararme!

Stark quería gritar su frustración desde todos los tejados del mundo.

—Para luchar en el Otro Mundo, el guerrero que hay en ti debe morir para que nazca el chamán.

Stark no lo dudó.

—¿Lo único que debo hacer es matarme? ¿Quieres decir que entonces mi alma puede ir al Otro Mundo y ayudar a Zoey?

—No puede ser una muerte literal, guerrero. Piensa en el daño que le causaría al espíritu ya herido de Zoey el tener que soportar tu muerte, además de la de su consorte.

—Entonces ya no habría forma de que abandonase el Otro Mundo —agregó Damien solemnemente—. Ni aunque pudiese reunir hasta el último de los pedazos de su alma.

—Exactamente. Y creo que eso fue lo que les pasó a las otras altas sacerdotisas cuyos guerreros las siguieron al Otro Mundo —continuó Tánatos, entrando en la habitación y caminando hasta la cama de Zoey.

—¿Así que los otros guerreros se quitaron de verdad la vida para proteger a sus sacerdotisas?

Aphrodite se acercó aún más a Darius y entrelazó los dedos con los suyos.

—La mayoría sí, y los guerreros que no murieron antes de que sus almas dejaran sus cuerpos, lo hicieron poco después. Debes entender que los guerreros no son altas sacerdotisas. No tienen los dones que se necesitan para moverse con libertad en el reino de los espíritus.

—Kalona está allí, y está claro que no es ninguna alta sacerdotisa —replicó Stark.

—Incluso los que no nos creemos que sea Érebo venido a la tierra sabemos que ese ser que vosotros llamáis Kalona es un inmortal que ha llegado aquí de alguna manera desde el Otro Mundo. Las normas por las que se rige un guerrero, o incluso cualquier vampiro masculino que no sea un guerrero, no se le aplican a él.

—Pero está atrapado, de todas maneras —intervino Aphrodite inclinándose hacia delante con urgencia—. Yo puedo ver sus cadenas. Su cuerpo está cubierto por ellas.

—Cuéntame lo que has visto, profetisa —pidió Tánatos.

Aphrodite dudó.

—Cuéntaselo todo —dijo Damien. Aphrodite lo miró—. Tenemos que confiar en alguien o esto no acabará de manera diferente para Stark y Zoey de lo que pasó con los otros guerreros y las otras altas sacerdotisas.

—Bien podemos confiar en la muerte —se sumó Stark—. Porque, de una manera u otra, me voy a tener que enfrentar a ella para llegar a Zoey.

Aphrodite miró la cara pálida de Stark y después a Darius.

—Estoy de acuerdo.

—Yo también —dijo Jack.

—Cuéntaselo todo —añadió Erin.

—De acuerdo —se rindió Aphrodite. Miró a Tánatos con una sonrisa irónica—. Bueno, mejor empiezo por Neferet. Deberías sentarte.

10

Stark

A Stark le pareció impresionante que Tánatos apenas se sorprendiera mientras Aphrodite, con algo de ayuda por parte de Damien, le explicaba todo a la alta sacerdotisa; desde la llegada de Zoey a la Casa de la Noche, el descubrimiento de los iniciados rojos, el surgimiento de Kalona, su lenta comprensión de la profunda maldad de Neferet, hasta la conversación que había mantenido con Stevie Rae por teléfono.

Cuando acabó, Tánatos se levantó y se dirigió a Zoey para mirarla desde arriba. Cuando la alta sacerdotisa habló por fin, parecía más que le estuviera hablando a Zoey que a ellos.

—Así que desde el principio ha habido una batalla entre la Luz y la Oscuridad, solo que hasta ahora se había librado sobre todo en el reino físico.

—¿Luz y Oscuridad? Usas esas palabras como si fuesen nombres propios —se sorprendió Damien.

—Muy astuto por tu parte, joven iniciado —dijo Tánatos.

—Stevie Rae también lo hizo. Habló de la Oscuridad como un nombre propio —agregó Aphrodite.

—¿Un nombre propio? ¿Como si fuesen dos personas? —preguntó Jack.

—Personas no… eso es muy limitado. Piensa en ellos más como seres inmortales tan poderosos que pueden manipular la energía hasta tal punto que el espíritu puede hacerse tangible —explicó Tánatos.

—¿Te refieres a algo así como que Nyx es la Luz y Kalona, o al menos lo que representa, es la Oscuridad? —quiso saber Damien.

—Es más acertado decir que Nyx está del lado de la Luz. Lo mismo se aplica a Kalona y la Oscuridad.

—Vale, yo no soy la «estudiante doña Perfecta», pero soy inteligente y prestaba atención en clase. Casi siempre. Nunca oí nada de esto —dijo Aphrodite.

—Ni yo —dijo Damien.

—Y eso sí que es decir, porque está claro que Damien sí que podría ser ese «estudiante don Perfecto» —apostilló Erin.

—Totalmente de acuerdo —se sumó Shaunee.

Tánatos suspiró y apartó la mirada de Zoey para concentrarse en los demás.

—Sí, bueno, es una antigua doctrina que creo que no fue aceptada nunca por nuestra sociedad, o al menos por las sacerdotisas de la sociedad actual.

—¿Por qué? ¿Qué tiene de malo? —preguntó Aphrodite.

—Estaba basada en la lucha, en la violencia y en el enfrentamiento de los poderes salvajes del bien y el mal.

Aphrodite resopló.

—Te refieres a cosas de tíos.

Tánatos enarcó las cejas.

—Sí.

—Espera un momento. ¿Qué tiene de masculino lo de creer en la lucha entre el bien y el mal? —se extrañó Stark.

—Es más que la simple creencia de que existe el bien y que debería luchar contra los males del mundo. Es la personificación de la Luz y de la Oscuridad en su nivel más elemental, como fuerzas que dependen tanto la una de la otra que la primera no puede existir sin la segunda y viceversa, aunque traten constantemente de aniquilarse mutuamente. —Tánatos suspiró de nuevo al ver las miradas de incomprensión de los chicos—. Una de las primeras representaciones de la Luz y la Oscuridad era la de Luz como un enorme toro negro y la Oscuridad un inmenso toro blanco.

—¿Eh? ¿No debería el blanco ser la Luz y el negro la Oscuridad? —preguntó Jack.

—Eso sería lo lógico, pero así eran representados en nuestros antiguos pergaminos. En ellos se dice que cada criatura, Luz y Oscuridad, transportaba algo que el otro desearía siempre. Piensa en dos toros, henchidos del poder que poseen, enfrentándose en un combate eterno, ambos luchando por conseguir algo del otro que nunca podrán conseguir sin destruirse a sí mismos. Yo vi una representación de su combate una vez, cuando era una joven alta sacerdotisa y nunca olvidaré lo llamativamente salvaje y violenta que era. Tenían los cuernos entrelazados, sin poder moverlos. Sus poderosos cuerpos tensos tratando de alcanzar al otro, la sangre salía a borbotones, las fosas nasales ensanchadas... Estaban en un punto muerto que asustaba por su intensidad... El dibujo en sí mismo parecía vibrar de poder.

—De poder masculino —acotó Darius—. Yo también contemplé esa imagen cuando me entrenaba para transformarme en guerrero. Decoraba la cubierta de uno de los legendarios diarios de algún gran guerrero perteneciente a la historia antigua.

—Poder masculino. Ya entiendo por qué las líderes de los vampiros dejaron que eso de los toros se perdiera —dijo Erin.

—Sin duda, gemela —asintió Shaunee—. Demasiado poder masculino cuando ser vampiro tiene más que ver con el lado femenino.

—Pero nuestro sistema de creencias no se basa en que el poder femenino suprima al masculino. Se basa en mantener un equilibrio sano entre los dos —dijo Darius.

—No, guerrero. Lo cierto es que aunque se supone que nuestro sistema de creencias no está basado en que el poder femenino suprima al masculino, al igual que sucede con la Luz y la Oscuridad, estamos inmersos en una lucha eterna para tratar de buscar un equilibrio entre los dos sin que uno destruya al otro. Piensa en las imágenes de Nyx que vemos cada día, con su belleza y su atractivo femeninos. Contrástalas con una representación del poder salvaje y desatado como dos grandes criaturas masculinas luchando. ¿Eres capaz de entender que un mundo que trate de contenerlas a ambas siempre estará en constante conflicto? ¿Y que, por tanto, una debería suprimir a la otra para permitirle prosperar?

Aphrodite resopló.

—Eso no es tan difícil de entender. No me puedo imaginar a las mojigatas del Alto Consejo queriendo tener nada que ver con algo tan burdo como dos chicos toro gigantes y cualquier creencia que representen.

—Quiere decir exceptuándote a ti —dijo Stark, frunciéndole el ceño a Aphrodite y lanzándole una mirada de «no estás ayudando».

Tánatos sonrió.

—No, Aphrodite tiene razón. El Consejo ha cambiado mucho desde su origen, especialmente durante los últimos cuatro siglos, a los que he asistido. Solía ser una fuerza vital, a su manera bastante elemental y algo bárbara en su forma de ejercer el poder. Pero en los últimos tiempos se ha convertido en algo... —La alta sacerdotisa dudó, buscando la palabra adecuada.

—Civilizado —apuntó Aphrodite—. Es supercivilizado.

—Sí —convino Tánatos.

Los ojos azules de Aphrodite se abrieron.

—Y ser civilizado no tiene por qué ser bueno, especialmente cuando te estás enfrentando a dos toros embistiéndose entre sí y destrozando todo lo que se interpone entre ellos.

—Y Zoey está peligrosamente cerca de la Luz —murmuró Damien.

—Lo suficientemente cerca como para que la cornee la Oscuridad —precisó Stark—. Especialmente si han enviado a la Oscuridad para asegurarse de que nunca vuelva a encontrar la Luz.

La habitación se quedó en silencio mientras todos contemplaban a Zoey, que yacía en silencio, pálida sobre las civilizadísimas sábanas de color crema.

Fue en ese momento de quietud cuando Stark se percató. Gracias a los instintos de un guerrero que protege a su alta sacerdotisa, supo que había encontrado el camino correcto.

—Entonces, para hallar la manera de proteger a Zoey, no debemos ignorar el pasado. Lo que hay que hacer es profundizar en el pasado más de lo que nadie se ha molestado en indagar nunca —dedujo Stark, cada vez con voz más excitada.

—Y es necesario aceptar y comprender el poder salvaje que se desata en la lucha entre la Luz y la Oscuridad —dijo Tánatos.

—Pero ¿dónde diantre podemos encontrar información sobre semejante cosa? —preguntó Aphrodite apartándose el pelo de la cara, frustrada—. Las creencias que necesitamos han desaparecido... Tú misma lo has dicho, Tánatos.

—Quizás no del todo —dijo Darius, irguiéndose en su asiento y mirando a Stark con ojos penetrantes e inteligentes—. Si quieres encontrar creencias antiguas y bárbaras tienes que ir a un lugar forjado sobre un pasado antiguo y bárbaro. Un lugar prácticamente aislado de la civilización actual.

La respuesta recorrió el cuerpo de Stark.

—Tengo que ir a la isla.

—Exacto —convino Darius.

—¿De qué demonios estáis hablando? —dijo Aphrodite.

—Hablan del sitio donde los guerreros eran entrenados en un principio por Sgiach.

—¿Sgiach? ¿Quién es ese? —preguntó Damien.

—Es el nombre antiguo de alguien que fue llamado El Gran Decapitador —contestó Darius.

—Sgiach era lo más salvaje y bárbaro que un guerrero puede ser —dijo Stark.

—Vale, todo eso está muy bien, pero lo necesitaríamos vivo y en el momento presente. Los viejos cuentos sobre vampiros no nos sirven. Estoy bastante segura de que si Stark no puede ir al Otro Mundo, tampoco puede volver al pasado —dijo Aphrodite.

—Ella —corrigió Darius.

—¿Ella?

La expresión de Aphrodite era como un signo de interrogación.

—Sgiach era una guerrera hembra, una vampira de poderes impresionantes —explicó Stark.

—Y esas antiguas historias, belleza, también dicen que siempre habrá una Sgiach —dijo Darius con una sonrisa indulgente—. Vive en la isla de las Mujeres, en la Casa de la Noche de allí.

—¿Existe una Casa de la Noche en una isla de las Mujeres? —dijo Erin.

—¿Por qué no sabíamos eso? —preguntó Shaunee antes de dirigirse a Damien—. ¿Tú lo sabías?

Él negó con la cabeza.

—Nunca había oído hablar de ella.

—Eso es porque no sois guerreros —explicó Darius—. La isla de las Mujeres también es conocida como la isla de Skye.

—¿Skye? ¿En Escocia? —dijo Damien.

—Sí. Allí fueron entrenados los primeros vampiros guerreros —dijo Darius.

—Pero ahora ya no, ¿no? —inquirió Damien, paseando su mirada entre Darius y Stark—. Quiero decir que el entrenamiento de un vampiro se hace en todas las Casas de la Noche. Dragon Lankford entrena a un montón de guerreros que vienen de todas partes y él no está en Escocia.

—Tienes razón, Damien. En el mundo actual el entrenamiento de los guerreros tiene lugar en las escuelas de la Casa de la Noche de todo el mundo —dijo Tánatos—. Alrededor del siglo XIX, el Alto Consejo decidió que sería una manera más conveniente de hacer las cosas.

—Más conveniente y más civilizada —apostilló Aphrodite.

—Tú también tienes razón, profetisa —dijo Tánatos.

—Muy bien, pues ya está. Llevaré a Zoey a la isla de las Mujeres, junto a Sgiach —sentenció Stark.

—¿Y entonces qué? —preguntó Aphrodite.

—Entonces me volveré incivilizado para averiguar cómo entrar en el Otro Mundo sin morirme y, una vez que esté allí, haré cuanto sea necesario para traer a Zoey de vuelta.

—Eh —dijo Aphrodite—. Eso no parece tan mala idea.

—Si a Stark se le permite entrar en la isla —dijo Darius.

—Es una Casa de la Noche. ¿Por qué no lo iban a dejar entrar? —preguntó Damien.

—Es una Casa de la Noche como no hay otra —dijo Tánatos—. La decisión de trasladar el lugar de entrenamiento de los Hijos de Érebo de Skye, de repartirlos entre las Casas de la Noche por todo el mundo, fue la culminación de muchos, muchos años de tensiones y malestar entre la Sgiach reinante y el Alto Consejo.

—Haces que parezca una reina —dijo Jack.

—En cierto modo es así... una reina cuyos súbditos eran guerreros —respondió Tánatos.

—¿Una reina al mando de los Hijos de Érebo? No es posible que al Alto Consejo de los vampiros le gustara eso, a no ser que la reina Sgiach formase parte de este... —dijo Aphrodite.

—Sgiach es una guerrera —dijo Tánatos—. Y a los guerreros no se les permite formar parte del Alto Consejo.

—Pero Sgiach es una mujer. Debería habérsele podido elegir para formar parte del Consejo —dijo Damien.

—No —intervino Darius—. Ningún guerrero puede sentarse en el Consejo. Es la ley de los vampiros.

—Y aquello probablemente le tocó las narices a Sgiach —aventuró Aphrodite—. A mí me las tocaría. Debería permitírsele sentarse en el Alto Consejo.

Tánatos inclinó la cabeza, reconociéndolo.

—Yo estoy de acuerdo contigo, profetisa, pero muchos no lo estuvieron. Cuando se le impidió seguir entrenando a los guerreros Hijos de Érebo, Sgiach se retiró a la isla de Skye. No le contó a nadie sus intenciones, pero tampoco hizo falta. Todos sentimos su ira. También el círculo protector que lanzó alrededor de la isla. —Los ojos de Tánatos estaban llenos de sombras de recuerdos del pasado—. Nadie había experimentado nada igual desde que la poderosa vampira Cleopatra lanzó un círculo protector alrededor de su amada Alejandría.

—Nadie entra en la isla de las Mujeres sin el permiso de Sgiach —dijo Darius.

—Y el que lo intenta… muere —añadió Tánatos.

—Vale, ¿y cómo consigo permiso para entrar en la isla? —preguntó Stark.

Hubo un largo y extraño silencio antes de que Tánatos hablase.

—Ahí está el primero de tus problemas. Desde que Sgiach lanzó su círculo protector, ningún forastero ha recibido permiso para entrar en la isla.

—Yo conseguiré ese permiso —dijo Stark con firmeza.

—¿Y cómo vas a hacer eso, guerrero? —preguntó Tánatos.

Stark respiró profundamente.

—Sé cómo no voy a hacerlo. No voy a ser civilizado. Y ahora mismo eso es lo único que sé.

—Espera —dijo Damien—. Tánatos, Darius, ambos sabéis cosas de Sgiach y de su antigua religión primitiva. ¿Dónde las aprendisteis?

—A mí siempre me ha gustado leer —explicó Darius encogiéndose de hombros—. Y me sentí atraído por los antiguos pergaminos de la Casa de la Noche donde estudié lucha. En mi tiempo libre, leía.

—Peligroso y sexi. Una combinación excelente… —ronroneó Aphrodite, apretándose contra él.

—Vale, ya vomitaremos todos más tarde —dijo Erin.

—Sí, pero por ahora, deja de interrumpir —dijo Shaunee.

—¿Y tus conocimientos sobre los toros y Sgiach? —le preguntó Damien a Tánatos, tras lanzarles miradas de «tranquilitas» a las gemelas y a Aphrodite.

—De textos antiguos que se conservan aquí, en los archivos del palacio. Cuando me convertí en alta sacerdotisa, me pasé muchas horas estudiando aquí sola. Tuve que hacerlo; no tenía ningún tutor —dijo Tánatos.

—¿Ninguno? Eso tuvo que ser duro —se interesó Stark.

—Parece ser que nuestro mundo solo necesita una alta sacerdotisa que tenga el don de la afinidad con la muerte cada era —dijo Tánatos con una sonrisa irónica.

—Esa es una descripción laboral muy chunga —dijo Jack y después se tapó rápidamente la boca con la boca y exclamó—: ¡Perdón!

La sonrisa de Tánatos se hizo más amplia.

—No me siento ofendida por tus palabras, muchacho. Ser la aliada de la muerte no conlleva una vida laboral fácil.

—Pero gracias a eso, y a que Darius es un guerrero lector, tenemos una oportunidad —dijo Damien.

—¿En qué estás pensando? —le preguntó Aphrodite.

—En que yo soy muy bueno en algo: en estudiar.

Los ojos azules de Aphrodite se abrieron más.

—Así que solo tenemos que buscarte algo que puedas estudiar.

—Los archivos. Necesitas acceder a los archivos del palacio —dijo Tánatos, dirigiéndose ya hacia la puerta—. Hablaré con Duantia.

—Excelente. Me prepararé para ponerme a ello —dijo Damien.

—Yo te ayudaré —se ofreció Jack.

—Panda de lerdos, por más que me fastidie, me parece que todos vamos a tener que ponernos a hincar los codos.

Stark observó cómo se alejaba Tánatos. A duras penas se dio cuenta de que el resto de los chicos estaba emocionado por tener algo en lo que concentrar su energía, y su mirada volvió al pálido rostro de Zoey.

Y yo me prepararé para aliarme con la muerte.

Zoey

Nada parecía estar bien.

No era como si no supiese dónde estaba. Me refiero a que sabía que se encontraba en el Otro Mundo, pero no muerta, y que permanecía con Heath, que sin duda se hallaba muerto.

¡Diosa! Era tan raro que cada vez se me hacía más y más normal pensar en Heath como muerto. Bueno, aparte de eso, las cosas no marchaban bien.

En ese momento yo descansaba acurrucada al lado de Heath. Nos acoplábamos el uno al otro como si fuésemos un viejo matrimonio, al pie de un árbol, en el interior de un tosco óvalo a modo de cama formado por la unión de sus viejas raíces y sobre un colchón de musgo. Debería haber estado muy cómoda. El musgo era blandito y parecía que Heath estuviera vivo de verdad. Podía verlo, oírlo, tocarlo… hasta olía como Heath. Tendría que ser capaz de relajarme y simplemente estar con él.

Entonces ¿por qué?, me preguntaba mientras observaba un grupito de mariposas de alas azules. *¿Por qué estoy tan nerviosa y en general tan picajosa, como solía decir la abuela?*

Abuela…

La echaba mucho de menos. Su ausencia era como un leve dolor de muelas. A veces el sentimiento desaparecía, pero yo sabía que se quedaba anclado ahí y que volvería… y que probablemente sería peor.

Seguro que estaba muy preocupada por mí. Y triste. Pensar en lo triste que encontraría a la abuela era duro y mi mente lo apartó con rapidez.

No podía seguir allí tumbada. Me alejé de Heath, tratando de no despertarlo. Entonces empecé a caminar.

Eso me ayudó. Bueno, pareció hacerlo durante un rato. Caminé de un lado para otro, una y otra vez, asegurándome de no perder de vista a Heath. Estaba muy guapo cuando dormía.

Ojalá yo pudiese dormir.

Pero no podía. Si descansaba, si cerraba los ojos, perdía partes de mí misma. ¿Pero cómo podía ser eso? ¿Cómo podía estar perdiendo partes de mí? Me recordaba un poco a aquella vez que se me inflamó la garganta y me subió tanto la fiebre que tuve un sueño extrañísimo en el que no paraba de girar y girar hasta que de mi cuerpo empezaban a desprenderse pedacitos volando.

Me estremecí. ¿Por qué aquello resultaba tan fácil de recordar cuando en mi cabeza muchas otras cosas se mostraban tan esquivas?

Diosa, estaba realmente cansada.

Distraída como estaba, casi tropiezo con una de esas preciosas piedras blancas que sobresalían entre la hierba y el musgo. Evité la caída extendiendo una mano y agarrándome al árbol más cercano que encontré.

Así fue como me di cuenta. Mi mano. Mi brazo. No estaban bien. Me detuve, miré y podría jurar que mi piel se tensó como en una de esas horribles pelis de terror donde algo asqueroso se mete bajo la piel de una chica casi desnuda y repta por su interior, haciendo que…

—¡No! —Me frotaba el brazo frenéticamente—. ¡No! ¡Para!

—Zo, nena, ¿qué pasa?

—Heath, Heath… mira. —Le mostré el brazo para que pudiera verlo—. Es como una peli de terror.

Heath miró mi brazo y luego mi cara.

—Eh, Zo, ¿qué es como una peli de terror?

—¡Mi brazo! ¡Mi piel! Se mueve —exclamé, sacudiéndolo delante de él.

Su sonrisa no ocultaba la preocupación en su mirada. Extendió su mano y lentamente recorrió mi brazo con su mano. Cuando llegó a la mía, entrelazó sus dedos con los míos.

—No le pasa nada a tu brazo, nena —dijo.

—¿De verdad lo crees?

—De verdad, en serio, no creo que pase nada. Eh, ¿qué te pasa?

Abrí la boca para contarle que creía que me estaba perdiendo… que había partes de mi cuerpo que se alejaban de mí flotando… cuando algo me llamó la atención por el rabillo del ojo. Algo oscuro.

—Heath, eso no me gusta —le dije señalando con una mano temblorosa el lugar de las sombras.

La brisa movió las anchas hojas verdes de los árboles que de repente no parecían tan gruesas y protectoras como hacía un momento y el olor llegó hasta mí, enfermizo y maduro, como el de un animal atropellado que llevase muerto tres días. Sentí que el cuerpo de Heath se tensaba y supe que no me lo estaba imaginando. Entonces las sombras se agitaron y estuve segura de haber visto unas alas.

—Oh, no —susurré.

La mano de Heath apretó la mía.

—Vamos. Necesitamos adentrarnos más.

Me sentía paralizada e insensible al mismo tiempo.

—¿Por qué? ¿Cómo pueden protegernos los árboles de lo que sea que sea eso?

Heath me cogió de la barbilla con las manos y me hizo mirarlo.

—Zo, ¿no puedes sentirlo? Este lugar, esta arboleda, es un buen lugar, desprende bondad pura. Nena, ¿no puedes sentir a tu Diosa aquí?

Las lágrimas que me inundaron los ojos hicieron que Heath pareciese borroso.

—No —dije en voz baja, como si casi no pudiese formar las palabras—. No siento a mi Diosa para nada.

Me acercó a su pecho y me abrazó con fuerza.

—No te preocupes, Zo. Yo puedo sentirla, así que todo irá bien. Te lo prometo.

A continuación, todavía rodeada por uno de sus brazos, me guió más adentro, hacia el interior de la arboleda de Nyx, mientras mis lágrimas se desbordaban y caían cálidas resbalando por mis mejillas frías.

11

Stevie Rae

—¿Skye? ¿En serio? ¿Dónde está eso? ¿En Irlanda? —se sorprendió Stevie Rae.

—En Escocia, no en Irlanda, retrasada —dijo Aphrodite.

—¿No son lo mismo? Y no me llames retrasada. No está bien.

—¿Y si te digo que me chupes un dedo del pie? ¿Te parece mejor? Tú escucha y no seas tan gilimema, paleta. Necesito que vuelvas a conseguir información de tu extraña comunión con la tierra o como sea que te lo montes, algo sobre la Luz y la Oscuridad, ya sabes, con «l» y «o» mayúsculas. También presta atención por si algún árbol o lo que sea te cuenta algo sobre dos toros.

—¿Toros? ¿Como las vacas?

—¿Pero tú no eras de campo? ¿No sabes lo que es un toro?

—Mira, Aphrodite, ese es un estereotipo propio de ignorantes. Que no sea de una gran ciudad no significa automáticamente que tenga que entender de vacas y todo eso. Caray, si ni siquiera me gustan los caballos.

—Te juro que pareces una mutante —dijo Aphrodite—. El toro es el macho de la vaca. Hasta el esquizofrénico bichón frisé de mi madre lo sabe. Concéntrate, ¿vale?, esto es importante. Tienes que preguntarle a la jodida hierba sobre mitología o una religión antigua y excesivamente primitiva y, por tanto, poco sexi, que hable de dos toros luchando, el uno blanco y el otro negro, en una lucha interminable muy de machitos y muy violenta entre el bien y el mal.

—¿Qué tiene eso que ver con traer de vuelta a Zoey?

—Creo que podría, de algún modo, abrirle una puerta a Stark para entrar en el Otro Mundo sin morirse, porque parece ser que eso es lo que les pasa a los guerreros que entran allí intentando proteger a sus altas sacerdotisas.

—¿Las vacas pueden hacer eso? ¿Cómo? Si las vacas no saben ni hablar...

—Toros, retrasada al cuadrado. Presta atención. No hablo de simples animales, sino del salvajismo del poder que los rodea. Los toros representan ese poder.

—¿Así que no van a hablar?

—¡Oh, por todos los demonios! Igual sí, igual no... ¡son magia antiquísima! ¿Quién diablos sabe lo que pueden hacer? Mira, para poder llegar al Otro Mundo, Stark no puede ser ni civilizado, ni moderno, ni educadito. Va a tener que averiguar cómo ser más que eso para llegar hasta Zoey y protegerla sin que mueran los dos en el intento, y esa antigua religión puede ser la clave para lograrlo.

—Supongo que tiene sentido. Me refiero a que cuando pienso en Kalona, no pienso exactamente en un tío moderno. —Stevie Rae hizo una pausa, reconociéndose solo a sí misma que en realidad estaba pensando en Rephaim y no en su padre—. Y sin duda tiene un poder salvaje.

—Y no hay duda de que está en el Otro Mundo y no ha muerto.

—Y allí es adonde Stark necesita llegar.

—Así que vete a hablar con las flores sobre toros y todo eso —dijo Aphrodite.

—Hablaré con las flores —accedió Stevie Rae.

—Llámame cuando te digan algo.

—Sí, vale. Lo haré lo mejor que pueda.

—Eh, ten cuidado —se preocupó Aphrodite.

—¿Ves? Hasta puedes ser agradable —dijo Stevie Rae.

—Antes de que te pongas a aplaudirme, respóndeme a una pregunta: ¿con quién estableciste una conexión después de que la nuestra se rompiese?

La sangre de Stevie Rae se le heló en las venas.

—¡Con nadie!

—Eso significa que con alguien totalmente inapropiado. ¿Quién es? ¿Uno de esos iniciados perdedores?

—Aphrodite, he dicho que con nadie.

—Sí, eso es lo que me imaginaba. Mira, una de las cosas que estoy aprendiendo de esto de ser profetisa, que es normalmente un coñazo, por cierto, es que si escucho sin usar los oídos, averiguo más cosas.

—Pues lo que yo sé es que estás perdiendo la maldita cabeza.

—Así que, de nuevo, ten cuidado. Recibo extrañas vibraciones de ti... y me están diciendo que igual te vas a meter en un lío.

—Creo que acabas de montarte una historia para tratar de darle sentido a toda esa locura que se te amontona en la cabeza.

—Y yo creo que tú estás escondiendo algo. Así que admitamos estar en desacuerdo.

—Me voy a hablar con las flores y las vacas. Adiós, Aphrodite.

—Toros. Adiós, ignorante.

Stevie Rae abrió la puerta para salir de la habitación, todavía con el ceño fruncido por los comentarios de Aphrodite, y casi se choca con la mano de Kramisha, levantada para llamar a la puerta. Ambas dieron un salto y Kramisha sacudió la cabeza.

—No hagas cosas raras como esas. Me hacen pensar que ya no eres normal.

—Kramisha, si hubiera sabido que estabas aquí fuera, no habría saltado al abrir la puerta. Y ninguna de nosotras es normal… por lo menos ya no.

—Habla por ti. Yo sigo siendo la misma. Y eso significa que no me pasa nada. Tú, por otra parte, estás como si te hubiese pasado un camión por encima.

—Casi ardo por completo en un tejado hace dos días. Creo que eso me da permiso para estar hecha una mierda.

—No me refería a que tengas mala pinta.

Kramisha inclinó la cabeza hacia un lado. Llevaba puesta su peluca rubia brillante, a juego con una sombra de ojos amarillo fluorescente.

—De hecho, tienes buena pinta… estás del color de los blancos de aspecto saludable. Casi me recuerdas a los preciosos cerditos con su aspecto sonrosado.

—Kramisha, te juro que me estás levantando dolor la cabeza. ¿De qué estás hablando?

—Digo que tienes buena pinta, pero que algo no anda bien. Ni aquí, ni aquí.

Kramisha señaló el corazón y la cabeza de Stevie Rae.

—Tengo un montón de cosas en la cabeza —respondió Stevie Rae con una evasiva.

—Sí, ya lo sé; Zoey está destrozada, pero tienes que seguir sacando tu mierda adelante.

—Lo intento.

—Pues esfuérzate más. Zoey te necesita. Sé que no estás allí con ella, pero tengo la sensación de que puedes ayudarla. Tienes que usar tu sentido común.

Kramisha la miraba con una intensidad que hizo que Stevie Rae quisiese ocultarse.

—Como ya te he dicho, lo estoy intentando.

—¿Estás haciendo alguna locura?

—¡No!

—¿Estás segura? Porque esto es para ti.

Kramisha le entregó una hoja arrancada de una libreta violeta con algo escrito con su particular letra que mezclaba cursiva y letra de imprenta. Continuó:

—Y a mí me parece que esto es una completa locura.

Stevie Rae le arrancó el papel de la mano.

—Demonios, ¿por qué no me has dicho que traías uno de tus poemas?

—Estaba a punto de decirlo —dijo Kramisha cruzándose de brazos y apoyándose en el umbral, obviamente esperando a que Stevie Rae leyese el poema.

—¿No tienes nada que hacer?

—No. Los demás chicos están comiendo. Oh, excepto Dallas. Él está trabajando con Dragon en algo de espadas, aunque las clases todavía no han empezado oficialmente y no veo la necesidad de acelerar las cosas, así que no entiendo por qué tiene tanta prisa por volver a clase. Sea como sea, tú lee el poema, alta sacerdotisa. No me voy a ir a ningún lado.

Stevie Rae ahogó un suspiro. Los poemas de Kramisha solían ser confusos y abstractos, pero también solían ser proféticos y pensar que uno de ellos iba dirigido obviamente a ella hizo que Stevie Rae sintiese su estómago como si hubiese comido huevos crudos. A regañadientes, sus ojos se dirigieron hacia las líneas y empezó a leer.

La Roja camina hacia la Luz
blandiendo sus armas para tomar parte
en la lucha apocalíptica.

La Oscuridad se esconde tras diferentes aspectos.
Mira más allá de la forma, del color, de las mentiras
y de las tormentas emocionales.

Alíate con él; págale con tu corazón
aunque no puedas depositar en él tu confianza
si no se aleja de la Oscuridad.

Mira con tu alma y no con tus ojos
porque para bailar con bestias
debes penetrar en su disfraz.

Stevie Rae sacudió la cabeza, miró a Kramisha y después volvió a leer el poema de nuevo, lentamente, deseando que su corazón dejase de latir con tal fuerza que podría delatar el terror culpable que sintió al momento. Porque Kramisha tenía razón; obviamente se refería a ella. Y además, a Rephaim. Stevie Rae suponía que debía agradecer que el maldito poema no dijera nada sobre alas y ojos humanos en una maldita cabeza de pájaro. ¡Rayos!

—¿Ves por qué decía que tenía que ver contigo?

Stevie Rae levantó la vista del poema y escrutó los inteligentes ojos de Kramisha.

—Bueno, demonios, Kramisha. Claro que es sobre mí. Lo dice la primera línea.

—Sí, bueno, estaba claro aunque no te nombrase, y eso que nunca había oído a nadie llamarte así.

—Tiene sentido —dijo Stevie Rae rápidamente, intentando ahogar el recuerdo de Rephaim llamándola «la Roja»—. Soy la única vampira roja, así que tiene que referirse a mí.

—Eso es lo que pensé, aunque hay un montón de cosas raras sobre bestias y eso. Tuve que releer la parte de «blandir las armas» porque sonaba asquerosamente sexual, pero acabé por entender que solo es una manera de decir que tienes que estar lista para la batalla.

—Sí, bueno, ya llevamos unas cuantas últimamente —dijo Stevie Rae, volviendo a centrarse en las líneas.

—Pues parece que vas a tener alguna más… y que va a ser una auténtica mierda, también; tienes que estar lista para ello.

Después se aclaró la garganta forzadamente y Stevie Rae volvió a mirarla de mala gana.

—¿Quién es él?

—¿Él?

Kramisha se cruzó de brazos.

—No me hables como si fuese estúpida. Él. El chico al que el poema dice que le tienes que dar tu corazón.

—¡No lo voy a hacer!

—Oh, entonces sabes quién es. —Kramisha comenzó a dar golpecitos en el suelo con la puntera de sus botas de leopardo—. Y no hay duda de que no es Dallas porque a él no te asustaría entregarle tu corazón. Todo el mundo sabe que hay algo entre vosotros dos. Entonces, ¿quién es él?

—No tengo ni idea. No estoy viendo a nadie más que no sea Dallas. Además, me preocupan más las partes que hablan de la Oscuridad y los disfraces y eso —mintió Stevie Rae.

—Ya… —bufó Kramisha.

—Mira, voy a quedarme con esto y a pensar en ello —dijo Stevie Rae, guardando el poema en el bolsillo de sus vaqueros.

—Déjame adivinarlo… quieres que mantenga la boca cerrada —aventuró Kramisha, repitiendo los toquecitos de puntera.

—Sí, porque quiero intentar…

La excusa se extinguió ante la mirada de complicidad de Kramisha. Stevie Rae respiró profundamente, decidida a contarle tanta verdad a Kramisha como pudiera, y volvió a empezar.

—No quiero que cuentes nada sobre el poema porque tengo la cabeza hecha un lío con respecto a otra persona y si esto saliera ahora a la luz nos perjudicaría a Dallas y a mí, sobre todo porque no estoy muy segura de lo que está pasando entre este chico y yo.

—Eso ya me lo creo más. Los líos de chicos pueden ser un coñazo y, como dice siempre mi madre, no está bien andar aireando los problemas personales de la gente para que los sepa todo el mundo.

—Gracias, Kramisha, te lo agradezco.

Kramisha levantó una mano.

—Espera. Nadie dijo que hubiese acabado. Mis poemas son importantes. Este es más sobre ti que sobre tu lío amoroso. Así que como dije antes, aclara todo este berenjenal que tienes montado en tu cabeza y acuérdate de usar tu sentido común. Y también has de saber que cada vez que escribía la palabra «Oscuridad», algo en mi interior se retorcía.

Stevie Rae le dedicó una larga mirada a Kramisha y tomó una decisión.

—Ven conmigo hasta el aparcamiento, ¿vale? Tengo que hacer algo fuera del campus, pero quiero hablarte de camino.

—No hay problema —dijo Kramisha—. Además, es hora de que le cuentes a alguien lo que te está pasando por esa cabecita. Últimamente te has portado de forma bastante atolondrada, y me refiero a desde antes de que Zoey se rompiera.

—Sí, ya lo sé —murmuró Stevie Rae.

Ninguna de las dos dijo nada más mientras bajaban las escaleras y cruzaban la concurrida residencia. Stevie Rae pensó que era como si el deshielo también hubiese derretido a los iniciados.

Durante los últimos dos días, los chicos habían comenzado a salir y comportarse cada vez con más normalidad. Bueno, Kramisha y ella seguían acaparando muchas miradas, pero las que antes eran hostiles y temerosas, reflejaban ahora en su mayoría curiosidad.

—¿Crees que podríamos de verdad volver e ir a clase de nuevo como si este siguiera siendo nuestro hogar? —le soltó Kramisha en cuanto llegaron a la acera, fuera de la residencia.

Stevie Rae la miró con sorpresa.

—De hecho, eso es justo lo que pensaba. ¿Sería tan malo volver?

Kramisha se encogió de hombros.

—No estoy segura. Lo único de lo que estoy segura es de que me siento bien cuando duermo bajo tierra durante el día.

—Sí, eso aquí es un problema.

—La Oscuridad de mi poema me hace sentir mal… ¿no creerás que habla de nosotros, no?

—¡No! —exclamó Stevie Rae sacudiendo su cabeza enfáticamente—. No hay nada malo en nosotros. Nosotras, Dallas y el resto de los iniciados rojos que vinimos aquí, tomamos una decisión. Nyx nos dio una oportunidad y elegimos el bien sobre el mal… la Luz sobre la Oscuridad. El poema no habla de nosotros. Estoy segura de ello.

—Son los otros, ¿eh?

Aunque estaban solas, Kramisha bajó la voz.

Stevie Rae lo pensó y se dio cuenta de que Kramisha podría tener razón. Había estado tan preocupada con la culpa que sentía por lo de Rephaim que no se le había ocurrido. ¡Demonios! Tenía que aclarar su mente.

—Bueno, sí, supongo que podría referirse a ellos; pero si fuera así, sería realmente malo.

—Por favor. Todos sabemos que son malos.

—Sí, bueno, Aphrodite acaba de contarme algunas cosas que le dan a la Oscuridad con «o» mayúscula una nueva dimensión. Y si están implicados en ello, han alcanzado un nivel profesional de maldad. Tipo maldad de Neferet.

—¡Mierda!

—Sí. Así que puede que tu poema hable de una batalla con ellos. Pero también quería que supieses esto: Aphrodite y yo hemos empezado a descubrir algunas cosas sobre la antigüedad. Ya sabes, cosas de hace mucho tiempo. Tanto tiempo que hasta los vampiros las han olvidado.

—Eso debe de ser jodidamente antiguo.

—Bueno, nosotros… me refiero a mí, a Aphrodite, a Stark y al resto de los chicos de Zoey, vamos a intentar usar esa información tan antigua para ayudar a Stark a entrar en el Otro Mundo y pueda así proteger a Z mientras ella trata de reparar su alma.

—¿Hablas de hacer que Stark entre en el Otro Mundo sin que su cuerpo muera?

—Sí, parece ser que aparecer muerto en el Otro Mundo no le haría ningún favor a Zoey.

—¿Entonces vais a usar esa mierda de información antigua para averiguar la manera de hacerlo bien?

Stevie Rae le sonrió.

—Lo vamos a intentar. Y tú puedes ayudarnos.

—Dime cómo y allí estaré.

—Vale, ahí va: Aphrodite ha descubierto nuevos poderes de profetisa desde que se ha concentrado más en ellos —dijo Stevie Rae añadiendo una sonrisa irónica a sus palabras—. Aunque está tan contenta con esto como un gato bajo una tormenta eléctrica.

Kramisha se rió y Stevie Rae continuó hablando:

—Bueno, se me ha ocurrido que aunque yo no tengo un círculo aquí como el que tiene Z allí, sí que tengo una profetisa.

Kramisha parpadeó, confusa, y concentró su mirada en Stevie Rae hasta que acabó por abrir los ojos como platos al entenderlo.

—¿Yo?

—Tú. Bueno, tú y tu poesía. Ya lo hiciste antes y ayudaste a Z a averiguar cómo expulsar a Kalona de aquí.

—Pero…

—Pero míralo de esta manera —la interrumpió Stevie Rae—: Aphrodite lo consiguió. ¿Estás diciendo que ella es más inteligente que tú?

Kramisha entrecerró de nuevo los ojos.

—Soy un mundo más inteligente que esa blanca rica que no tiene ni idea de la vida.

—Vale, pues entonces, coge el toro por los cuernos.

—Sabes que me asustas cuando hablas con esa jerga de campo.

—Lo sé —le sonrió—. Vale, voy a conjurar un poco de tierra y ver si puedo averiguar algo por mi cuenta. Eh, busca a Dallas e infórmale de todo menos del poema.

—Ya te dije que no te delataría.

—Gracias, Kramisha. Estás hecha toda una poeta laureada.

—Y tú no eres tan chunga para ser una chica de campo.

—Hasta luego.

Stevie Rae se despidió con un gesto de la mano y empezó a corretear hacia el coche de Z.

—¡Cuenta conmigo, alta sacerdotisa!

Las palabras de despedida de Kramisha hicieron que el estómago de Stevie Rae se aflojase, pero también la hicieron reír mientras encendía el coche de Z. Estaba a punto de meter la marcha cuando se dio cuenta de dos cosas: a) no tenía ni idea de adónde iba y b) todo eso de «conjurar un poco de tierra» funcionaría mucho mejor si al menos se hubiese preocupado de coger una vela verde o incluso algo de hierba santa para extraer energía positiva. Totalmente molesta consigo misma, puso el motor en punto muerto. ¿Adónde diablos iba?

Junto a Rephaim de nuevo. El pensamiento le llegó tan fácilmente como el oxígeno, de forma instantánea y natural. Stevie Rae buscó el cambio de marchas pero su mano se detuvo a medio camino. ¿De verdad volver a junto de Rephaim en ese mismo instante era lo más inteligente que podía hacer?

Por una parte, había obtenido un montón de información a través de él sobre Kalona y la Oscuridad y todo el tema; por otra, en realidad no confiaba en él. No podía hacerlo.

Además, por su culpa tenía la cabeza hecha un lío. Después de leer el poema de Kramisha, se había obsesionado tanto con él que no había podido considerar nada más, como que el poema pudiera ser una advertencia sobre los iniciados rojos malvados y no solo algo sobre ella y el cuervo del escarnio.

¿Entonces qué demonios debía hacer?

Le había dicho a Rephaim que volvería para ver cómo estaba, pero además ella quería volver por otra razón. Stevie Rae necesitaba verlo. *¿Lo necesito?* Sí, admitió de mala gana. Necesitaba ver al cuervo del escarnio. Reconocerlo le crispó los nervios.

—Estoy conectada con él. Eso significa que compartimos un vínculo y no hay mucho que yo pueda hacer para evitarlo —murmuró para sí misma mientras apretaba el volante del Escarabajo—. Voy a tener que acostumbrarme y lidiar con ello.

Y voy a tener que recordar que es el hijo de su padre.

Bien. Vale. Iría a ver qué tal estaba. También le haría algunas preguntas sobre la Luz y la Oscuridad y sobre dos vacas. Torció el gesto. Bueno, toros. Pero también intentaría averiguar algo por su parte, sin Rephaim. Tenía que convocar a su elemento y ver si le contaba algo sobre las vacas o los toros. Estaba usando su sentido común. Entonces Stevie Rae sonrió y golpeó el volante.

—¡Eso es! Haré una parada en ese precioso parque antiguo que queda de camino a Gilcrease. Haré un poco de magia en la tierra y después iré a ver cómo está Rephaim. ¡Chupado!

Por su puesto, antes tendría que colarse a hurtadillas en el templo de Nyx y coger una vela verde, algunas cerillas y un poco de hierba santa. Sintiéndose mejor al tener un plan, ya estaba preparándose para arrancar el motor del coche cuando oyó pasos de botas contra el asfalto del aparcamiento y a Dallas hablando con una despreocupación exagerada.

—Solo he salido aquí para ver el coche de Zoey. No estoy acercándome sigilosamente a Stevie Rae para hacerla saltar.

Ella bajó la ventanilla y le sonrió.

—Eh, Dallas. Kramisha me dijo que estabas trabajando con Dragon.

—Y estaba. Mira, Dragon me ha dado este cuchillo tan guay. Dice que es un estilete. También dice que puedo llegar a ser bueno con él.

Stevie Rae miró dubitativamente a Dallas mientras sacaba una navaja puntiaguda de doble filo de una vaina de cuero que llevaba atada alrededor de la cintura y la sostenía de forma insegura, como si tuviese miedo de cortar a alguien, o de cortarse él mismo.

—Parece muy afilado —dijo Stevie Rae, tratando de sonar positiva.

—Sí, por eso no lo uso todavía para practicar, pero Dragon dijo que podía llevarlo encima. Algún tiempo. Si tenía cuidado.

—Oh, vale. Guay.

Aunque viviese un millón de años, Stevie Rae no estaba segura de que pudiera llegar a entender a los hombres.

—Sí, así que acabé mis clases de estilete y me tropecé con Kramisha cuando iba a la casa de campo —dijo Dallas mientras guardaba el cuchillo—. Dijo que te había dejado aquí porque ibas a prepararte para hacer algo con la tierra. Se me ocurrió tratar de alcanzarte antes de que te fueras, y acompañarte.

—Oh, bueno. Eso es agradable, Dallas, pero estoy bien sola. De hecho, me ayudarías más si fueses a buscar una vela verde y unas cerillas al templo de Nyx y me las trajeras corriendo, ¿lo harías? No sé dónde tengo la cabeza, pero conjurar la tierra es mucho más fácil si tengo una vela de tierra y se me olvidó por completo coger una… y también estaría bien algo de hierba santa para atraer la energía positiva.

Se sorprendió al ver que Dallas no decía nada ni salía corriendo a buscar las cosas. En lugar de eso, se quedó allí de pie, mirándola, con las manos dentro de los bolsillos y aspecto enfadado.

—¿Qué? —le preguntó ella.

—¡Siento no ser un guerrero! —le soltó—. Lo estoy haciendo lo mejor que puedo para aprender algo de Dragon, pero me va a llevar algún tiempo ser mínimamente decente. ¡Nunca le he dado mucha importancia a lo de los combates, lo siento! —repitió Dallas, disgustándose cada vez más.

—Dallas, ¿de qué narices me estás hablando?

Levantó las manos, frustrado.

—Hablo de que no soy lo suficientemente bueno para ti. Sé que necesitas más... necesitas un guerrero. Demonios, Stevie Rae, si yo fuese tu guerrero, podría haber estado contigo cuando los otros chicos te atacaron y casi te matan. Si fuese tu guerrero, no me mandarías a hacer recados estúpidos. Me mantendrías cerca de ti para que te pudiese proteger mientras haces todo lo que estás haciendo.

—Ya me ocupo yo de protegerme a mí misma y no creo que traerme una vela de tierra y otras cosas sea ningún recado estúpido.

—Sí, vale, pero te mereces algo más que alguien que no tiene ni puta idea de cómo proteger a su chica.

Stevie Rae levantó las cejas hasta casi el lugar donde empezaba a crecerle el pelo rubio.

—¿Acabas de decir que soy tu chica?

—Bueno, sí. —Se revolvió, incómodo—. Pero de buen rollo.

—Dallas, tú no podrías haber evitado lo que pasó en el tejado —le dijo honestamente—. Ya sabes cómo son esos tíos.

—Tendría que haber estado contigo, debería ser tu guerrero.

—¡Yo no necesito ningún guerrero! —le gritó, exasperada por su tozudez y porque estuviese tan molesto.

—Bueno, lo que está tan claro como el agua es que no me necesitas más.

Le dio la espalda al Escarabajo y volvió a meter las manos en los bolsillos del vaquero.

Stevie Rae miró sus hombros encorvados y se sintió fatal. Ella era la culpable. Lo había herido porque se había ido distanciando de él y de todos para mantener en secreto lo de Rephaim. Sintiéndose tan culpable como un conejo pillado en medio de un campo de zanahorias, salió del coche y le tocó el hombro suavemente. Él no la miró.

—Eh, eso no es verdad. Sí que te necesito.

—Seguro, por eso me has estado evitando.

—No, solo he estado ocupada. Lo siento si te he tratado mal.

Él se giró hacia ella.

—No me has tratado mal. Es solo que no te importo.

—¡Sí que me importas! —replicó ella rápidamente, acercándose y abrazándolo tan fuerte como él a ella.

Dallas le habló bajito en la oreja.

—Entonces déjame ir contigo.

Stevie Rae se apartó para poder mirarlo y el «no puedes» que empezaba a formársele en los labios se quedó allí. Era como si pudiese ver su corazón a través de sus ojos. Estaba claro que se lo estaba rompiendo... en pedazos. ¿Qué demonios estaba haciendo? ¿Le estaba haciendo daño a este chico por culpa de Rephaim? Ella había salvado al cuervo del escarnio. No se arrepentía de eso. Pero sí de que eso estuviese afectando a la gente de su alrededor. *Bueno, pues ya está, no voy a hacerle daño a la gente que más me importa.*

—Vale, sí, puedes venir conmigo —accedió.

Sus ojos se iluminaron inmediatamente.

—¿En serio?

—Claro que sí. Pero sigo necesitando esa vela. Bueno, y la hierba santa también. Y sigue sin ser un recado estúpido.

—Demonios, ¡te traeré una bolsa llena de velas y de la hierba que quieras!

Dallas se rió, la besó y después, gritando que enseguida volvía, salió corriendo.

Lentamente, Stevie Rae volvió a entrar en el Escarabajo. Agarró el volante y miró hacia delante, recitando mentalmente la lista de cosas que tenía por hacer como si fuese un mantra.

—Convocar la tierra con Dallas. Averiguar lo que pueda sobre las vacas. Traer de vuelta a Dallas a la escuela. Inventar una excusa, una buena, para salir de nuevo, pero esta vez sola. Ir a Gilcrease y comprobar cómo está Rephaim. Averiguar si sabe algo que pueda ayudar a Stark y a Z. Volver aquí. No hacer daño a mis amigos dejándolos de lado. Comprobar qué tal están los iniciados rojos. Informar a Lenobia y los demás de lo que está pasando con Z. Volver a llamar a Aphrodite. Pensar en lo que voy a hacer con los iniciados malvados de los túneles. Y después intentar, con todas mis fuerzas, que no me hieran en la parte más alta del edificio más cercano…

Sintiéndose como si se estuviese ahogando en una charca de estrés enorme llena de apestosa agua estancada, Stevie Rae bajó la cabeza hasta que su frente se apoyó en el volante.

¿Cómo se las arreglaba Z para lidiar con toda esta mierda y tensión?

No pudo, pensó espontáneamente, *eso la rompió.*

12

Stevie Rae

—¡Uau! Es como si uno de esos increíbles tornados hubiese pasado por Tulsa —se asombró Dallas.

Miraba a su alrededor mientras Stevie Rae maniobraba cuidadosamente el Escarabajo para rodear otra pila de pedazos de árboles caídos. La carretera de entrada al parque estaba bloqueada por un peral de Bradford partido casi perfectamente por la mitad. Stevie Rae acabó por aparcar a su lado.

—Por lo menos está volviendo algo de electricidad —dijo señalando las farolas que rodeaban el parque y que iluminaban una maraña de árboles dañados por el hielo y azaleas aplastadas.

—No para esa gente —aclaró Dallas indicando con la barbilla las cuidadas casitas cerca del parque.

En algunas ventanas brillaba una valiente luz, prueba de que alguna familia había tenido la previsión de comprar generadores de propano antes de que llegase la tormenta, pero la mayoría de la zona seguía a oscuras, fría y silenciosa.

—A ellos no les hará gracia, pero para mí es toda una ayuda esta noche —dijo Stevie Rae, saliendo del coche.

Dallas se unió a ella portando una vela de ritual verde y alargada, una trenza de hierba santa seca y una caja de cerillas largas.

—Todo el mundo está a cubierto y nadie prestará atención a lo que yo haga.

—En eso tienes toda la razón, niña —dijo Dallas pasándole el brazo por encima del hombro a Stevie Rae.

—Oh, ya sabes cuánto me gusta que me digas que tengo razón.

Stevie Rae le pasó el brazo por la cintura, metiendo la mano en el bolsillo trasero de sus vaqueros, como solía hacer antes. Él le apretó el hombro y le besó la coronilla.

—Entonces te diré que tienes razón más a menudo —dijo.

Stevie Rae le sonrió, mirándolo desde abajo.

—¿Estás tratando de ablandarme con alguna intención oculta?

—No lo sé. ¿Funciona?

—Quizás.

—Bien.

Ambos se rieron. Ella le dio un golpecito con su cadera.

—Vamos hasta aquel roble grande. Parece un buen lugar.

—Lo que tú digas, niña.

Caminaron lentamente hasta el centro del parque, mientras sorteaban las ramas caídas de los árboles y se sacudían la mugre fría y húmeda que había dejado la tormenta tras de sí, tratando de no resbalar en los charcos de hielo que habían empezado a formarse de nuevo con el frío de la noche.

Había hecho bien permitiendo que Dallas la acompañara. Quizás parte de su confusión con Rephaim la causaba el hecho de haberse alejado de sus amigos y el haberse obsesionado demasiado por la particularidad de su conexión. Diablos, la conexión con Aphrodite también había sido rara al principio. Quizás solo necesitaba algo de tiempo (y espacio) para asumir la novedad.

—Eh, mira esto —la llamó Dallas, haciendo que se volviese a fijar en él. Señalaba el suelo alrededor del viejo roble—. Parece que el árbol te haya hecho un círculo.

—¡Es genial! —dijo ella.

¡Y sí que lo era! El sólido árbol había capeado bien la tormenta. Las únicas ramas que había perdido eran unos palitos pequeños que se habían caído en la hierba, formando un círculo perfecto que rodeaba el árbol.

Dallas dudó al borde de la circunferencia.

—Voy a quedarme fuera, ¿vale? Para que pueda ser como si este círculo se hubiese formado especialmente para ti. Así no lo rompo —dijo.

Stevie Rae lo miró desde abajo. Dallas era un buen tío. Siempre decía cosas bonitas como esa y le hacía saber que la comprendía mejor que la mayoría de la gente.

—Gracias. Te lo agradezco mucho, Dallas.

Se puso de puntillas y lo besó dulcemente.

Él la abrazó con fuerza y la acercó.

—Lo que necesite mi alta sacerdotisa.

Su aliento era cálido y dulce e, impulsivamente, Stevie Rae lo volvió a besar. Le gustaba que le hiciera cosquillas en su interior. Y también que su abrazo le bloqueara los pensamientos sobre Rephaim. Estaba algo más que sin respiración cuando él la separó, de mala gana.

Se aclaró la garganta y soltó una risita.

—Ten cuidado, niña. Hace mucho que tú y yo no estamos a solas.

Sintiéndose un poco ebria y mareada, le sonrió.

—Demasiado tiempo.

La sonrisa de Dallas era sexi y bonita.

—Tendremos que ponerle remedio a eso, pero antes es mejor que te pongas a trabajar.

—Oh, sí —asintió ella—. Trabajo, trabajo, trabajo...

Sonriendo, cogió la trenza de hierba santa, la vela verde y las cerillas que le había traído él.

—Eh —dijo Dallas, pasándole las cosas—. Acabo de recordar algo sobre la hierba santa. ¿No se supone que tienes que usar algo antes de quemarla? Yo era bastante bueno en la clase de hechizos y rituales y juraría que había que hacer algo más que encender la trenza y moverla en el aire.

Stevie Rae arrugó la frente, dubitativa.

—No lo sé. Zoey habló de ella porque es algo de los nativos americanos. Juraría que dijo que atraía la energía positiva.

—Vale, bueno, supongo que Z lo sabría —aceptó Dallas.

Stevie Rae se encogió de hombros.

—Sí, además solo es hierba que huele bien, o sea, ¿qué mal podría hacer?

—Sí, claro. Además, tú eres la «chica de la tierra». Deberías poder controlar un poco de hierba quemada.

—Sí —dijo ella—. Bueno, vale, allá vamos.

Murmurando un sencillo «Gracias, tierra» a su elemento, le dio la espalda a Dallas, pasó por encima de las ramas y entró en el círculo de tierra. Stevie Rae caminó con confianza hacia el lugar más al norte de la circunferencia, situado directamente delante del viejo árbol. Se detuvo allí y cerró los ojos. Había aprendido enseguida que la mejor manera de conectar con su elemento era a través de sus sentidos. Así que respiró profundamente, despejando su mente de todos los pensamientos que la atestaban y se centró solo en una cosa: su sentido del oído.

Escuchó a la tierra. Stevie Rae podía oír el viento murmurando a través de las hojas invernales, las aves nocturnas cantándose las unas a las otras, los crujidos y suspiros del parque preparándose para una larga y fría noche.

Cuando la tierra llenó su oído, Stevie Rae respiró de nuevo y se concentró en el olfato. Respiró la tierra, oliendo la pesadez de la humedad de la hierba atrapada en el hielo, la frescura canela de las hojas marrones, la fragancia única a musgo del viejo roble.

Con sus sentidos repletos de los aromas de la tierra, Stevie Rae volvió a respirar e imaginó el rico sabor de una cabeza de ajo y los tomates maduros en verano. Pensó en la sencilla magia de la tierra que empujaba los brotes verdes y las matas para descubrir bajo ellos las gruesas y crujientes zanahorias que se habían nutrido de ella.

Con el gusto lleno de la munificencia de la tierra, pensó en la suave caricia de la hierba estival en sus pies... de los dientes de león rozando su barbilla mientras sostenía uno para ver si dejaba indicios del rubor amarillo de un amor secreto... de la manera en que la tierra se elevaba para estimular sus otros sentidos después de una lluvia primaveral.

Y a continuación, respirando aún más profundamente, Stevie Rae dejó que su espíritu rodeara aquella maravillosa, impresionante y mágica sensación que el don de su elemento le había provocado. La tierra era madre, consejera, hermana y amiga. La tierra la tranquilizaba e incluso cuando todo en su mundo parecía estar en completo caos, podía confiar en su elemento para calmarse y protegerse.

Sonriendo, Stevie Rae abrió los ojos. Se giró a la derecha.

—Aire, te pido que por favor vengas a mi círculo.

Aunque no disponía de una vela amarilla, ni objeto o ser alguno para representar al aire, Stevie Rae sabía que era importante reconocer y presentar sus respetos a cada uno de los cuatro elementos restantes. Y, si tenía suerte, hasta podrían aparecer y fortalecer su círculo.

De cara al sur, continuó.

—Fuego, te pido que por favor vengas a mi círculo.

Girando en el sentido de las agujas del reloj, siguió hablando.

—Agua, me gustaría que por favor vinieses a mi círculo.

Después, apartándose de la forma tradicional de convocar un círculo, Stevie Rae dio un par de pasos hacia atrás para colocarse en medio de la zona de hierba.

—Espíritu, esto se sale de la norma, pero me encantaría que tú también vinieses a mi círculo.

Caminando hacia delante, en dirección norte, Stevie Rae estaba casi cien por cien segura de que había visto un delgado hilo de luz plata dibujando espirales a su alrededor. Sonrió por encima del hombro a Dallas.

—Eh, creo que está funcionando.

—Claro que sí, niña. Eres una alta sacerdotisa con unos dones tremendos.

Era genial que Dallas la siguiera llamando alta sacerdotisa y ella continuó sonriendo mientras se volvía hacia el norte. Sintiéndose orgullosa y fuerte, encendió por fin la vela verde.

—Tierra, sé que estoy haciendo las cosas sin seguir el orden normal, pero tenía que dejar lo mejor para el final. Así que ahora te pido que vengas a mí como siempre haces, porque tú y yo tenemos una conexión más especial que las luciérnagas que llenan el parque de Haikey Creek en una noche de verano. Ven a mí, tierra. Por favor, ven a mí.

La tierra cobró vida a su alrededor como si de un cachorro rebosante de vitalidad se tratase. Unos momentos antes, la noche era fría y húmeda, dominada por la catastrófica tormenta de hielo. Ahora en cambio Stevie Rae sintió la bienvenida calidez y humedad de una noche de verano de Oklahoma mientras la presencia de su elemento dominaba por completo el círculo convocado.

—¡Gracias! —dijo alegremente—. No te puedo explicar lo importante que es para mí que siempre pueda contar contigo.

El calor se extendió por su cuerpo de los pies a la cabeza, el hielo que encerraba la hierba dentro del círculo estalló y las briznas se liberaron temporalmente de su prisión invernal.

—Vale —dijo manteniendo su mente llena de su elemento y hablándole a la tierra como si estuviera personificada delante de ella—. Tengo que pedirte algo importante. Pero primero voy a encender esto, porque creo que te gustará mucho.

Stevie Rae sostuvo la hierba santa seca bajo la llama y después dejó la vela en el suelo cuando la trenza empezó a arder. Le sopló suavemente y la hierba empezó a echar humo. Stevie Rae se giró y, sonriéndole a Dallas, caminó a lo largo de la circunferencia, agitando la trenza ardiente hasta que toda la zona se llenó de una neblina de humo gris, cargada del aroma del verano en las praderas.

Cuando volvió al punto de inicio, Stevie Rae se volvió hacia el norte de nuevo, la dirección de su elemento, y comenzó a hablar.

—Mi amiga, Zoey Redbird, dice que la hierba santa atrae la energía positiva y no me cabe duda de que necesitaré bastante de ella esta noche, especialmente porque es por Zoey por quien te pido ayuda. Sé que la recuerdas… ella tiene afinidad por ti, igual que por los otros elementos. Ella es especial, y no solo porque sea mi mejor amiga. Z es especial porque… —Stevie Rae hizo una pausa y las palabras llegaron a ella—, es especial porque Zoey tiene un poco de todo en su interior. Supongo que es como si nos representara a todos nosotros. Necesitamos que vuelva. Además, está sufriendo en el lugar donde está y creo que necesita ayuda para encontrar una salida. Así que su guerrero, un chico llamado Stark, desea ir junto a ella. Y necesita tu ayuda. Te pido que me muestres la manera en que Stark puede ayudar a Zoey. Por favor.

Stevie Rae balanceó la trenza que aún humeaba a su alrededor de nuevo y después esperó.

El humo era dulce y denso, y la noche inusualmente cálida por la presencia de su elemento.

Pero no ocurría nada.

Sí, vale, podía sentir la tierra allí, rodeándola, deseando hacer lo que le pedía.

Pero no pasaba nada.

Nada de nada.

Dudando sobre lo que debía hacer, Stevie Rae volvió a agitar la hierba santa a su alrededor y volvió a intentarlo.

—Bueno, quizás no he sido lo suficientemente específica…

Pensó durante un segundo, tratando de recordar todo lo que le había dicho Aphrodite.

—Con el poder de la tierra y a través de la energía de esta hierba sagrada, llamo al toro blanco de los días antiguos a mi círculo porque necesito saber cómo puede llegar Stark junto a Zoey para protegerla mientras busca una manera de volver a este mundo —añadió.

La hierba santa que hasta entonces había estado humeando suavemente se volvió roja. Con un grito, Stevie Rae la tiró al suelo. Un humo negro y denso salió de la trenza chisporroteante, como si fuese una serpiente escupiendo oscuridad. Apretando su mano quemada contra el cuerpo, Stevie Rae se tambaleó hacia atrás.

—¿Stevie Rae? ¿Qué está pasando?

Podía oír a Dallas, pero cuando miró hacia atrás ya no pudo verlo, el humo resultaba demasiado denso. Se giró, tratando de distinguirlo en la oscuridad, pero no era capaz de ver absolutamente nada. Miró hacia donde debería estar su vela de tierra encendida, pero también estaba cubierta por el humo. Desorientada, gritó.

—¡No sé qué está pasando! La hierba santa se ha vuelto extraña de repente y…

La tierra, esa parte tangible del elemento al que Stevie Rae se sentía tan conectada, con el que se sentía tan cómoda, empezó a temblar bajo sus pies.

—Stevie Rae, tienes que salir de ahí ya. No me gusta todo ese humo.

—¿Puedes sentirlo? —le preguntó a Dallas—. ¿Tiembla el suelo también ahí?

—No, pero no puedo verte y tengo un mal presentimiento sobre esto.

Antes de verlo, Stevie Rae sintió su presencia. La sensación que tuvo fue terrorífica y familiar y en lo que dura un latido, entendió por qué: le recordaba al momento en que se había dado cuenta de que se estaba muriendo. En aquel momento empezó a toser, agarró la mano de Zoey y le dijo: «Estoy asustada, Zoey». Aquel terrorífico recuerdo la paralizó, por lo que cuando el primer cuerno tomó forma y brilló ante ella, blanco, afilado y peligroso, lo único que pudo hacer fue mirarlo y sacudir la cabeza de un lado a otro, una y otra vez.

—¡Stevie Rae! ¿Puedes oírme?

La voz de Dallas parecía llegar desde kilómetros de distancia.

Se materializó el segundo cuerno y, con él, comenzó a formarse la cabeza del toro, blanco e inmenso, con los ojos tan negros que brillaban como un pozo sin fondo a medianoche.

¡Ayúdame!, quería decir Stevie Rae, pero el miedo impidió que sus palabras saliesen de la garganta.

—Ya está bien. Voy a entrar ahí a sacarte, aunque no quieras que rompa el círculo y…

Stevie Rae sintió la tensión cuando Dallas alcanzó el límite del círculo. También el toro. La criatura giró su enorme cabeza y soltó un bufido, semejante a una ráfaga de aire fétido entre el humo negro. La noche se estremeció como respuesta.

—¡Mierda! Stevie Rae, no puedo entrar en el círculo. ¡Ciérralo y sal de ahí!

—N… no… pu-puedo —tartamudeó con la voz rota.

Materializado por completo, el toro era una pesadilla hecha realidad. Su aliento asfixiaba a Stevie Rae. Sus ojos la tenían atrapada. Su blanca piel refulgía entre la negrura que lo rodeaba todo, pero no era hermosa. Su brillo era viscoso, su resplandeciente superficie, fría y muerta. Una de sus enormes pezuñas hendidas se levantó y después cayó sobre la tierra, abriéndola con tal malicia que Stevie Rae sintió el eco del dolor de la herida en el interior de su alma. Apartó la vista de los ojos del toro para mirar sus pezuñas. Ahogó un grito de terror. La hierba alrededor de la bestia estaba rota y ennegrecida. Allí donde había pateado la tierra, la tierra de Stevie Rae, el suelo se había quebrado y sangraba.

—¡No! —El terror que la atenazaba se debilitó lo suficiente como para dejar que sus palabras saliesen—. ¡Para! ¡Nos estás haciendo daño!

Los ojos negros del toro le sostuvieron la mirada. La voz que llenaba su cabeza era profunda, poderosa e inimaginablemente malvada.

Has tenido el poder de convocarme, vampira, y eso me ha divertido lo suficiente como para responder a tu pregunta. El guerrero debe mirar en su sangre para descubrir el puente que le permitirá entrar en la isla de las Mujeres y después debe derrotarse a sí mismo en la arena. Solo reconociéndose a sí mismo ante el otro se reunirá con su sacerdotisa. Después de reunirse con ella, será su elección, y no la de él, regresar o no.

Stevie Rae se tragó su miedo.

—Eso no tiene sentido —le soltó.

Tu incapacidad de entender no tiene nada que ver conmigo. Tú me has convocado. Yo te he respondido. Ahora debo reclamar mi pago de sangre. Han pasado eones desde que no pruebo la dulzura de la sangre de un vampiro... especialmente de una tan llena de Luz inocente.

Antes de que Stevie Rae pudiese empezar a idear cualquier tipo de respuesta, la bestia comenzó a rodearla. Hilos de oscuridad se deslizaron del humo que lo rodeaba y reptaron hacia ella. Cuando la tocaron, fueron como cuchillas heladas que le cortaron, rasgaron y desgarraron la piel.

Sin pensarlo, gritó una palabra:

—¡Rephaim!

13

Rephaim

Rephaim supo en qué momento se materializó la Oscuridad. Estaba sentado en el balcón, mientras comía una manzana y miraba el claro cielo nocturno, tratando de ignorar la molesta presencia de un fantasma humano que había desarrollado una desafortunada fascinación por él.

—¡Vamos, cuéntamelo! ¿Resulta divertido volar? —le preguntó el joven espíritu por lo que Rephaim creía que debía de ser la centésima vez—. Parece divertido. Yo no llegué a hacerlo, pero apuesto a que volar con tus propias alas tiene que ser mucho mejor que volar en un avión.

Rephaim suspiró. La niña hablaba más que Stevie Rae, y eso era algo extraordinario. Irritante, pero extraordinario. Intentaba decidir si debía seguir ignorándola y esperar a que se fuese de una vez, o si debía pensar en un plan alternativo, porque hacer caso omiso de la niña no parecía funcionar. Se le había ocurrido que igual podría preguntarle a Stevie Rae qué hacer con el fantasma y aquello hizo que pensara en la Roja. Aunque, para ser sincero, sus pensamientos nunca estaban muy lejos de ella.

—¿Es peligroso volar? Quiero decir, con tus alas… Supongo que sí porque tú estás herido y apuesto a que te lo hiciste por andar flotando por ahí…

La niña seguía parloteando cuando la textura del mundo cambió. En aquel primer momento de sorpresa, Rephaim sintió algo familiar y creyó, durante un latido, que su padre había vuelto.

—¡Silencio! —le rugió al fantasma.

Se puso de pie y empezó a dar vueltas, fulminando con sus ojos brillantes los terrenos oscuros que lo rodeaban, esperando con toda su alma poder ver un destello de las negras alas de cuervo de su padre.

La niña fantasma chilló asustada, se alejó de él y desapareció.

Rephaim no le dedicó ni un pensamiento. Estaba muy ocupado soportando el aluvión de certezas y de emociones.

Primero llegaron las certezas: supo casi inmediatamente que no era a su padre a quien había sentido. Sí, Kalona era poderoso y hacía tiempo que se había aliado con la Oscuridad, pero la alteración que estaba causando aquel inmortal en el mundo era diferente, era mucho más fuerte. Rephaim podía sentirla en la respuesta excitada de las cosas oscuras ocultas en la tierra, en los seres que este mundo moderno de luz artificial y magia electrónica había olvidado. Pero Rephaim no los había olvidado y en lo más profundo de las sombras de la noche, vio que formaban ondas y se estremecían, reacción que desconcertó a Rephaim.

¿Qué podía ser lo suficientemente poderoso como para que surgieran aquellos seres ocultos?

Entonces el miedo que sentía Stevie Rae lo golpeó. Fue la dureza de todo su terror unido a la emoción de aquellos seres y a ese momento de familiaridad lo que le dio la respuesta a Rephaim.

—¡Por todos los dioses, la mismísima Oscuridad ha entrado en este reino!

Rephaim se movió antes de tomar la decisión consciente de hacerlo. Salió reventando las puertas delanteras de la maltrecha mansión, apartándolas a un lado con su brazo bueno como si estuviesen hechas de cartón… y se detuvo en el amplio porche de entrada.

No tenía ni idea de adónde ir.

Otra oleada de terror lo envolvió. Lo experimentó a la misma vez que ella: Rephaim sabía que Stevie Rae estaba paralizada por el miedo. Un pensamiento horrible invadió su mente: *¿Stevie Rae ha convocado a la Oscuridad? ¿Cómo iba a ser capaz? ¿Por qué lo iba a hacer?*

La respuesta a la más importante de las tres preguntas le llegó tan rápido como lo pensó. Stevie Rae haría casi cualquier cosa si creía que eso traería de vuelta a Zoey.

El corazón de Rephaim se puso a latir rápidamente y su sangre bombeó con fuerza, aceleradamente. ¿Dónde estaba? ¿En la Casa de la Noche?

No, seguro que no. Si planeara conjurar a la Oscuridad, no lo haría en una escuela dedicada a la Luz.

—¿Por qué no viniste a mí? —gritó frustrado a la noche—. ¡Yo conozco a la Oscuridad; tú no!

Pero mientras hablaba, admitió que se equivocaba. Stevie Rae había sido tocada por la Oscuridad cuando murió. Entonces él no la conocía pero sí conocía a Stark y había sido testigo de la Oscuridad que rodeaba la muerte y la resurrección de un iniciado.

—Pero ella eligió la Luz —dijo él suavemente—. Y la Luz siempre infravalora la crueldad de la Oscuridad.

Que yo esté vivo es un ejemplo de ello.

Stevie Rae lo necesitaba, mucho. Aquello también era un hecho.

—Stevie Rae, ¿dónde estás? —murmuró Rephaim.

Solo los movimientos inquietos de los seres de la noche le respondieron.

¿Podría persuadir a uno de ellos para que lo condujera hasta la Oscuridad? No… Descartó esa idea rápidamente. Ellos solo irían hasta la Oscuridad si ella los llamaba. Si no, preferirían alimentarse de los vestigios de su poder desde lejos. Y no podía permitirse perder tiempo esperando a que la Oscuridad los llamase. Necesitaba pensar...

¡¡¡Rephaim!!!

El grito de Stevie Rae resonó inquietantemente a su alrededor. Su voz estaba llena de dolor y desesperación. El sonido rasgó su corazón. Sabía que tenía los ojos de color rojo brillante. Quería romper, desgarrar y destrozar. La neblina de ira escarlata que empezó a abrumarlo era una escapatoria seductora. Si se dejaba invadir por la ira se convertiría, sin duda, más en una bestia que en un hombre. Aquel miedo inusual e incómodo que había empezado a sentir por ella se vería sustituido por el instinto y la violencia ciega, que podría aplacar atacando a humanos indefensos de cualquiera de las casas oscuras que rodeaban el museo inerte. Durante un momento, estaría saciado. Durante un momento, no sentiría nada.

¿Y por qué no rendirse a la rabia que había consumido tan a menudo su vida? Sería más fácil, era familiar, se sentiría seguro.

Si me rindo ante la furia, será el fin de la conexión que tengo con ella. Aquel pensamiento le hizo sentir escalofríos de sorpresa en su cuerpo. Los escalofríos se volvieron motitas brillantes de luz que rasgaron la neblina roja que cubría su vista como un velo.

—¡No! —gritó, dejando que la humanidad de su voz hiciera retroceder a la bestia de su interior—. Si la abandono ante la Oscuridad, morirá.

Rephaim respiró con inspiraciones largas y lentas. Tenía que calmarse. Necesitaba pensar. La neblina roja siguió disipándose y su mente comenzó a razonar.

¡Tengo que usar nuestra conexión y nuestra sangre!

Rephaim se forzó a quedarse quieto y respirar en la noche. Sabía lo que tenía que hacer. Inspiró de nuevo profundamente y empezó:

—Convoco al poder del espíritu de los antiguos inmortales, mío por derecho de nacimiento.

Rephaim se preparó para las consecuencias que la invocación tendría en su cuerpo sin curar, pero mientras extraía el poder de las sombras de la noche, se sorprendió al sentir un aumento de energía. La noche a su alrededor parecía que vibraba con un poder salvaje y antiguo. Le hizo sentir un poco enfermo, como un presagio, pero lo utilizó de todas maneras, canalizando el poder a través de él, preparándose para cargarlo de la inmortalidad que transportaba en su sangre; en la sangre que él y Stevie Rae ahora compartían. Pero mientras lo llenaba, su cuerpo se vio dominado por una fuerza tan feroz, tan salvaje, que hizo que Rephaim cayese sobre sus rodillas. El primer indicio de que algo milagroso estaba sucediendo fue que extendió ambas manos automáticamente para frenar su caída... y los dos brazos le respondieron, incluso el que había tenido roto y sujeto al pecho con un cabestrillo.

Rephaim se quedó allí, arrodillado, temblando y con los brazos extendidos sosteniéndole. Respiraba rápidamente mientras cerraba los puños.

—¡Más! —dijo entre dientes—. ¡Ven a mí!

La energía oscura entró en él de nuevo, como una corriente viva de violencia fría que él luchó por contener. Rephaim sabía que aquella plenitud era diferente a cualquiera que hubiese sentido antes, cuando convocaba a los poderes a los que le daba acceso la sangre de su padre, pero él no era un jovenzuelo inexperto. No era la primera vez que tenía tratos con las sombras y con lo más vil de este mundo que habitaba la noche. Buscando en su interior, el cuervo del escarnio inhaló la energía, como si fuese el aire de una madrugada de pleno invierno, y después abrió los brazos al mismo tiempo que desplegaba sus alas.

Ambas le respondieron.

—¡Sí!

Su grito de satisfacción hizo que las sombras se retorcieran y agitaran en éxtasis. ¡Estaba completo de nuevo! ¡El ala estaba perfectamente curada!

Rephaim se puso en pie de un salto. Con las alas completamente extendidas, de repente parecía una magnífica escultura de un joven dios en vida. Con el cuerpo vibrando de poder, el cuervo del escarnio continuó su invocación. El aire lanzó destellos escarlata como si una neblina de sangre lo rodease. Henchido de la Oscuridad adquirida, la voz de Rephaim resonó en la noche:

—Mediante el poder inmortal de mi padre, Kalona, que sembró mi sangre y mi espíritu con su legado, le ordeno a este poder que ejerzo en su nombre que me conduzca a la Roja… que ha probado mi sangre, y con quien estoy conectado y he intercambiado deudas de vida. ¡Llévame con Stevie Rae! ¡Te lo ordeno!

La bruma flotó en el aire durante un momento y después se movió rápidamente. Como si fuese un lazo de seda escarlata, formó un delgado camino brillante en el aire, ante él. Raudo y seguro, Rephaim despegó y agitó sus alas en la dirección que le indicaba que estaba la Oscuridad.

La encontró no lejos del museo, en un parque envuelto de humo y muerte. Mientras descendía en silencio del cielo, Rephaim se preguntó cómo los humanos de las casas que rodeaban el lugar podían ignorar lo que se había liberado justo fuera de la engañosa seguridad de sus puertas.

El origen del humo negro se situaba en el corazón del parque. Rephaim solo alcanzaba a ver las ramas más elevadas de un fuerte y viejo roble bajo el que reinaba el caos. Disminuyó el paso cuando se acercó, aunque sus alas seguían extendidas a su alrededor, saboreando el aire y permitiéndole moverse silenciosa y rápidamente, incluso en tierra.

El iniciado no se dio cuenta de su presencia, pero Rephaim supo que el chico seguramente no habría notado ni la llegada de un ejército. Toda su atención estaba centrada en tratar de apuñalar con una navaja larga y de aspecto letal lo que parecía ser un círculo de oscuridad que se había materializado formando un muro sólido... o al menos así es como se manifestaba ante el iniciado.

Rephaim no era un iniciado; él entendía la Oscuridad mucho mejor.

Sorteó al chico y, sin ser visto, se encaró ante el círculo en su punto más al norte. No estaba seguro de si era el instinto o la influencia de Stevie Rae lo que lo había llevado hasta allí y reconoció, aunque brevemente, que los dos podrían estar convirtiéndose en uno.

Se detuvo y, con un solo movimiento, reacio, cerró las alas, doblándolas cuidadosamente a su espalda. Después levantó la mano y le habló en voz baja a la bruma escarlata que seguía a sus órdenes.

—Protégeme. Permíteme cruzar la barrera.

Rephaim apretó su puño alrededor de la energía latente que se concentraba allí y después, con un movimiento de sus dedos, repartió la bruma por su cuerpo.

Esperaba el dolor. Aunque había aspectos del poder inmortal que lo obedecían, la obediencia nunca era gratuita. Muchas veces aquella sumisión se pagaba con dolor. Esta vez se extendió por su cuerpo recién curado como lava, pero le dio la bienvenida porque significaba que su petición le había sido concedida.

No había forma de prepararse para lo que se iba a encontrar en el interior del círculo.

Rephaim simplemente cogió aire y, cubierto por la fuerza heredada de la sangre de su padre, dio un paso adelante. El muro de oscuridad se abrió ante él.

Dentro del círculo Rephaim se vio asaltado por el aroma de la sangre de Stevie Rae y por un perfume abrumador de muerte y decadencia.

—¡Por favor, para! ¡No puedo soportarlo más! Mátame si eso es lo que quieres, ¡pero no me toques de nuevo!

No podía verla, pero por su voz Stevie Rae parecía completamente derrotada. Actuando rápidamente, Rephaim tomó un poco de la bruma escarlata que se ceñía a su cuerpo.

—Ve a su lado... fortalécela —le ordenó en un murmullo.

Escuchó el jadeo de Stevie Rae y estuvo casi seguro de que ella había gritado su nombre. Entonces la oscuridad se marchó y desveló una imagen que Rephaim nunca olvidaría, aunque llegase a ser tan anciano como su padre.

Stevie Rae estaba en medio del círculo. Hilos de un negro pegajoso se enroscaban alrededor de sus piernas. Allí donde la tocaban, le laceraban la piel. Tenía los vaqueros rotos y le colgaban de su cuerpo como harapos. La sangre manaba de sus heridas abiertas. Mientras la contemplaba, otro hilo salió de la oscuridad viscosa que lo rodeaba y fustigó su cintura como un látigo, haciendo brotar un reguero de sangre. Stevie Rae gimió de dolor y su cabeza se cayó hacia un lado. Rephaim vio que se le habían puesto los ojos en blanco.

Fue entonces cuando la bestia se dejó ver. En cuanto la vio, Rephaim supo sin lugar a dudas que estaba cara a cara con la Oscuridad materializada. Resopló con un terrible y ensordecedor bramido.

Vomitando sangre, mucosidad y humo, el toro desgarró la tierra con sus pezuñas. La criatura caminó a zancadas hacia Stevie Rae desde la parte más densa de humo negro. Como una luna llena en una cripta, la piel blanca del toro parecía la muerte mientras se cernía sobre la chica. La criatura era tan inmensa que tuvo que inclinar su enorme cabeza para dejar que su lengua lamiera su cintura sangrante.

El grito de Stevie Rae fue repetido por el de Rephaim.

—¡No!

El gigantesco toro se quedó quieto. Su cabeza se giró hacia el cuervo del escarnio y su mirada sin fondo atrapó la de Rephaim.

La noche se hace más y más interesante. La voz retumbó en su mente. Rephaim se obligó a vencer su miedo cuando el toro dio dos pasos hacia él, haciendo temblar la tierra mientras olfateaba el aire.

Huelo Oscuridad en ti.

—Sí —dijo Rephaim por encima del sonido de los aterrados latidos de su corazón—. Convivo con la Oscuridad desde hace tiempo.

Es raro, entonces, que no te conozca. El toro olfateó de nuevo el aire que lo rodeaba. *Aunque conocí a tu padre.*

—Gracias al poder de la sangre de mi padre pude atravesar la cortina oscura y presentarme ante ti.

Siguió mirando fijamente al toro, pero no se olvidaba ni por un instante de que Stevie Rae estaba solo a unos centímetros de él, sangrando e indefensa.

¿Sí? Creo que mientes, hombre pájaro.

Aunque el tono de la voz en su mente no varió, Rephaim pudo sentir la ira del toro. Manteniendo la calma, Rephaim cogió un poco de bruma con un dedo de su pecho y dibujó una línea roja desde su cuerpo. Levantó la mano, como si fuese una ofrenda al toro.

—Esto me permitió atravesar la cortina oscura del círculo, y este poder es mío por derecho, por la sangre inmortal de mi padre.

Que fluye sangre inmortal por tus venas es verdad. Pero el poder que llena tu cuerpo y que le ordenó a mi barrera que se abriera lo tomaste de mí.

El miedo recorrió la médula espinal de Rephaim. Con mucho cuidado, inclinó la cabeza respetuosamente, reconociéndolo.

—Entonces te lo agradezco, aunque no pedí tu poder. Yo solo invoqué el de mi padre, el único que tengo derecho a convocar.

Escucho la verdad en tus palabras, hijo de Kalona, ¿pero por qué convocar el poder de los inmortales para venir aquí y poder entrar en mi círculo? ¿Qué asuntos os traéis tú o tu padre esta noche con la Oscuridad?

El cuerpo de Rephaim se tensó, pero su cerebro comenzó a pensar a toda velocidad. Hasta ese momento de su vida, siempre había sacado fuerzas del legado de la inmortalidad de su sangre y de la astucia del cuervo al que había sido unido para ser creado. Pero aquella noche, frente a frente con la Oscuridad, henchido de una fuerza que no era suya, se dio cuenta de repente de que, aunque había sido gracias al poder de aquella criatura que había podido acceder a Stevie Rae, no iba a poder salvarla usando la Oscuridad, ya proviniese del toro o de su padre; tampoco los instintos de un cuervo podrían luchar contra la bestia que tenía enfrente. Las fuerzas que se aliaban con él no podrían derrotar a aquel toro... a aquella personificación de la Oscuridad.

Así que Rephaim recurrió a lo único que le quedaba... a los vestigios de humanidad que le había transmitido el cuerpo sin vida de su madre. Le contestó al toro como un humano, con una honestidad tan salvaje que pensó que le iba a partir el corazón en dos.

—Estoy aquí porque ella está aquí, y porque me pertenece.

Los ojos de Rephaim no se apartaron de los del toro ni un instante, pero movió la cabeza en dirección a Stevie Rae.

La huelo en ti. El toro dio otro paso hacia Rephaim, obligando al suelo a temblar a su paso. *Puede que te pertenezca, pero ha cometido la insolencia de invocarme. Esta vampira me pidió ayuda y se la di. Como sabes, debe pagar un precio por ello. Vete ahora, hombre pájaro, y permitiré que vivas.*

—Vete, Rephaim. —La voz de Stevie Rae era débil, pero cuando Rephaim la miró por fin, vio que su mirada era firme y lúcida—. Esto no es como en el tejado. No puedes salvarme de esto. Vete.

Rephaim tenía que irse. Sabía que debía hacerlo. Un par de días antes ni siquiera se habría imaginado un mundo donde él se enfrentara a la Oscuridad para intentar salvar a una vampira... para intentar salvar a cualquiera que no fuese su padre. Pero mientras miraba los dulces ojos azules de Stevie Rae, lo que vio fue un mundo completamente nuevo... un mundo en el que aquella extraña y pequeña vampira roja simbolizaba el corazón, el alma y la verdad.

—Por favor. No dejes que también te haga daño a ti —le dijo.

Fueron esas palabras... aquellas palabras tan carentes de egoísmo, desde el corazón, aquellas palabras tan honestas, las que tomaron la decisión por él.

—Dije que me pertenecía. La has olido en mí; sabes que es verdad. Así que puedo saldar yo su deuda —dijo Rephaim.

—¡No! —gritó Stevie Rae.

Piénsalo cuidadosamente antes de hacer una oferta así, hijo de Kalona. No la voy a matar. Es una deuda de sangre, no una deuda de vida. Te devolveré a tu vampira... en algún momento, cuando termine de saborearla.

Las palabras del toro hicieron que Rephaim se sintiese enfermo. Como una sanguijuela hinchada, la Oscuridad iba a alimentarse de Stevie Rae. Iba a lamer su piel rasgada y a degustar la salinidad cobriza de su elemento vital... del elemento vital de los dos, unidos para siempre por su conexión.

—Toma mi sangre en su lugar. Yo pagaré su deuda —dijo Rephaim.

Eres el hijo de tu padre. Como él, has decidido proteger a un ser que nunca te podrá dar aquello que más deseas. Que así sea. Acepto que pagues la deuda de la vampira. ¡Libérala!, ordenó el toro.

Los hilos, las cuchillas de oscuridad, soltaron el cuerpo de Stevie Rae y como aquello era lo único que la sostenía en pie, se desplomó sobre la hierba empapada de sangre.

Antes de poder moverse para ayudarla, un hilo oscuro, como una cobra, surgió del humo y de las sombras que rodeaban al toro. Con una velocidad sobrenatural, salió disparado y atrapó el tobillo de Rephaim.

El cuervo del escarnio no gritó, aunque quiso hacerlo. En lugar de eso, concentrándose para superar aquel dolor cegador, le gritó a Stevie Rae:

—¡Vuelve a la Casa de la Noche!

Vio a Stevie Rae tratando de levantarse, pero resbaló en su propia sangre y se quedó tumbada en el suelo, llorando quedamente. Sus ojos se encontraron y Rephaim se arrastró hacia ella, extendiendo las alas, dispuesto a romper el hilo pegajoso y poder al menos sacarla del círculo.

Otro hilo salió disparado y se enroscó alrededor del ancho bíceps del brazo recién curado de Rephaim, hundiéndose más de un centímetro en el músculo. Otro más salió de las sombras de detrás de él y Rephaim no pudo evitar gritar de dolor mientras aquella cosa se retorcía en el lugar donde se juntaban sus alas en la espalda, rasgándolas, destrozándolas y empujándolo contra el suelo.

—¡Rephaim! —sollozó Stevie Rae.

Él no podía ver al toro, pero sintió temblar la tierra cuando la criatura se le acercó. Giró la cabeza y, mientras sufría, vio a Stevie Rae intentando reptar hacia él. Él quería decirle que parara... decirle algo que la hiciese escapar. Entonces, mientras el dolor abrasador de la lengua del toro atravesaba la herida de su tobillo, Rephaim se dio cuenta de que Stevie Rae no estaba en realidad tratando de deslizarse hacia él. Sus brazos temblaban y su cuerpo seguía sangrando, pero su cara estaba recuperando el color. *Extrae poder de la tierra,* comprendió Rephaim con una increíble sensación de alivio. *Tal cosa, la fortalecerá lo suficiente como para salir del círculo y ponerse a salvo.*

Había olvidado la dulzura de la sangre inmortal. El aliento podrido del toro golpeó a Rephaim. La sangre de la vampira solo tenía una pizca. Creo que voy a beber sin parar de ti, hijo de Kalona. Tú sí que has tomado poder de la Oscuridad hoy, así que tienes una deuda pendiente aun mayor que la suya.

Rephaim se negó a mirar a la criatura. Atrapado por los lacerantes hilos, su cuerpo fue izado y girado de tal modo que su mejilla quedó apoyada contra la tierra. Mantuvo la vista fija en Stevie Rae mientras el toro se colocaba encima de él y empezaba a beber de la herida abierta en la base de sus alas sangrantes.

Un sufrimiento como nunca había sentido invadió su cuerpo. No quería gritar. No quería retorcerse de dolor. Pero no podía evitarlo. Los ojos de Stevie Rae eran lo único que lo mantenían consciente mientras la Oscuridad se alimentaba de él, profanando su cuerpo una y otra vez.

Cuando Stevie Rae se puso de pie, elevando los brazos, Rephaim pensó que estaba alucinando porque parecía tan fuerte y poderosa y tan furiosa... Sostenía algo en su mano... una trenza larga que humeaba.

—Lo hice antes y lo voy a hacer de nuevo.

La voz de Stevie Rae le llegó como si estuviese muy lejos, pero resonaba con fuerza. Rephaim se preguntó por qué el toro no la había escuchado ni intentaba detenerla, pero los gemidos de placer de la criatura y el dolor punzante que sentía en la espalda le dieron la respuesta a Rephaim. El toro no consideraba a Stevie Rae una amenaza y se concentraba en consumir la embriagadora sangre de la inmortalidad.

Deja que tome la sangre de mí; permite que ella escape, rezó Rephaim silenciosamente para el dios que se dignara a escucharlo.

—Mi círculo está intacto. —Stevie Rae hablaba rápida y claramente—. Rephaim y este asqueroso toro vinieron por orden mía. Así que volveré a lanzar una orden... A través del poder de la tierra, llamo al otro toro. Al toro que lucha contra este, ¡y pagaré el precio que sea necesario para apartar esta cosa de mi cuervo del escarnio!

Rephaim sintió que la criatura que estaba sobre él dejaba de alimentarse cuando un rayo de luz cruzó como una lanza las tinieblas humeantes que había ante Stevie Rae. Vio que ella abría los ojos como platos y, sorprendentemente, sonrió y luego se rió.

—¡Sí! —dijo con júbilo—. Pagaré el precio. ¡Maldición! Eres tan negro y bonito.

Todavía encima de Rephaim, el toro blanco gruñó. Los hilos que envolvían a aquel salieron disparados y se deslizaron hacia Stevie Rae. Rephaim movió la boca para gritarle una advertencia, pero ella entró directamente en el rayo de luz.

Se oyó un trueno y después hubo otro relámpago. De en medio de la brillante explosión salió un enorme toro, tan negro como blanco era el primero. Pero la negrura de esta criatura no era como la de las siluetas oscuras y pegajosas que se alejaban de ella. La piel de este toro era del negro de un cielo de verano refulgente por el resplandor de estrellas y diamantes... profundo, misterioso y maravilloso a la vista.

Durante un momento, la mirada del toro negro se encontró con la de Rephaim y el cuervo del escarnio jadeó. Nunca en su vida había visto tanta bondad; nunca habría imaginado que esa bondad pudiera existir.

No dejes que ella tome la decisión equivocada. La nueva voz en su mente era tan profunda como la del primer toro, pero estaba llena de compasión. *Porque merezcas o no la pena, ella ha pagado el precio.*

El toro negro bajó la cabeza y embistió al toro blanco, separándolo de un golpe del cuerpo de Rephaim. Hubo un ruido ensordecedor cuando los dos se encontraron y después un silencio tan profundo que casi se hizo insoportable.

Los hilos se desvanecieron como el rocío bajo el sol estival. Stevie Rae estaba arrodillada, intentando llegar a él, cuando el humo se disipó y el iniciado entró en el círculo con el cuchillo en la mano y listo para atacar.

—¡Apártate, Stevie Rae! ¡Voy a matar a esa jodida bestia!

Stevie Rae tocó la tierra.

—Tierra, hazle tropezar. Con ímpetu —murmuró.

Por encima del hombro de Stevie Rae, Rephaim vio cómo la tierra se elevaba justo delante de los pies del chico y el robusto iniciado se cayó de bruces... con ímpetu.

—¿Puedes volar? —le susurró.

—Eso creo —le contestó Rephaim con otro susurro.

—Entonces vuelve a Gilcrease —dijo ella apresuradamente—. Iré a verte más tarde.

Rephaim dudó. No quería dejarla tan pronto, después de todo lo que acababan de pasar juntos. ¿De verdad estaba bien o la Oscuridad había tomado demasiado de ella?

—Estoy bien. Lo prometo —le dijo Stevie Rae suavemente, como si le leyese la mente—. Vete.

Rephaim se puso en pie. Lanzándole una última mirada a Stevie Rae, desplegó sus alas y obligó a su maltrecho cuerpo a elevarlo en el aire.

14

Stevie Rae

Dallas medio cargaba, medio arrastraba a Stevie Rae mientras doblaban la esquina de la escuela, discutiendo con ella sobre ir a la enfermería o volver a su habitación, cuando Kramisha y Lenobia, que se dirigían hacia el templo de Nyx, los vieron.

—¡Por las lagrimitas del niño Jesús, si estás toda destrozada! —gritó Kramisha, frenando de golpe.

—¡Dallas, llevémosla a la enfermería! —dijo Lenobia.

Al contrario que Kramisha, Lenobia no se quedó paralizada ante la visión sangrienta de Stevie Rae; en lugar de eso, corrió al otro lado y ayudó a Dallas a sostener su peso, dirigiéndolos automáticamente hacia la entrada de la enfermería.

—Escuchad, no, eh… Llevadme a la habitación. Necesito un teléfono, no un médico. Y no puedo encontrar mi maldito móvil.

—No puedes encontrarlo porque esa especie de pajarraco te arrancó casi toda la ropa y casi toda la piel también. Seguramente tu móvil esté en el parque, aplastado en el suelo que sigue empapado con tu sangre. Te vas directa a la maldita enfermería.

—Tengo un teléfono. Puedes usar el mío —ofreció Kramisha, sacándolo de su bolsillo.

—Puedes usar el teléfono de Kramisha, pero Dallas tiene razón. Ni siquiera te puedes poner en pie. Te vas a la enfermería —dijo Lenobia con firmeza.

—Bien. Como queráis. Traedme una silla o algo para que así pueda llamar. Tienes el número de Aphrodite, ¿no? —le preguntó a Kramisha.

—Sí. Pero no te creas que eso nos convierte en amigas ni nada por el estilo —murmuró esta.

Mientras se dirigían a la enfermería, la mirada penetrante de Lenobia volvió a centrarse en el cuerpo malherido de Stevie Rae.

—Tienes mala pinta. De nuevo —le dijo. Después pareció asimilar las palabras de Dallas y los ojos de la profesora de equitación se abrieron de la sorpresa—. ¿Has dicho que fue un pájaro lo que le hizo esto?

—Una especie de pajarraco —dijo Dallas al mismo tiempo que Stevie Rae gritaba.

—¡No! Dallas, no tengo ni tiempo ni energía para discutir contigo sobre esto ahora.

—¿Quieres decir que no viste lo que le pasó? —preguntó Lenobia.

—No. Había demasiado humo y oscuridad; no podía verla ni podía entrar en el círculo para ayudarla. Y cuando todo se aclaró, ella ya estaba así y el pajarraco se cernía sobre ella.

—Dallas, ¡deja de hablar sobre mí como si no estuviese aquí! Y él no se cernía sobre mí. Estaba tirado en el suelo, a mi lado.

Lenobia iba a decir algo, pero llegaron a la enfermería y Sapphire, la enfermera rubia y alta que había sido ascendida a directora del hospital en ausencia de una sanadora, los saludó con su habitual expresión hosca que enseguida se transformó en sorpresa.

—¡Ponedla ahí! —ordenó con eficiencia, señalando una sala tipo box que acababa de quedar libre.

Tumbaron a Stevie Rae en la cama y Sapphire empezó a sacar útiles de uno de los armaritos metálicos. Una de las cosas que sacó fue una bolsa de sangre que le ofreció a Lenobia.

—Que se beba esto inmediatamente.

Nadie dijo nada durante los pocos segundos que le llevó a Lenobia abrir la bolsa y ayudar a Stevie Rae a agarrarla con manos temblorosas y sostenerla ante sí para beber con avidez.

—Voy a necesitar más de esto —dijo Stevie Rae—. Y como ya dije antes, también un maldito teléfono. Inmediatamente.

—Necesito saber lo que laceró tu cuerpo de esta forma. Te ha hecho perder demasiada sangre que necesitas reemplazar inmediatamente. Tengo que averiguar por qué la sangre que sigue saliendo de tu cuerpo huele de una forma tan rara —dijo Sapphire.

—¡Cuervo del escarnio! Ese es el nombre de aquella cosa —recordó Dallas.

—¿Te atacó un cuervo del escarnio? —preguntó Lenobia.

—No. Y eso es lo que he tratado que penetrara en el duro cráneo de Dallas. La Oscuridad nos atacó a mí y a un cuervo del escarnio.

—Y como te he dicho, eso no tiene nada de sentido. Vi al pajarraco. Vi tu sangre. Esto parecen sin duda heridas producidas por su pico. ¡No vi nada más! —respondió Dallas, prácticamente gritando.

—¡No viste nada porque la Oscuridad estaba ocultando todo lo que pasaba en el círculo, incluyéndonos a mí y al cuervo del escarnio mientras éramos atacados! —le gritó Stevie Rae con frustración.

—¿Por qué parece que estés defendiendo a aquella cosa? —dijo Dallas, levantando las manos.

—¿Sabes una cosa, Dallas? ¡Puedes besarme el culo! No defiendo a nadie más que a mí misma. Tú no fuiste capaz de entrar en el círculo para ayudarme... ¡Tuve que hacerlo yo solita!

Se creó un largo silencio mientras Dallas la miraba con el dolor claramente visible en sus ojos. Después habló Sapphire con su tono pedante desde la cabecera.

—Dallas, tienes que salir. Voy a cortar lo que le queda de ropa para sacársela y no es apropiado que estés aquí.

—Pero yo...

—Tú has traído de vuelta a casa a tu alta sacerdotisa. Lo has hecho bien —le dijo Lenobia, tocándole el brazo con amabilidad—. Ahora deja que nosotros nos ocupemos de ella.

—Dallas, eh, ¿por qué no vas a buscar algo de comer? Estaré bien —dijo Stevie Rae, arrepentida ya de haber vertido en él toda la frustración que el miedo y la culpa le generaban.

—Sí, vale. Me voy.

—Eh, Lenobia tiene razón —le dijo Stevie Rae a sus espaldas mientras salía de la habitación—. Has hecho bien trayéndome a casa.

La miró por encima del hombro justo antes de cerrar la puerta y ella pensó que nunca había visto sus ojos tan tristes.

—Lo que necesites, niña.

La puerta no se había ni cerrado cuando Lenobia disparó.

—Explícame eso del cuervo del escarnio.

—Sí, yo pensé que se habían ido —añadió Kramisha.

—Vosotras podéis quedaros. Margareta ha ido a reponer nuestros suministros al hospital St. John, así que agradezco un par de manos extra, pero tendréis que hablar mientras me ayudáis —les dijo Sapphire, dándole a Lenobia otra bolsa de sangre—. Ábrele esto. Kramisha, ve allí, lávate las manos y después empieza a darme esos algodones empapados en alcohol.

Kramisha miró a Sapphire con la ceja levantada, pero fue hasta el lavabo. Lenobia abrió la bolsa y se la dio a Stevie Rae, que bebió despacio, ganando así algo de tiempo para pensar.

Con un desgarrón que sonó demasiado alto en aquella habitación, Sapphire cortó lo que quedaba de los pantalones de Stevie Rae y su camiseta con el lema «No odies Oklahoma».

Stevie Rae sintió que todos los ojos estaban puestos en su cuerpo casi desnudo. Deseó haberse puesto un sujetador mejor y se retorció, incómoda.

—Diablos, me encantaban esos vaqueros de Cowgirl Up. Solo de pensar que voy a tener que ir hasta la treinta y uno con Memorial, a Drysdales, para comprar otro par... El tráfico siempre es una mierda en esa parte de la ciudad.

—Quizás deberías ampliar tus perspectivas en cuanto a moda. Little Black Dress en Cherry Street está más cerca y tienen algunos vaqueros muy monos que no son de los noventa —dijo Kramisha.

Los tres pares de ojos se centraron en ella por un momento.

—¿Qué? —dijo encogiéndose de hombros—. Todo el mundo sabe que Stevie Rae necesita renovarse.

—Gracias, Kramisha. Eso me hace sentir mucho mejor, sobre todo porque casi me muero y esas cosas.

Stevie Rae le puso los ojos en blanco a Kramisha mientras esta reprimía una sonrisa. Pero la verdad era que Kramisha sí que la había hecho sentir mejor... algo parecido a «normalmente mejor». Y después se dio cuenta de que realmente estaba recuperándose. La sangre la había calentado y ya no se sentía tan débil como unos minutos antes. De hecho, sentía una especie de zumbido dentro, como si su sangre latiera con gran potencia y recorriera todo su cuerpo. *Es la sangre de Rephaim, la parte que está mezclada con la mía está alimentando mi sangre humana y fortaleciéndome.*

—Stevie Rae, pareces estar despierta y consciente —le dijo Lenobia.

Ella se volvió a concentrar en el mundo exterior para encontrarse con que la profesora de equitación la estaba estudiando cuidadosamente.

—Sí, sin duda me encuentro mejor y necesito un teléfono. Kramisha, déjame...

—Primero te voy a limpiar estas heridas y te aseguro que no vas a poder hablar por teléfono mientras lo hago —dijo Sapphire con lo que Stevie Rae pensó que era una satisfacción demasiado autoritaria.

—Pues espera a que termine mi llamada para hacerlo —dijo Stevie Rae—. Kramisha, bucea en ese bolso gigante tuyo y dame tu maldito teléfono.

—No puedo esperar —soltó Sapphire—. Tus heridas son graves. Tienes laceraciones desde los tobillos hasta la cintura. Hay que limpiarlas. Muchas de ellas necesitan puntos. Necesitas beber más sangre. De hecho, sería mejor que trajésemos a uno de los humanos voluntarios para que bebieses directamente de él... eso ayudaría al proceso curativo.

—¿Humanos? ¿Voluntarios? —dijo Stevie Rae tragando saliva.

¿De verdad ocurrían cosas así en la Casa de la Noche?

—No seas inocente —fue toda la respuesta de Sapphire.

—¡No voy a beber de ningún extraño! —dijo Stevie Rae con más vehemencia de la que pretendía mostrar, haciendo que Lenobia y Kramisha la miraran con las cejas enarcadas—. Lo que quiero decir es que... me apañaré con las bolsitas de sangre. Es demasiado raro beber de alguien que no conozco, especialmente cuando hace tan poco que... bueno... ya sabéis.

Seguramente, las tres mujeres pensaron que hablaba de la reciente ruptura de su conexión con Aphrodite.

Pero ella no pensaba en Aphrodite... aquello era ridículo.

Stevie Rae pensaba en que la única persona de la que quería beber, de la que necesitaba beber, era Rephaim.

—Tu sangre huele raro —dijo Lenobia.

Los pensamientos de Stevie Rae se aclararon y su mirada se dirigió a la profesora de equitación.

—¿Raro? ¿A qué te refieres?

—Hay algo extraño en ella —dijo también Sapphire mientras empezaba a limpiar los cortes profundos con los algodones empapados en alcohol que Kramisha le pasaba.

Stevie Rae aspiró aire con la boca por el dolor.

—Soy una vampira roja —consiguió decir a través de los dientes apretados—. Mi sangre es diferente a la vuestra.

—No, tienen razón. Tu sangre huele raro —dijo Kramisha, apartando la mirada de las heridas de Stevie Rae y arrugando la nariz.

Stevie Rae pensó rápido.

—Es porque bebió de mí —adujo.

—¿¡Quién!? ¿¡El cuervo del escarnio!? —se escandalizó Lenobia.

—¡No! —negó Stevie Rae y siguió hablando rápidamente—: Como traté de explicarle a Dallas una y otra vez, el cuervo del escarnio no me hizo nada. Él también era una víctima.

—Entonces, ¿qué te pasó? —preguntó Lenobia.

Stevie Rae respiró profundamente y empezó a contar una historia en su mayoría verídica.

—Fui al parque porque estaba tratando de obtener información de la tierra que pudiera ayudar a Zoey porque Aphrodite me pidió que lo hiciera. Existen unas antiguas creencias vampíricas que ya no están de moda, basadas en unos guerreros que ella cree que pueden ayudar a Stark a llegar hasta Zoey, en el Otro Mundo.

—Pero Stark no puede entrar en el Otro Mundo sin morir —apostilló Lenobia.

—Sí, eso es lo que todo el mundo dice, pero recientemente Aphrodite y yo encontramos estas historias antiguas que pueden ayudarle a llegar vivo hasta allí. La religión, o como quieras llamarla, se supone que estaba representada por vacas… quiero decir toros. Uno blanco y uno negro. —Recordándolo, Stevie Rae se estremeció—. Aphrodite, la muy imbécil, se olvidó de decirme que el maldito toro blanco era el malo y que el maldito toro negro era el bueno, así que llamé al toro malo por accidente.

La cara de Lenobia palideció tanto que casi parecía transparente.

—¡Oh, Diosa! ¿Convocaste a la Oscuridad?

—¿Sabes de qué va todo esto? —le preguntó Stevie Rae.

Con lo que pareció un movimiento inconsciente, una de las manos de Lenobia se elevó para tocarse la nuca.

—Sé un poco de Oscuridad y, como profesora de equitación, sé bastante sobre animales.

Sapphire limpió el corte que recorría la cintura de Stevie Rae, haciéndola gemir.

—¡Ah, mierda, eso duele!

Cerró los ojos por un momento, tratando de concentrarse a pesar del dolor. Cuando los abrió, vio a Lenobia estudiándola con una expresión que no pudo descifrar, pero antes de poder formularle la pregunta correcta, la profesora de equitación le hizo una a ella:

—¿Qué estaba haciendo allí el cuervo del escarnio? Has dicho que no te atacó, pero sin duda tampoco tenía motivos para atacar a la Oscuridad.

—Porque están en el mismo bando —añadió Kramisha, asintiendo pensativamente.

—Yo no sé nada de bandos ni nada de eso, pero el toro malo atacó al cuervo del escarnio.

Stevie Rae respiró profundamente y continuó.

—De hecho, la aparición del cuervo del escarnio fue lo que me salvó. Medio cayó del cielo y distrajo al toro el tiempo suficiente como para que pudiese extraer poder de la tierra para invocar al toro bueno. —Stevie Rae no pudo evitar sonreír mientras hablaba de aquella impresionante bestia—. Nunca antes había visto nada como él. Era tan hermoso y bueno, y tan sabio... Se abalanzó sobre el toro blanco y ambos desaparecieron. Después Dallas pudo entrar en el círculo y el cuervo del escarnio echó a volar.

—¿Pero lo que estás diciendo es que antes de que el cuervo del escarnio llegase, el toro blanco bebió de tu sangre? —dijo Lenobia.

Stevie Rae tuvo que sofocar otro escalofrío de repugnancia.

—Sí. Dijo que debía pagar porque me había respondido a la pregunta. Probablemente esa sea la razón por la que mi sangre huele raro, porque todavía quedan restos de él en mí y os aseguro que apestaba. Y por eso necesito hacer esa llamada. El toro sí que respondió a mi pregunta y tengo que hablar con Aphrodite.

—Creo que podéis permitirle hacer la llamada. De todas maneras, no necesita los puntos. Los cortes ya se le están cerrando —dijo Kramisha, señalando los primeros que le había hecho la Oscuridad alrededor de los tobillos.

Stevie Rae miró hacia abajo pero sabía lo que iba a ver antes de hacerlo. Ya lo sentía: la sangre de Rephaim estaba extendiendo su calidez y su fuerza a lo largo de su cuerpo, haciendo que la carne desgarrada empezase a unirse y regenerarse.

—Esto es increíblemente inusual. Es semejante a la rapidez con la que te curaste de tus quemaduras —señaló Sapphire.

Stevie Rae se obligó a mirar a la enfermera vampira.

—Soy una vampira roja alta sacerdotisa. No ha habido nadie como yo antes, así que supongo que se puede decir que soy como la curva de aprendizaje de todos. Será que sanamos así de rápido.

Cogió la esquina de la sábana para taparse el cuerpo y extendió una mano hacia Kramisha.

—Necesito tu teléfono… ahora.

Sin más palabras, Kramisha fue adonde había dejado el bolso, rebuscó en él en busca de su móvil y se lo dio a Stevie Rae.

—Aphrodite está en la «p».

Stevie Rae marcó el número. Aphrodite contestó al tercer tono.

—Sí, es jodidamente temprano para llamar y no, no me importa el estúpido poema que acabes de escribir, Kramisha.

—Soy yo.

El tono sarcástico de Aphrodite desapareció de inmediato.

—¿Qué ha pasado?

—¿Tú sabías que el toro blanco era el malo y el negro el bueno?

—Sí. ¿No te conté esa parte? —dijo Aphrodite.

—No, y ya te vale, porque convoqué al toro blanco a mi círculo.

—Oh, oh… Eso no está nada bien. ¿Qué pasó?

—¿Nada bien? Eso es quedarse malditamente corta, Aphrodite. Fue malo. Muy, muy malo.

Stevie Rae quería decirles a Lenobia y a Sapphire, e incluso a Kramisha, que salieran para poder hablar con Aphrodite en privado y entonces quizás sufrir una crisis y llorar hasta que se le secaran los ojos, pero sabía que necesitaban escuchar lo que tenía que decir. Desgraciadamente, las cosas malas no desaparecían solo con ignorarlas.

—Aphrodite, es una maldad como no he visto antes. Hace que Neferet parezca una niña disfrazada en Halloween. —Stevie Rae ignoró el bufido indignado de Sapphire y siguió hablando rápidamente—. Y es inmensamente poderoso. No pude luchar contra él. No creo que nadie pueda, excepto el otro toro.

—¿Y entonces cómo escapaste? —Aphrodite hizo una pausa durante medio latido antes de continuar—. Porque escapaste, ¿no? No estás bajo su hechizo ni te usa como una marioneta para extender la maldad con acento marcadamente pueblerino, ¿no?

—Eso que dices es una tontería, Aphrodite.

—Da igual, dime algo que pruebe que tú eres realmente tú.

—La última vez que hablamos me llamaste retrasada. Más de una vez. Y dijiste que era gilimema, que ni siquiera es una palabra real. Y me sigue pareciendo mal.

—Vale, eres tú. ¿Y cómo te escapaste del toro?

—Me las arreglé para llamar al toro bueno, que es tan bueno como el otro malvado. Y al enfrentarse, los dos desaparecieron.

—¿Entonces no conseguiste averiguar nada?

—Sí.

Stevie Rae cerró los ojos mientras se concentraba con toda su alma para asegurarse de que recordaba palabra por palabra lo que había dicho el toro blanco.

—Le pregunté cómo podía llegar Stark hasta Zoey para protegerla mientras se recomponía y trataba de volver. Esto fue lo que el toro blanco respondió: «El guerrero debe mirar en su sangre para descubrir el puente que le permitirá acceder a la isla de las Mujeres. Después debe derrotarse a sí mismo en la arena, pues solo reconociéndose a sí mismo ante el otro se reunirá con su sacerdotisa. Después de reunirse con ella, será su elección, y no la de él, el regresar o no».

—¿Dijo la isla de las Mujeres? ¿Estás segura de eso?

—Sí, totalmente. Eso es exactamente lo que dijo.

—Bien. Vale. Eh, espera, voy a escribirlo para no olvidarme de nada.

Stevie Rae pudo escuchar a Aphrodite garabateando en un papel. Cuando acabó, su voz transmitía una gran emoción.

—¡Esto significa que estamos en el buen camino! ¿Pero cómo demonios va a encontrar Stark un puente mirando en su sangre? ¿Y qué significa eso de que tiene que derrotarse a sí mismo?

Stevie Rae suspiró. Un tremendo dolor de cabeza se inició en sus sienes.

—No tengo ni idea, pero conseguir esa respuesta casi me mata, así que espero que signifique algo y que sea importante.

—Entonces va a ser mejor que Stark lo averigüe… —Aphrodite dudó un instante antes de continuar—. Si el toro negro es tan maravilloso, ¿por qué no lo llamas de nuevo y…?

—¡No! —Stevie Rae habló con tanta fuerza que todas en la habitación dieron un respingo—. Nunca más. Y no deberías permitir que nadie más conjurase a esos toros. El precio es demasiado alto.

—¿A qué te refieres con que el precio es demasiado alto? —preguntó Aphrodite.

—Me refiero a que son demasiado poderosos. No se pueden controlar, sean el bien o el mal. Aphrodite, hay cosas con las que no se puede jugar y esos toros son dos de ellas. Además, no estoy segura de que se pueda llamar a uno sin que el otro acabe apareciendo también y, créeme, tú no querrías conocer jamás de los jamases al toro blanco.

—Vale, vale… cálmate. Ya pillo lo que me dices y te aseguro que siento malas vibraciones con solo hablar de esos toros. Creo que tienes razón. No te estreses. Nadie va a hacer nada que no sea ayudar a Stark a encontrar un puente de sangre en la isla de Skye.

—Aphrodite, no creo que sea un puente de sangre. Eso ni siquiera tiene sentido.

Stevie Rae se frotó la cara con la mano y se sorprendió al ver que le temblaba el pulso.

—Ya basta por ahora —le murmuró Lenobia—. Eres fuerte, pero no inmortal.

Stevie Rae la miró, pero no vio nada en los ojos de la profesora de equitación que no fuese preocupación.

—Eh, oye, tengo que colgar. No me siento demasiado bien.

—Oh, demonios. No te estarás muriendo otra vez, ¿no? No te suele sentar muy bien…

—No, no me estoy muriendo otra vez. Ya no. Y tú no eres ni medio agradable. Para nada. Ya te llamaré. Saluda a todos de mi parte.

—Sí, esparciré tu amor. Adiós, pueblerina.

—Adiós.

Stevie Rae pulsó el botón de «colgar», le devolvió el teléfono a Kramisha y después se apoyó con fuerza en la almohada.

—Eh, ¿os importaría si duermo durante un rato?

—Bébete otra de estas —dijo Sapphire alargándole otra bolsa de sangre—. Y después duerme. Tenéis que iros las dos y dejarla descansar.

La enfermera vampira metió los sangrientos algodoncitos empapados de alcohol en una bolsa de basura, se quitó los guantes de látex, fue hasta la puerta y se quedó allí de pie, dando golpecitos con el pie y mirando mal a Lenobia y Kramisha.

—Volveré para ver cómo estás cuando hayas descansado —dijo Lenobia.

—Suena bien —le sonrió Stevie Rae.

Lenobia le apretó la mano antes de irse. Cuando Kramisha se acercó a ella, Stevie Rae pensó por un extraño y sorprendido momento que la chica iba a hacer algo como abrazarla... o peor, besarla. En lugar de eso, Kramisha la miró a los ojos y le susurró:

—Mira con tu alma y no con tus ojos, porque para bailar con bestias debes penetrar en su disfraz.

De repente Stevie Rae sintió frío.

—Supongo que debería haberte escuchado mejor. Quizás entonces habría sabido que estaba llamando a la vaca equivocada —le susurró en respuesta.

La mirada de Kramisha era aguda y estaba llena de sabiduría.

—Quizás todavía deberías hacerlo. Algo en mi interior me dice que no has acabado de bailar con las bestias.

Después se estiró y habló con voz normal.

—Duerme un poco. Vas a necesitar todo tu sentido común mañana.

Cuando la puerta se cerró y se quedó sola en la habitación, Stevie Rae inhaló y soltó un suspiro de alivio. Metódicamente, se bebió la última bolsa de sangre y después se subió la manta del hospital hasta el cuello, se acurrucó sobre un costado y, con un suspiro, empezó a retorcer lentamente uno de sus rizos rubios alrededor de un dedo. Estaba completamente exhausta. Parecía que todo el poder de la sangre de Rephaim la había agotado por completo al tiempo que la curaba.

Rephaim...

Stevie Rae nunca jamás olvidaría su aspecto cuando se enfrentó a la Oscuridad por ella. Había sido tan fuerte, tan valiente y tan bueno... No importaba que Dallas, Lenobia y el maldito mundo entero pensasen que estaba del lado de la Oscuridad. No importaba que su padre fuese un guerrero caído de Nyx que había escogido el mal hacía siglos. Nada de eso tenía importancia.

Ella había visto la verdad. Se había sacrificado voluntariamente por ella. Quizás no había elegido la Luz, pero había rechazado definitivamente la Oscuridad.

Había hecho bien al salvarle aquel día fuera de la abadía, y también había hecho bien al llamar al toro blanco para salvarlo hoy... le daba igual el coste que tuviera para ella.

Rephaim merecía ser salvado.

¿No?

Sí, tenía que merecerlo. Después de lo que había sucedido, tenía que merecerlo.

Su dedo se quedó quieto y los ojos empezaron a cerrársele, aunque ella no quería ni pensar más ni soñar... no quería recordar aquella aterradora Oscuridad y el dolor, indescriptible.

Pero sus ojos se cerraron y llegaron los recuerdos de la Oscuridad y de lo que le había hecho. Mientras luchaba contra el implacable empuje del agotamiento, en medio de ese círculo de terror Stevie Rae volvió a oír su voz: «Estoy aquí porque ella está aquí, y porque me pertenece». Aquella sencilla frase espantó sus temores y permitió que el recuerdo de la Oscuridad diera paso al rescate de la Luz.

Justo antes de que Stevie Rae cayese en un sueño profundo y sin sueños, pensó en el maravilloso toro negro y el pago que este le había exigido y, de nuevo, las palabras de Rephaim resonaron en su mente: «Estoy aquí porque ella está aquí, y porque me pertenece».

Con su último pensamiento consciente, se preguntó si Rephaim sabría alguna vez lo irónicamente ciertas que esas palabras se habían hecho para los dos...

15

Stark

Cuando Stark se despertó, por un segundo no recordó nada. Lo único que sabía era que Zoey estaba ahí, en la cama, a su lado. Sonrió medio dormido y se giró, estirando un brazo para acercarla más a él.

La sensación helada y sin vida de su carne insensible lo despertó por completo y la realidad lo golpeó y destrozó el último de sus sueños.

—Por fin. ¿Sabes? Los vampiros rojos seréis muy fuertes y todo eso de noche, pero durante el día dormís como si estuvieseis muertos. Es espeluznante. Que sepas que cumples con todos los estereotipos...

Stark se incorporó, frunciéndole el ceño a Aphrodite, que estaba sentada en una de las sillas de terciopelo color crema con las largas piernas cruzadas elegantemente, bebiendo a sorbitos de una taza de té humeante.

—Aphrodite, ¿qué haces tú aquí?

En lugar de responderle, Aphrodite miró a Zoey.

—No se ha movido ni un ápice desde que sucedió, ¿verdad?

Stark salió de la cama y volvió a colocar suavemente la manta sobre Zoey. Le tocó la mejilla con la punta de los dedos y la besó en la única marca que quedaba en su cuerpo, el tatuaje habitual de una luna creciente en medio de su frente. *No pasa nada si vuelves como una iniciada normal. Tú solo vuelve,* pensó mientras sus labios rozaban su marca. Después se estiró y miró a Aphrodite.

—No. No se ha movido. No puede. No está aquí. Y tenemos siete días para averiguar cómo hacer que vuelva.

—Seis —lo corrigió Aphrodite.

Stark tragó con fuerza.

—Sí, tienes razón. Ahora ya son seis.

—Vale, entonces vamos. Está claro que no hay tiempo que perder.

Aphrodite se levantó y se dispuso a salir de la habitación.

—¿Adónde vamos? —dijo Stark siguiéndola, pero sin dejar de mirar a Zoey por encima del hombro.

—Eh, tienes que reaccionar. Tú mismo lo has dicho: Zoey no está aquí. Así que deja de mirarla como si fueses un perrito abandonado.

—¡La amo! ¿Tienes la más mínima idea de lo que eso significa?

Aphrodite se detuvo y se giró para estar cara a cara con él.

—El amor no tiene una mierda que ver con esto. Tú eres su guerrero, lo cual significa más que la frase «Amo a Zoey» —le dijo sarcásticamente, poniendo comillas en el aire—. Yo tengo mi propio guerrero, así que sé lo que eso significa, y esta es la verdad: si mi alma se rompiera y yo estuviese atrapada en el Otro Mundo, no me gustaría que Darius se pusiese a lloriquear y andar por ahí con el corazón roto. Me gustaría que se pusiese a trabajar como un poseso para averiguar cómo hacer su trabajo, ¡que es seguir vivo y protegerme para que pueda encontrar la manera de volver a casa! Y ahora, ¿vienes o no?

Hizo un movimiento de cabeza, sacudiendo el pelo, le dio la espalda y empezó a bajar hacia el vestíbulo.

Stark cerró la boca y la siguió. Caminaron en silencio durante un rato mientras Aphrodite lo conducía escaleras abajo, a través de pasillos cada vez más estrechos y más abajo.

—¿Adónde vamos? —preguntó Stark de nuevo.

—Bueno, es como una mazmorra. Huele a moho y a humanidad, la decoración institucional sería válida para una prisión o un ala de psiquiatría en un hospital, y hace que Damien piense que está muerto y ha llegado al paraíso de los empollones. A ver si lo adivinas…

—¿Volvemos a un instituto humano?

—Casi —le dijo ella, casi sonriendo—. Vamos a una biblioteca realmente antigua que está ocupada por la panda de lerdos, que busca respuestas frenéticamente.

Stark respiró profundamente y dejó escapar un largo suspiro para evitar reírse. A veces hasta le gustaba Aphrodite… aunque nunca lo admitiría.

Stark

Aphrodite tenía razón: el sótano del palacio sí que le recordaba a una vulgar biblioteca de una escuela pública, menos por el tipo de ventanas y las persianillas baratas raídas, que resaltaban comparadas con el resto de la isla de San Clemente, extremadamente opulento. Allí abajo, en el sótano, sin embargo, únicamente había un montón de mesas de madera gastada, bancos rígidos, paredes de piedra blanca vacías y toneladas de estanterías llenas con millones de libros de diferentes tamaños, formas y estilos.

Los amigos de Zoey se reunían alrededor de una mesa grande desbordada de libros, latas de refresco, bolsas de patatas arrugadas y un bote monumental lleno de regalices rojos. Stark pensó que parecían cansados pero totalmente enganchados al azúcar y a la cafeína. Mientras Aphrodite y él se acercaban, Jack sostenía un gran libro de cuero y señalaba una ilustración.

—Mirad esto... es una copia de una pintura de una alta sacerdotisa griega llamada Calíope. Dice que fue la musa de la poesía quien iluminó a Safo. ¿No es igualita a Cher?

—Uau, parece coña. Es igualita a Cher de joven —coincidió Erin.

—Sí, antes de que empezara a ponerse aquellas pelucas blancas. ¿Cómo demonios se le pudo ocurrir? —dijo Shaunee.

Damien miró con mala cara a las gemelas.

—A Cher no le pasa nada. Absolutamente nada.

—Oh, oh... —dijo Shaunee.

—Hemos pinchado en hueso gay... —agregó Erin.

—Yo tuve una muñeca Barbie de Cher. Me encantaba esa muñeca —dijo Jack.

—¿Barbies, panda de lerdos? ¿Habláis en serio? Se supone que deberíais estar salvando a Z, ¿os acordáis? —dijo Aphrodite, sacudiendo la cabeza del disgusto y haciendo una mueca hacia los regalices.

—Hemos estado en ello todo el día. Solo nos estamos tomando un descanso. Tánatos y Darius han salido a buscar comida —dijo Damien—. Hemos hecho algún progreso, pero esperaré a que vuelvan para contároslo todo.

Saludó a Stark y su bienvenida fue repetida por los otros chicos.

—Sí, no seas tan criticona, Aphrodite. Hemos estado trabajando duro, ¿sabes?

—Estabais hablando de muñecas —dijo Aphrodite.

—De Barbies —la corrigió Jack—. Y solo durante un segundo. Además, las Barbies son guays y una parte importante de la cultura estadounidense. —Asintió para enfatizar sus palabras y apretó el retrato de Calíope-Cher contra su pecho—. Especialmente las Barbies de famosas.

—Las Barbies de famosas solo serían importantes si tuviesen aditamentos interesantes que pudieses comprarles —indicó Aphrodite.

—¿Aditaqué? —dijo Shaunee.

—Parece que te hayas tragado un francés y estés tratando de escupirlo —dijo Erin.

Las gemelas se rieron.

—Mitad derecha y mitad izquierda del cerebro... escuchad. Los aditamentos interesantes vienen siendo cosas guays, como accesorios fuera de lo común —dijo Aphrodite, cogiendo delicadamente una patata.

—Vale, no sabes nada sobre Barbies, así que tu madre tenía que odiarte mucho —dijo Erin.

—No es que eso nos sorprenda... —añadió Shaunee.

—Porque cualquiera que haya tenido una Barbie sabe que puedes comprarles cosas —acabó Erin.

—Sí, cosas guays —dijo Jack, de acuerdo con ellas.

—No tan guays, según mi definición —dijo Aphrodite con una sonrisita de autosuficiencia.

—¿Cuál es tu definición de guay? —preguntó Jack, haciendo que Shaunee y Erin refunfuñaran.

—Bueno, ya que lo preguntas… Para mí sería guay que Barbie hiciese una muñeca de Barbra Streisand, pero habría que comprarle las uñas y la nariz por separado. Y las uñas postizas tendrían que venir en un montón de colores diferentes.

Hubo un silencio asombrado.

—Eso… sería… genial —dijo Jack, y sonó un poco aturdido.

Aphrodite se creció.

—¿Y qué os parece una muñeca de Britney Spears calva que tuviese extras como un paraguas, un traje de gorda, pelucas raras y, por supuesto, bragas opcionales?

—¡Puaj! —dijo Jack, riéndose—. Sí, y una muñeca de Paris Hilton con cerebro opcional.

Aphrodite lo miró, levantando una ceja.

—Tampoco te vuelvas loca. Hay algunas cosas que ni siquiera Paris Hilton puede comprar.

Stark estaba allí de pie, estupefacto. Cuando todos rompieron a reír, pensó que le iba a estallar el cerebro.

—¡¡Pero qué demonios os pasa?! —les gritó—. ¿Cómo podéis reíros y gastar bromas de esta manera? ¡Estáis ocupados hablando de juguetitos mientras a Zoey le quedan días para morirse!

En el incómodo silencio que siguió a sus palabras, la voz de Tánatos sonó anormalmente elevada.

—No, guerrero. No están ocupados hablando de juguetes. Están ocupados concentrándose en la vida y en cómo permanecer entre los vivos.

La vampira traspasó la entrada de la habitación desde donde ella y Darius habían estado observando a los chicos en silencio. Darius la siguió, colocando una bandeja llena de bocadillos y fruta en el medio de la mesa. Después se sentó al lado de Aphrodite en el banco de madera.

—Y prestadle atención a alguien que sabe bastante acerca de la muerte: lo que debéis hacer es centraros en la vida si queréis seguir respirando en este mundo.

Damien se aclaró la voz, atrayendo la mirada de Stark. Serenamente, el iniciado lo miró.

—Sí, esa es una de las cosas que hemos aprendido en la investigación que hemos estado realizando.

—Mientras tú dormías —murmuró Shaunee.

—Y nosotros no —añadió Erin.

—Bueno, pues lo que hemos averiguado gracias a nuestra investigación —dijo Damien antes de que Stark pudiese decirles nada a las gemelas— es que en todos los casos en que una alta sacerdotisa sufrió una conmoción tan grande que su alma se rompió, su guerrero pareció incapaz de seguir con vida.

Olvidadas las Barbies y las discusiones de las gemelas, la expresión de Stark era un interrogante mientras miraba a Damien y trataba de encontrarle sentido a lo que le había dicho.

—¿Dices que todos los guerreros cayeron muertos?

—En cierta manera, sí —respondió Damien.

—Algunos se mataron para asegurarse de poder seguir a su alta sacerdotisa al Otro Mundo y seguir protegiéndola allí —dijo Tánatos, continuando con la explicación.

—Pero aquello no funcionó porque ninguna de las altas sacerdotisas volvió, ¿no? —dijo Stark.

—Correcto. Lo que sabemos de las sacerdotisas que, a través de su afinidad con el espíritu, viajaron al Otro Mundo, es que esas altas sacerdotisas perdidas no pudieron soportar la muerte de sus guerreros. Algunas fueron capaces de curar sus almas en el Otro Mundo, pero eligieron quedarse con sus guerreros.

—Algunas se curaron —dijo Stark lentamente—. ¿Qué les pasó a las altas sacerdotisas que no lo hicieron?

Los amigos de Zoey se agitaron, incómodos, pero la voz de Tánatos permaneció firme.

—Como escuchaste ayer, si un alma sigue rota, la persona se convierte en un *caoinic shi'*, en un ser que nunca descansará.

—Es como un zombi, pero que no se come a la gente —dijo Jack suavemente y después se estremeció.

—Eso no puede sucederle a Zoey —dijo Stark.

Él había jurado proteger a Zoey y tenía que hacerlo, iba a seguir cumpliendo su juramento en el Otro Mundo para asegurarse de que no se convertía en ningún tipo de horrible zombi.

—Pero aunque el resultado final fuera el mismo, no todos los guerreros se mataron para seguir a sus altas sacerdotisas —dijo Damien.

—Habladme de los otros —pidió Stark.

Incapaz de sentarse, se puso a caminar de un lado a otro, por delante de la mesa.

—Bueno, estaba bastante claro que ningún guerrero ni ninguna alta sacerdotisa había conseguido volver después de que el guerrero se matase, así que encontramos información sobre guerreros que hicieron montones de cosas diferentes para intentar llegar al Otro Mundo —dijo Damien.

—Algunos estaban locos… como uno que se mató de hambre hasta que empezó a tener delirios y, de alguna manera, abandonó su cuerpo —dijo Jack.

—Se murió —dijo Shaunee.

—Sí, la historia es repulsiva. Se ve que gritó mucho y que alucinó y dijo cosas sobre su alta sacerdotisa y lo que le estaba pasando antes de estirar la pata —aclaró Erin.

—Eso no ayuda —intervino Aphrodite.

—Algunos de los guerreros consumieron drogas para entrar en un estado de trance y consiguieron así que sus espíritus abandonasen este mundo —continuó Damien mientras las gemelas le ponían los ojos en blanco a Aphrodite—. Pero no pudieron entrar en el Otro Mundo. Lo sabemos porque volvieron a sus cuerpos durante el tiempo suficiente para contarles a sus testigos que no lo habían conseguido.

Damien hizo entonces una pausa, mirando a Tánatos. Ella retomó la historia.

—Entonces los guerreros murieron. Todos y cada uno de ellos.

—Los mató no ser capaces de proteger a sus altas sacerdotisas —dijo Stark con voz totalmente inexpresiva.

—No, fue darle la espalda a la vida lo que los mató —lo corrigió Darius.

Stark se giró hacia él.

—¿Y tú no lo harías? Si Aphrodite muriera porque tú no pudieses protegerla, ¿no escogerías morir antes que vivir sin ella?

Aphrodite no le dio a Darius oportunidad de contestar.

—¡Me cabrearía mucho si mi guerrero muriese de esa manera! Eso es lo que estaba tratando de decirte arriba. No puedes seguir mirando hacia atrás… a Zoey, al pasado, ni siquiera a tu juramento. Tienes que avanzar para encontrar una nueva manera de vivir, una nueva manera de protegerla.

—Entonces decidme algo, cualquier cosa que hayáis encontrado en esos malditos libros que me pueda ayudar, en lugar de contarme cómo fracasaron otros guerreros.

—Te contaré algo que no he leído en un libro. Stevie Rae convocó por accidente al toro blanco ayer por la noche.

—¡La Oscuridad! ¿Una iniciada convocó a la Oscuridad en este mundo?

Tánatos reaccionó como si Aphrodite acabase de hacer explotar una bomba en medio de la habitación.

—Ella no es una iniciada. Es como Stark, una vampira roja. Pero sí, lo hizo. En Tulsa. Fue un accidente.

Ignorando la mirada estupefacta de Tánatos, Aphrodite sacó un papelito de su bolsillo y lo leyó.

—«El guerrero debe mirar en su sangre para descubrir el puente que le permitirá entrar en la isla de las Mujeres y después debe derrotarse a sí mismo en la arena. Solo reconociéndose a sí mismo ante el otro se reunirá con su sacerdotisa. Después de reunirse con ella, será su elección, y no la de él, el regresar o no.» —Aphrodite levantó la vista—. ¿Alguien tiene alguna idea de lo que esto puede significar?

Movió el papelito en el aire y Damien lo cogió, releyéndolo mientras Jack lo ojeaba por encima de su hombro.

—¿Qué precio exigió la Oscuridad por ese conocimiento? —preguntó Tánatos. Tenía la cara totalmente pálida—. ¿Y cómo sobrevivió a ese pago sin perder la mente o el alma?

—Eso me pregunté yo también, sobre todo después de que Stevie Rae me contase lo malvado que era el toro blanco. Dijo que no creía que nadie excepto el toro negro lo pudiese derrotar. Así fue como escapó de él.

—¿También convocó al toro negro? —dijo Tánatos—. Eso es casi increíble. Stevie Rae tiene algunas habilidades increíbles, gracias a la tierra.

—Sí, fue así como dijo que había conseguido que el toro bueno fuese a Tulsa. Extrajo el poder de la tierra para convocarlo —dijo Aphrodite.

—¿Y tú confías en esa vampira, en Stevie Rae?

Aphrodite dudó.

—La mayoría de las veces.

Stark esperaba que alguno de los chicos saltase y corrigiese a Aphrodite, pero todos permanecieron en silencio hasta que habló Damien.

—¿Por qué nos preguntas si confiamos en Stevie Rae?

—Porque una de las pocas cosas que sé de las antiguas creencias sobre la Luz y la Oscuridad, simbolizada por los toros, es que siempre exigen un pago por sus favores. Siempre. La respuesta a la pregunta de Stevie Rae fue un favor de la Oscuridad que exigía un tributo.

—Pero llamó al toro bueno y le dio una patada en el culo al toro malo. Igual eso la libró de pagarle al malo —dijo Jack.

—Entonces tendría una deuda con el toro negro —adujo Tánatos.

Aphrodite entrecerró los ojos.

—A eso se refería cuando decía que nunca jamás iba a volver a convocar a los toros porque el precio era demasiado alto.

—Creo que deberías hablar con tu amiga y descubrir cómo pagó al toro negro —dijo Tánatos.

—Y por qué no me lo ha contado —añadió Aphrodite.

Los ojos de Tánatos parecían viejos y tristes.

—Tú recuerda que todo tiene consecuencias, buenas o malas.

—¿Podemos dejar de mirar al pasado y a lo que le ha sucedido a Stevie Rae? —dijo Stark—. Necesitamos avanzar. Hacia Skye y un puente de sangre. Así que vamos.

—Eh, chicarrón —le dijo Aphrodite—, tranquilízate un segundo. No puedes aparecer sin más en la isla de las Mujeres y ponerte a dar tumbos buscando un puente sangriento. El hechizo protector de Sgiach te daría una patada en el culo… como para matarte.

—No creo que Stark deba buscar algo literal —dijo Damien, estudiando la nota de Aphrodite de nuevo—. Dice que debe buscar en su sangre para descubrir el puente, no que debe buscar un puente de sangre.

—Puaj, metáforas. Una razón más por la que odio a muerte la poesía —dijo Aphrodite.

—Yo soy bueno con las metáforas —se ofreció Jack—. Déjame verlo.

Damien le alargó el papel. Jack se mordió el labio mientras volvía a leer las líneas.

—Mmm, si estuvieses conectado con alguien, quizás querría decir que deberíamos hablar con esa persona. Quizás así averiguaríamos algo.

—Yo no estoy conectado con nadie —dijo Stark, empezando a caminar de nuevo.

—Entonces puede significar que necesitas mirar en tu interior... que hay algo en ti que es la clave para entrar en la isla de Sgiach —aventuró Damien.

—¡Yo no sé nada! ¡Ese es el problema!

—Vale... vale, ¿y si miramos las notas que hemos tomado sobre Sgiach para ver si hay algo en ella que te encienda la lucecita? —dijo Jack, intentando consolar a Stark.

—Sí, relájate —dijo Shaunee.

—Siéntate y cómete un bocata —dijo Erin señalando el extremo de su banco con el bocadillo que había empezado ya a masticar.

—Come —dijo Tánatos, tomando un bocadillo y sentándose al lado de Jack—. Céntrate en la vida.

Stark sofocó un gruñido de frustración, cogió un bocadillo y se sentó.

—Oh, saca el esquema que hicimos —dijo Jack, mirando por encima del hombro a Damien mientras él rebuscaba entre las notas que habían ido tomando—. Algunas cosas son confusas y la ayuda visual siempre viene bien.

—Buena idea... aquí está.

Damien arrancó una hoja del bloc de notas que había casi llenado de anotaciones. Arriba del todo había dibujado un gran paraguas abierto. En un lado había escrito «Luz» y en el otro «Oscuridad».

—El paraguas de Luz y Oscuridad es una buena imagen —dijo Tánatos—. Muestra que las dos fuerzas se complementan.

—Fue idea mía —dijo Jack, sonrojándose un poco.

Damien le sonrió.

—Buen trabajo —dijo. Después señaló la columna escrita bajo la Luz—. A ver, bajo la fuerza de la Luz he anotado: el bien, el toro negro, Nyx, Zoey y nosotros.

Hizo una pausa y todos asintieron.

—Y bajo la Oscuridad tengo: el mal, el toro blanco, Neferet/*tsi sgili*, Kalona y los cuervos del escarnio.

—Veo que has puesto a Sgiach en el medio —dijo Tánatos.

—Sí, junto con los aros de cebolla, los pastelitos Ding Dong y mi nombre —dijo Aphrodite—. ¿Qué demonios significa eso?

—Bueno, no hemos conseguido decidir si Sgiach es una fuerza de la Luz o de la Oscuridad —dijo Damien.

—Yo añadí los aros de cebolla y los Ding Dongs —dijo Jack. Como todo el mundo se le quedó mirando, se encogió de hombros y se explicó—. Los aros de cebolla son fritos y engordan, pero la cebolla es una verdura. ¿Y no se supone que son buenas para la salud? ¿Quizás? Y, bueno, los Ding Dongs son pastelitos de chocolate, pero tienen nata en medio. ¿No se supone que es un producto lácteo y, por tanto, saludable?

—Creo que tienes algún daño cerebral —dijo Aphrodite.

—Nosotras añadimos tu nombre —dijo Erin.

—Sí, porque pensamos que eres como Rachel en Glee —dijo Shaunee—. Alguien supermolesto, pero que debe seguir en la serie porque a veces tiene buenas salidas y puede acabar arreglándote el día.

—Pero pensamos que sigue siendo una bruja del infierno. Como tú —acabó Erin, sonriéndole a Aphrodite almibaradamente.

—Bueno… —dijo Damien borrando rápidamente los aros de cebolla, los Ding Dongs y el nombre de Aphrodite, colocando el cuadro en el medio de la mesa y después volviendo a su bloc de notas amarillo— aquí está la información que hemos encontrado sobre Sgiach.

Damien empezó a leer rápidamente las notas que había tomado.

—Se la considera reina de los guerreros. Muchos guerreros solían entrenarse en su isla, así que había muchas idas y venidas de los Hijos de Érebo, pero los guerreros que se quedaron con ella, los que estaban comprometidos a su servicio…

—Espera, ¿a Sgiach le prestó juramento más de un guerrero? —lo interrumpió Stark.

Damien asintió.

—Parece ser que tenía un clan entero de ellos. Solo que no se llamaban Hijos de Érebo. Su nombre era… —Damien hizo una pausa, pasando páginas—. Aquí está. Se les llamaba Guardianes del As.

—¿Por qué del As? —preguntó Stark.

—Es una metáfora —aclaró Aphrodite, poniendo los ojos en blanco—. Otra más. Así llamaban a Sgiach. Simboliza a la reina de su clan.

—Creo que eso de los clanes escoceses es genial —dijo Jack.

—Claro que sí —replicó Aphrodite—. Chicos en faldas… es tu sueño húmedo.

—*Kilts*, no faldas —dijo Stark—. O tartán. Si te refieres a los que son realmente antiguos y más largos, esos se llaman feileadh mor.

Aphrodite le miró enarcando una ceja rubia.

—¿Y todo esto lo sabes porque te gusta ponértelas?

Él se encogió de hombros.

—Yo no, pero mi abuelo sí solía hacerlo.

—¿Eres escocés? —La voz de Damien estaba llena de incredulidad—. ¿Y nos lo dices ahora?

Stark se encogió de hombros de nuevo.

—¿Qué tiene que ver mi familia humana con algo de esto? Ni siquiera he hablado con ellos en casi cuatro años.

—No es solo la familia.

La voz de Damien subió de tono por la emoción mientras revolvía las páginas de sus notas de nuevo.

—Oh, por todos los demonios. Tu familia es tu sangre, estúpido —le dijo Aphrodite—. ¿Cuál era el apellido de tu abuelo?

Stark le frunció el ceño a Aphrodite.

—MacUallis —dijeron Stark y Damien a la vez.

—¿Cómo lo sabías? —preguntó Stark.

—Los del clan MacUallis eran los Guardianes del As —sonrió Damien victoriosamente, sosteniendo una página de sus notas donde se podían leer las palabras «Clan Macuallis = Guardianes del As» para que todo el mundo lo viera.

—Parece que hemos encontrado nuestro puente de sangre —dijo Jack, abrazando a Damien.

16

Zoey

Heath se agitó y murmuró algo sobre saltarse el entrenamiento de fútbol y seguir durmiendo. Lo miré y sostuve la respiración mientras seguía andando en círculos a su alrededor.

No podía despertarlo y decirle que estaba más muerto que una piedra y que nunca más podría volver a jugar al fútbol…

No, demonios.

Traté de ser tan silenciosa como pude, pero no podía parar quieta. Esta vez ni siquiera había intentado tumbarme a su lado. No podía evitarlo. No podía serenarme. Tenía que seguir moviéndome.

Estábamos en el centro de la misma densa arboleda en la que nos habíamos metido corriendo antes. ¿Antes, cuándo? En realidad, no era capaz de recordarlo, pero esos pequeños árboles nudosos y esas piedras antiguas eran geniales… Y el musgo. Especialmente el musgo. Lo había por todas partes, grueso, suave y acolchado.

De repente tenía los pies descalzos y me distraje hundiéndolos en el musgo y dejando que mis dedos jugasen con la alfombra verde viviente.

¿Viviente?

Suspiré.

No. Suponía que nada allí estaba realmente vivo, pero era incapaz de tenerlo presente.

Los árboles formaban un baldaquino de hojas y ramas y el sol, por tanto, solamente podía atravesarlo lo suficiente como para que el aire fuese cálido, pero no demasiado. En ese momento, una nube que cruzó por encima de mi cabeza me hizo mirar hacia arriba y estremecerme.

Oscuridad…

Parpadeé, sorprendida, recordando. Por eso estábamos Heath y yo escondidos en aquella arboleda. Esa cosa nos había perseguido pero no había entrado en la arboleda detrás de nosotros.

Me estremecí de nuevo.

No tenía ni idea de lo que era aquella cosa. Solo me había invadido una sensación de completa oscuridad, un tufillo vago de algo que llevaba muerto un tiempo, de cuernos y alas. Heath y yo no habíamos esperado a ver más. Nos habíamos quedado los dos sin respiración por el miedo y habíamos corrido sin parar... y por eso ahora Heath estaba completamente dormido. De nuevo. Como debería estarlo yo.

Pero yo no era capaz de descansar. En lugar de ello, caminaba.

Me preocupaba mucho que mi memoria estuviese empezando a confundirse. Y lo que era peor, aunque alguien se diese cuenta de que mi memoria estaba alterada, yo no lo sabría porque, bueno, no lo recordaría... Algo estaba mal. Sabía que estaba perdiendo retazos de mi memoria... algunos recientes, como este que acababa de recordar sobre la cosa aterradora que nos había obligado a Heath y a mí a entrar en la arboleda. Pero otros eran antiguos.

No podía recordar cómo era mi madre.

No podía recordar el color de mis ojos.

No podía recordar por qué ya no confiaba en Stevie Rae.

Lo que podía recordar era aún más terrible. Recordaba cada momento de la muerte de Stevie Rae. Recordaba que mi padre nos había dejado cuando yo tenía dos años y que nunca había vuelto. Recordaba que había confiado en Kalona y que me había equivocado tanto con él...

Mi estómago se revolvió y, como si estuviese loca, seguí dando vueltas y más vueltas alrededor de la circunferencia interior de la arboleda.

¿Cómo había dejado que Kalona me engañase por completo? Había sido tan idiota...

Y había sido la responsable de la muerte de Heath.

Mi mente rehuyó el sentimiento de culpa. Aquella idea era demasiado fuerte, demasiado horrible.

Mis ojos captaron una sombra. Di un respingo, me volví rápidamente y me encontré cara a cara con ella. La había visto antes... en mis sueños y en un recuerdo que compartíamos.

—Hola, A-ya —dije suavemente.

—Zoey —dijo ella, inclinando la cabeza para saludarme.

Su voz se parecía mucho a la mía, aunque la suya tenía un deje de tristeza que tenía todas sus palabras.

—Confié en Kalona por tu culpa —le conté.

—Te compadeciste de él por mi culpa —me corrigió—. Cuando me perdiste, también perdiste la compasión.

—Eso no es verdad —repliqué—. Sigo siendo compasiva. Me preocupo por Heath.

—¿De verdad? ¿Por eso lo mantienes aquí en lugar de dejar que avance?

—Heath no se quiere ir —le respondí.

Inmediatamente cerré la boca, asombrada de lo enfadada que sonaba.

A-ya sacudió la cabeza, haciendo que su pelo negro se agitase alrededor de su cintura.

—No te has parado a pensar en lo que Heath desea... en lo que los demás, y no tú, desean. Y no lo harás, no lo harás de verdad, hasta que me llames para que regrese a ti.

—No quiero que vuelvas. La culpa de que todo esto ocurriese es tuya.

—No, Zoey, no lo es. Todo esto sucedió por una serie de elecciones de un número de gente. No se trata de ti.

Sacudiendo la cabeza con tristeza, A-ya desapareció.

—Hasta nunca —murmuré, echando de nuevo a andar, aún más inquieta que antes.

Cuando otra sombra brilló por el rabillo de mi ojo, me giré como un remolino, dispuesta a mandar a A-ya a la mierda de una vez por todas. En lugar de eso, mi boca se abrió de golpe. Me estaba mirando a mí. Bueno, en realidad, a la versión de nueve años de mí que había visto entre las otras figuras antes de que se desperdigaran al aparecer lo que fuera que nos perseguía a Heath y a mí.

—Hola —dije.

—¡Tenemos tetas! —dijo la niña, mirándome el pecho—. Me alegro mucho de tener tetas. Por fin.

—Sí, eso fue lo mismo que pensé yo. Por fin.

—Ojalá fuesen un poco más grandes...

La niña siguió mirándome las tetas hasta que sentí que necesitaba cruzar los brazos sobre el pecho, algo ridículo porque ella era yo... bastante raro.

—Pero bueno, ¡podría ser peor! Podríamos haber sido como Becky Apple, ¡je, je, je!

Su voz estaba tan llena de alegría que tuve que sonreírle, pero solo durante un segundo. Era como si fuese demasiado duro para mí aferrarme a esa alegría con la que ella parecía brillar.

—Becky Renee Apple... ¿te puedes creer que su madre la llamase así y después tuviese que llevar todos los jerséis bordados con «BRA», como en Wonderbra? —dijo mi yo niña antes de echarse a reír.

Traté de seguir sonriéndole cuando hablé.

—Sí, esa pobre chica estaba condenada desde el primer día de frío.

Suspiré y me froté la cara con la mano, preguntándome por qué me sentía tan inexplicablemente triste.

—Es porque ya no estoy contigo —dijo mi yo niña—. Yo soy tu alegría. Sin mí, nunca más podrás ser feliz de verdad.

La miré, sabiendo que, como A-ya, me estaba diciendo la verdad.

Heath murmuró en sueños de nuevo, atrayendo mi mirada. Parecía tan fuerte, tan normal y joven... Pero nunca más iba a pisar otro campo de fútbol.

Nunca volvería a pisar a fondo el acelerador de su camioneta en una curva resbaladiza para gritar de alegría como un *okie*. Nunca sería el marido de nadie. Nunca sería padre. Volví a mirar a mi yo de nueve años.

—No creo que me merezca ser feliz de nuevo.

—Lo siento, Zoey —me dijo, y desapareció.

Sintiéndome un poco mareada y aturdida, continué caminando.

La siguiente versión de mí no parpadeó o se agitó por el rabillo del ojo. Esta versión se me puso delante, bloqueando mi camino. No se parecía a mí, pues resultaba superalta. Tenía el pelo negro y salvaje y de un rojo cobrizo. Hasta que no la miré a los ojos no encontré nuestro parecido: teníamos los mismos ojos. Era otro pedazo de mí, la conocía.

—¿Y tú quién eres? —pregunté agotada—. ¿Y cuál es la parte de mí que voy a perder si no te traigo de vuelta?

—Puedes llamarme Brighid. Sin mí, te faltará la fuerza.

Suspiré.

—Estoy demasiado cansada para ser fuerte ahora mismo. ¿Y si lo hablamos después, cuando me eche una siesta?

—No lo entiendes, ¿no? —Brighid sacudió la cabeza, desdeñosa—. Sin nosotras, no vas a poder dormir ninguna siesta… no te sentirás mejor… no conseguirás descansar. Sin nosotras, te irás quedando más y más incompleta, a la deriva.

Traté de concentrarme a pesar del dolor de cabeza que se iniciaba en mis sienes.

—Pero estaré a la deriva con Heath.

—Sí, quizás.

—Y si os vuelvo a meter dentro de mí, abandonaré a Heath.

—Es posible.

—No puedo hacerlo. No puedo volver a un mundo en el que no esté él —dije.

—Entonces estás rota de verdad.

Sin más palabras, Brighid desapareció.

Mis piernas cedieron bajo mi peso y me dejé caer con fuerza en el musgo. Solo supe que lloraba cuando mis lágrimas empezaron a dejar marcas húmedas en los vaqueros. No sé durante cuánto tiempo estuve allí sentada, doblada por la pena, la confusión y el agotamiento, pero finalmente un sonido penetró en mi niebla mental: alas, crujiendo, batiendo en el viento, cerniéndose, bajando, acechando.

—Vamos, Zo. Tenemos que internarnos más en la arboleda.

Levanté la mirada para ver a Heath agachado a mi lado.

—Es culpa mía —dije.

—No, no lo es. ¿Pero qué importa de quién sea la culpa? Ya está hecho, nena. No puede deshacerse.

—No puedo dejarte, Heath —sollocé.

Me apartó el pelo de la cara y me dio otro pañuelo de papel arrugado.

—Ya sé que no puedes.

El sonido de unas alas enormes se hizo más fuerte y las copas de los árboles a nuestras espaldas se movieron en respuesta.

—Zo, ya lo hablaremos más tarde, ¿vale? Ahora tenemos que movernos de nuevo.

Me cogió del codo, me puso en pie y empezó a guiarme más adentro de la arboleda, donde las sombras eran más oscuras y los árboles parecían aún más viejos.

Dejé que me llevara. Me sentía mejor en movimiento. No me sentía bien. Pero era mejor que cuando estaba quieta.

—Es él, ¿no? —dije con indiferencia.

—¿Él? —preguntó Heath, ayudándome a saltar una piedra gris.

—Kalona. —Aquella palabra pareció cambiar la densidad del aire a nuestro alrededor—. Ha venido a por mí.

Heath me miró fijamente.

—¡No! ¡No dejaré que te atrape! —gritó.

Stevie Rae

—¡No! ¡No dejaré que te atrape! —gritó Dragon.

Stevie Rae, junto con todos los demás presentes en la sala del Consejo, se quedó mirando al profesor de esgrima, al que parecía que le estuviese a punto de reventar una arteria.

—Eh, ¿quién, Dragon? —le dijo Stevie Rae.

—¡El cuervo del escarnio que mató a mi compañera! Por eso no puedes salir hasta que encontremos a esa criatura y la destruyamos.

Stevie Rae trató de ignorar el sentimiento de vacío que las palabras de Dragon le habían causado y la terrible sensación de culpabilidad que experimentó mientras lo miraba, viendo su corazón roto y sabiendo que aunque Rephaim le había salvado la vida, dos veces, también era un hecho que había matado a Anastasia Lankford.

Ha cambiado. Ahora es diferente, pensó, deseando poder decir esas palabras en voz alta sin que el mundo se desplomase a su alrededor.

Pero no podía hablarle a Dragon de Rephaim. No podía contarle a nadie nada del cuervo del escarnio, así que, en lugar de eso, empezó a tejer mentiras salpicadas de verdad, formando un terrible tapiz de evasivas y engaños.

—Dragon, no sé qué cuervo del escarnio estaba en el parque. Quiero decir, que no me dijo su nombre.

—Creo que era el principal... el *Rephnosequé* —dijo Dallas, aunque Stevie Rae le lanzó una mirada de advertencia para que se callase.

—Rephaim —dijo Dragon, con una voz que parecía la muerte.

—Sí, ese. Era enorme, como lo describisteis vosotros, y sus ojos parecían muy humanos. Además, tenía un aire… Estaba claro que se creía el puto amo.

Stevie Rae reprimió las ganas de taparle la boca con firmeza a Dallas… y quizás también la nariz. Asfixiarlo haría sin duda que dejase de hablar.

—Oh, Dallas, qué va. No sabemos qué cuervo del escarnio era. Y Dragon, puedo entender que estés preocupado y todo eso, pero solo estamos hablando de ir a la abadía benedictina para que la abuela Redbird sepa por mí lo que le ha pasado a Zoey. No pienso meterme sola en la boca del lobo.

—Pero Dragon tiene razón —intervino Lenobia. Erik y la profesora Pentesilea asintieron, dejando a un lado temporalmente su desacuerdo sobre Neferet y Kalona—. Ese cuervo del escarnio apareció donde tú estabas, y en comunión con la tierra.

—Es demasiado simple decir que estaba en comunión con la tierra —dijo Dragon rápidamente en la pausa que hizo Lenobia—. Como nos ha explicado Stevie Rae, estaba dialogando con los antiguos poderes del bien y del mal. La aparición de esa criatura durante la manifestación del mal no es una coincidencia.

—Pero el cuervo del escarnio no me estaba atacando. Estaba…

Dragon levantó una mano para acallarla.

—No hay duda de que lo atrajo la Oscuridad, que activó así a uno de los suyos, como suele hacer el mal. No puedes saber con seguridad que la criatura no vaya tras de ti.

—Tampoco podemos confiar en que solo haya un cuervo del escarnio en Tulsa —dijo Lenobia.

El pánico revoloteó en el estómago de Stevie Rae. ¿Qué pasaría si ahora todo el mundo se asustase ante la posibilidad de que un grupo de cuervos del escarnio estuviese asolando Tulsa y eso imposibilitase sus escapadas para ver a Rephaim?

—Voy a ir a la abadía a ver a la abuela Redbird —dijo Stevie Rae con firmeza—. Y no creo que haya una bandada de esos malditos cuervos del escarnio ahí fuera. Lo que creo es que ese chico pájaro se debió de quedar atrás por algún motivo y que apareció en el parque atraído por la Oscuridad. Bueno, por mi parte yo estoy segurísima de que no voy a volver a llamar a la Oscuridad, así que no hay motivo para que ese pájaro vuelva a querer meterse conmigo.

—No subestimes el peligro que representa esa criatura —dijo Dragon con voz triste y sombría.

—No lo haré. Pero tampoco voy a permitir que me encierre en el campus. No creo que ninguno debamos permitir que nos haga eso —añadió rápidamente—. Vamos, que debemos tener cuidado, pero no podemos dejar que el miedo y el mal dominen nuestras vidas.

—Stevie Rae tiene razón —dijo Lenobia—. De hecho, creo que deberíamos hacer que la escuela volviese a su funcionamiento normal e incluir a los iniciados rojos en las clases.

Kramisha, que hasta entonces había permanecido en silencio, a la izquierda de Stevie Rae, bufó suavemente. Escuchó a Dallas, sentado a su derecha, suspirar con fuerza. Sofocó una sonrisa.

—Creo que es una muy buena idea —convino.

—No creo que debamos hablar mucho del estado de Zoey —dijo Erik—. Al menos no hasta que algo más… bueno, algo más permanente pase.

—No va a morir —dijo Stevie Rae.

—¡Yo no quiero que se muera! —dijo Erik rápidamente, obviamente molesto por la idea—. Pero con todo lo que ha pasado, incluyendo la aparición de un cuervo del escarnio, lo último que necesitamos es que esto se llene de rumores.

—No creo que debamos ocultarlo.

—¿Y si llegamos a un acuerdo? —propuso Lenobia—. Contestaremos a las preguntas sobre Zoey cuando nos las hagan, incidiendo en una parte de la verdad, es decir, en que estamos todos trabajando para traerla de vuelta del Otro Mundo.

—Y colgaremos una advertencia general en todas las aulas para que los iniciados estén atentos y vigilantes para informar de cualquier cosa inusual que vean u oigan —añadió Dragon.

—Suena razonable —dijo Pentesilea.

—Vale, me parece bien —dijo Stevie Rae. Hizo una pausa antes de continuar—. Eh, me pregunto si… ¿tengo que volver a las mismas clases en las que estaba antes?

—Sí, eso me estaba preguntando yo también —dijo Kramisha.

—Yo también —se unió Dallas.

—Los iniciados deben asistir a sus clases, retomándolas donde las dejaron —dijo Lenobia suavemente, sonriéndoles a Kramisha y a Dallas, como si se refiriera a que habían estado de vacaciones en lugar de haberse muerto sin querer.

Eso hizo que todo sonase extrañamente normal. Después se giró hacia Stevie Rae.

—Los vampiros eligen su propia trayectoria profesional y las áreas que desean estudiar… no en clase con los iniciados, sino con otros vampiros expertos en ese campo. ¿Tú sabes lo que quieres estudiar?

A pesar de que todo el mundo la estaba mirando, Stevie Rae no dudó al responder.

—A Nyx. Quiero estudiar para convertirme en alta sacerdotisa. Quiero serlo porque me lo he ganado y no solo porque sea la única maldita vampira roja chica del universo conocido.

—Pero no tenemos a ninguna alta sacerdotisa que pueda ser tu tutora... no desde que Neferet tuviera que irse —indicó Pentesilea, lanzándole una mirada mordaz a Lenobia.

—Entonces supongo que estudiaré por mi cuenta hasta que vuelva nuestra alta sacerdotisa —dijo. Después miró a Pentesilea a los ojos, antes de continuar—. Y os prometo que esa alta sacerdotisa no va a ser Neferet.

Stevie Rae se puso en pie.

—Vale, bueno, voy a ir a la abadía como dije antes. Cuando vuelva, iré a ver al resto de los iniciados y les informaré de que las clases empiezan mañana.

Todos habían empezado a moverse por la habitación cuando Dragon la llevó aparte.

—Quiero que me prometas que tendrás cuidado —le pidió—. Tienes poderes de recuperación que rayan en lo milagroso, pero no eres inmortal, Stevie Rae. Debes recordarlo.

—Tendré cuidado. Lo prometo.

—Yo voy con ella —dijo Kramisha—. Estaré atenta al cielo por si aparece uno de esos pajarracos asquerosos. Tengo un grito de chica que es matador. Si aparece alguno, os aseguro que el mundo entero sabrá que está aquí.

Dragon asintió, pero no pareció muy convencido. Stevie Rae se sintió aliviada cuando Lenobia lo llamó y empezó a hablar con él sobre hacer que su clase de artes marciales fuese obligatoria para todos los iniciados. Se deslizó fuera de la habitación y se dispuso a pensar en cómo librarse de Kramisha, que se estaba pegando demasiado a ella. Dallas las alcanzó.

—¿Puedo hablar un segundo contigo antes de que te vayas?

—Te espero en el Escarabajo de Zoey —dijo Kramisha—. Y no, no vas a poder evitar que vaya contigo.

Stevie Rae la vio marcharse por el pasillo antes de volverse de mala gana hacia Dallas.

—¿Entramos ahí? —le preguntó, señalando la sala de informática vacía.

—Claro, pero tengo prisa.

Sin decir nada más, Dallas le abrió la puerta y entraron en una habitación fría y poco iluminada que olía a libros y abrillantador de muebles con aroma de limón.

—Tú y yo no tenemos por qué seguir juntos —le soltó Dallas de golpe.

—¿Eh? ¿No tenemos que seguir juntos? ¿A qué te refieres?

Dallas se cruzó de brazos, visiblemente incómodo.

—Me refiero a que estábamos saliendo. Eras mi novia. Ahora tú ya no lo quieres ser y lo capto. Tenías razón, no pude hacer una mierda para protegerte de esa especie de pájaro. Y quiero que sepas que no me voy a volver gilipollas ni nada de eso. Seguiré estando aquí para cuando me necesites, niña, porque siempre serás mi alta sacerdotisa.

—¡Yo no quiero cortar! —gritó ella.

—¿No?

—No.

Y no mentía. En ese momento, lo único en que podía pensar era en Dallas. Su corazón y su bondad eran tan palpables que Stevie Rae sintió que si lo perdía sería como si le diesen un puñetazo en el estómago.

—Dallas, siento muchísimo lo que te dije antes. Estaba herida y cabreada y no lo decía en serio. Ni siquiera podía salir del círculo y fui yo la que convocó a esa maldita cosa. No había manera de que ni tú ni nadie, ni siquiera un guerrero, pudiese entrar allí.

Dallas la miró.

—El cuervo del escarnio pudo.

—Bueno, como tú mismo dijiste, él está del lado de la Oscuridad —le dijo ella, aunque se sintió como si le arrojasen un cubo de agua fría a la cara al traicionar así a Rephaim.

—Hay muchas cosas del lado de la Oscuridad ahí fuera —dijo Dallas—. Y parece que te estás tropezando con un montón de ellas. Así que ten cuidado, ¿de acuerdo, niña? —Estiró la mano y le apartó uno de sus rizos dorados de su semblante—. No soportaría que te ocurriera nada.

Dejó caer la mano hasta su hombro y le acarició la base del cuello con el pulgar.

—Tendré cuidado —dijo suavemente.

—¿De verdad que no quieres romper?

Ella sacudió la cabeza.

—Me alegro, porque yo tampoco.

Dallas se inclinó mientras la atraía hacia sí con sus brazos. Juntó sus labios con los de Stevie Rae en un beso dubitativo. Ella se obligó a relajarse y a dejarse llevar. Besaba tan bien… siempre lo había hecho. Y le gustaba que fuese más alto que ella, pero no demasiado. Y además, sabía bien. Él estaba al tanto de que le agradaba que le frotasen la espalda, así que deslizó los brazos a su alrededor y sus manos subieron bajo su camisa… pero no para intentar sobarle las tetas, como habría hecho la mayoría de los chicos. En lugar de eso, Dallas empezó a dibujarle círculos calentitos en la parte baja de la espalda, acercándola más a él y profundizando en su abrazo.

Stevie Rae le devolvió el beso. Era tan bueno estar con él… bloquearlo todo… olvidar incluso por un instante a Rephaim y todo aquello… especialmente la deuda que había pagado voluntariamente y que la hacía…

Stevie Rae se apartó de Dallas. Los dos se encontraban más que sin respiración.

—Yo, eh… Tengo que irme, ¿recuerdas?

Stevie Rae esbozó una sonrisa, tratando de no sonar tan rara como se sentía.

—De hecho, lo había medio olvidado —dijo Dallas, sonriendo dulcemente y separándole aquel rizo rebelde de los ojos de nuevo—. Pero sé que te tienes que ir. Vamos. Te acompaño hasta el Escarabajo.

Sintiéndose en parte una traidora, en parte una mentirosa y en parte una prisionera condenada, Stevie Rae le permitió cogerla de la mano y llevarla hasta el coche de Zoey, como si realmente pudiesen ser, de nuevo, novios de verdad.

17

Stevie Rae

—Ese tío está loquito por ti —dijo Kramisha mientras Stevie Rae salía del aparcamiento de la escuela, dejando a Dallas atrás con un aspecto más que lastimero—. ¿Ya sabes qué vas a hacer con el otro?

Stevie Rae frenó en medio de la pista que llevaba hacia Utica Street.

—Estoy demasiado estresada como para andar pensando en tíos ahora mismo. Así que si lo único que quieres hacer es hablar de eso, puedes quedarte aquí.

—No hablar de tíos causa más estrés.

—Adiós, Kramisha.

—Si te vas a poner así, no pienso abrir la boca. Por ahora. De todas maneras, hay cosas más importantes de las que tienes que ocuparte.

Stevie Rae metió la marcha y se dispuso a salir del campus, aunque le habría gustado que Kramisha la hubiese presionado con lo de los chicos y así tener una excusa para dejarla atrás.

—¿Te acuerdas de cuando me dijiste que pensara más en mis poemas para tratar de encontrar a alguien que pudiese ayudar a Zoey?

—Claro que sí.

—Bueno, pues lo hice. Y saqué algo en limpio.

Se puso a rebuscar en su enorme bolso hasta que sacó una libreta muy gastada con las páginas que constituían su firma, de color violeta.

—Creo que todo el mundo, incluida yo hasta que me centré, se está olvidando de esto.

Abrió la libreta y le enseñó una página escrita con su letra cursiva.

—Kramisha, ya sabes que no puedo leer mientras conduzco. Dime de qué te has acordado.

—Es el poema que escribí justo antes de que Zoey y el resto de los chicos se fuesen a Venecia. El que parece que es de Kalona para Zoey. Este, te lo leo:

Una espada de doble filo:
un lado destruye,
el otro libera.
Yo soy tu nudo gordiano.
¿Me liberarás o me destruirás?
Sigue la verdad y
me encontrarás en el agua.
Me purificarás a través del fuego,
nunca más atrapado por la tierra.
El aire te susurrará
lo que el espíritu ya sabe:
que incluso destrozado
todo es posible
si crees.
Entonces ambos seremos libres.

—¡Oh, Diosa! ¡Lo había olvidado por completo! Vale, vale, léelo de nuevo, pero más despacio.

Stevie Rae escuchó atentamente mientras Kramisha volvía a recitar el poema.

—Tiene que ser de Kalona, ¿no? La parte de estar atrapado por la tierra habla de él, sin duda.

—Estoy casi segura de que se lo dice él a ella.

—Debe de ser así, aunque es un poco aterrador, con ese principio de la espada de doble filo, pero el final parece bueno.

—Dice: «Entonces ambos seremos libres» —citó Kramisha.

—Me suena a que Z va a conseguir salir del Otro Mundo.

—Y también Kalona —añadió Kramisha.

—Nos ocuparemos de eso cuando llegue. Liberar a Z es lo más importante. ¡Espera! ¡Creo que algo ya se ha hecho realidad! ¿Qué dice la parte del agua?

—Dice: «Me encontrarás en el agua».

—Y lo hizo. La isla de San Clemente está definitivamente sobre el agua.

—También dice: «Sigue la verdad». ¿Qué crees que significa?

—No estoy segura al cien por cien, pero quizás tenga una idea. La última vez que hablé con Z, le dije que siguiera a su corazón, aunque a los demás les pareciese que la estaba liando por completo, que siguiese lo que su interior le dictase que era lo correcto. —Stevie Rae hizo una pausa, parpadeando para contener las ganas de llorar que le habían entrado de repente—. Yo me... me he sentido bastante culpable por haberle dicho eso, teniendo en cuenta todo lo que pasó después.

—Pero quizás tenías razón. Quizás todo lo que le está pasando a Z se suponía que le tenía que pasar. Creo que seguir a tu corazón y tus valores es lo correcto, aunque todos los demás te digan que estás completamente equivocada. Es una poderosa verdad.

Stevie Rae se emocionó.

—Y si sigue haciéndolo, si sigue aferrándose a la verdad que tiene en su corazón, el final del poema se hará realidad y será libre.

—A mí me suena bien, Stevie Rae. Muy bien, hasta en las vísceras.

—A mí también —le dijo ella, sonriéndole.

—Vale, pero Z tiene que saber todo esto. Este poema es como un mapa para encontrar la salida. El primer paso, encontrarlo en el agua, ya ha sucedido. Después tiene que…

—«Me purificarás a través del fuego» —la interrumpió Stevie Rae, recordando el verso—. ¿Y después no dice algo de la tierra y del aire?

—Sí, y del espíritu. Están todos, los cinco elementos.

—Todas las afinidades de Z, acabando con el espíritu, que es su afinidad más poderosa.

—Y la que está al mando al reino en el que está ahora —dijo Kramisha—. Vale, lo que te voy a decir no te lo digo solo porque haya escrito un poema cojonudo, así que escúchame con atención: Zoey tiene que saber esto, porque esto marcará la diferencia entre volver o morirse por lo que sea que le esté pasando allí.

—Oh, te creo.

—¿Y cómo lo vas a conseguir?

—¿Yo? Yo no. No puedo. Lo mío es la tierra. No hay manera de que mi espíritu pueda despegar e ir al Otro Mundo.

Stevie Rae se estremeció. Solo pensar en ello le daba *yuyu*.

—Pero Stark tiene que mover su culo hasta allí. Tiene que hacerlo… aquella asquerosa vaca lo dijo.

—Toro —corrigió Kramisha.

—Lo que sea.

—¿Quieres que llame a Stark y le lea el poema? ¿Tienes su número?

Stevie Rae lo sopesó.

—No. Aphrodite dice que Stark tiene la cabeza hecha un lío ahora mismo. Puede que ignore tu poema pensando que tiene cosas más importantes que hacer.

—Bueno, pues se equivocaría.

—Sí, estoy de acuerdo. Entonces lo que tenemos que hacer es hacerle llegar el poema a Aphrodite. Es odiosa y todo lo que tú quieras, pero entenderá su importancia.

—Y como es tan odiosa, Stark no podrá ignorarla si es ella la que le habla del poema.

—Exactamente. Envíaselo en un mensaje de texto ahora mismo y dile que te he dicho que Stark tiene que memorizarlo para Zoey. Y que recuerde que es una profecía, no solo un poema.

—¿Sabes? No sé yo si dudar de su sentido común... ¡si no le gusta la poesía!

—Tía, ¿me lo dices o me lo cuentas? —le dijo Stevie Rae.

—Bueno, tenía que decirlo.

Y mientras Stevie Rae entraba en el aparcamiento recién delimitado de la abadía benedictina, Kramisha inclinó la cabeza sobre el teléfono y comenzó a escribir un mensaje.

Stevie Rae

Nada más verla, Stevie Rae notó que la abuela Redbird estaba mejorando. Los terribles moratones de su cara habían desaparecido y, en lugar de en la cama, la encontró sentada en una mecedora al lado de la chimenea, en la sala principal de la abadía, tan concentrada en el libro que estaba leyendo que al principio ni vio a Stevie Rae.

¿El diablo tiene ojos azules? Aunque estaba allí para darle a la abuela de Z una horrible noticia, Stevie Rae no pudo evitar sonreír cuando leyó el título.

—Abuela, eso parece una novela romántica.

La abuela Redbird se llevó una mano a la garganta.

—¡Stevie Rae! Niña, me has asustado. Y sí que es una novela romántica... una excelente, por cierto. Hardy Cate es un héroe muy rumboso.

—¿Rumboso?

La abuela miró a Stevie Rae levantando sus cejas plateadas.

—Soy vieja, niña, pero no estoy muerta. Todavía puedo apreciar a un hombre rumboso. —Señaló una de las sillas de madera acolchadas—. Coge una, cielo, y charlemos un poco. Supongo que traes noticias de Zoey desde Venecia. Imagínate... ¡Venecia, Italia! Me encantaría visitar...

La voz de la anciana se fue apagando cuando miró más atentamente a Stevie Rae.

—Lo sabía. Sabía que ocurría algo malo, pero mi mente ha estado tan confusa desde el accidente...

Sylvia Redbird se quedó muy quieta. Después, habló con la voz enronquecida por el temor:

—Cuéntame, rápido.

Con un suspiro triste, Stevie Rae se sentó en la silla que había acercado a un lado de la mecedora y tomó la mano de la abuela.

—No está muerta, pero eso no es bueno.

—Todo. Quiero saberlo todo. Cuéntamelo de un tirón y no te dejes nada.

La abuela se agarró a la mano de Stevie Rae como si fuese un salvavidas mientras la amiga de Zoey le contaba todo, desde la muerte de Heath, pasando por los toros, hasta llegar al poema profético de Kramisha y dejando fuera solo una cosa: a Rephaim. Cuando acabó, la cara de la abuela había palidecido hasta mostrar el color de después del accidente, cuando había estado en coma y cerca de la muerte.

—Rota. El alma de mi nieta está rota —dijo lentamente, como si las mismas palabras transportaran densas capas de tristeza.

—Stark conseguirá llegar hasta ella, abuela —advirtió Stevie Rae, mirándola con firmeza a los ojos—. Y una vez allí la protegerá para que pueda reunir sus pedazos.

—Cedro —dijo la abuela, asintiendo como si acabase de responder a una pregunta y Stevie Rae tuviera que estar de acuerdo con ella.

—¿Cedro? —le preguntó Stevie Rae, deseando que las noticias sobre Zoey no hubiesen hecho que la abuela perdiera la cabeza..

—Agujas de cedro. Dile a Stark que haga que cualquiera que esté velando su cuerpo mientras esté en estado de trance las queme constantemente.

—Me acabo de perder, abuela.

—Las agujas de cedro son una medicina poderosa. Repelen a los asgina, que son considerados los espíritus más malignos. El cedro se usa solo en situaciones desesperadas.

—Bueno, esta es una situación verdaderamente desesperada —dijo Stevie Rae con alivio al ver que el color volvía a las mejillas de la abuela.

—Dile a Stark que respire profundamente el humo y que piense en que lo va a transportar consigo al Otro Mundo… que se convenza de que el humo seguirá a su espíritu hasta allí. La mente puede ser un poderoso aliado del espíritu. En ocasiones, nuestras mentes pueden alterar incluso la estructura de nuestras almas. Si Stark realmente cree que el humo de cedro puede acompañar a su espíritu, es posible que lo haga y añada así una capa extra de protección en su viaje.

—Se lo diré.

La abuela le apretó la mano con más fuerza aún.

—A veces, cosas que parecen pequeñas o insignificantes pueden ayudarnos, incluso en los momentos más difíciles. No descartes nada y no dejes que Stark lo haga, tampoco.

—No lo haré, abuela. Ninguno lo haremos. Me aseguraré de ello.

—Sylvia, acabo de hablar con Kramisha fuera —dijo la hermana Mary Angela entrando apresuradamente en la habitación.

Se frenó en seco cuando vio a Stevie Rae sosteniendo la mano de la anciana.

—¡Oh, virgen María! Entonces es verdad.

La monja inclinó la cabeza, visiblemente intentando contener las lágrimas, pero cuando volvió a levantarla, sus ojos estaban secos y su rostro mostraba firmeza y determinación.

—Bueno, entonces, algo habrá que hacer.

Bruscamente, se giró y se dispuso a dejar la habitación.

—Hermana, ¿adónde vas? —le preguntó la abuela Redbird.

—A llamar a toda la abadía para que vaya a la capilla. Vamos a rezar. Todas vamos a rezar.

—¿A María? —preguntó Stevie Rae, incapaz de evitar el escepticismo de su voz.

La monja asintió y habló con su voz firme y sabia.

—Sí, Stevie Rae, a María... a Nuestra Señora, a la que consideramos la madre en espíritu de todos nosotros. Quizás no sea la misma deidad que tu Nyx, o quizás sí. ¿Pero de verdad importa eso ahora? Dime, alta sacerdotisa de los iniciados rojos, ¿de verdad crees que pedir ayuda en el nombre del amor es un error, sea cual sea el nombre que tenga esa ayuda?

Stevie Rae recordó la cara de Rephaim, con sus ojos humanos, mientras se enfrentaba a la Oscuridad y hacía suya la deuda que ella había contraído y la boca se le secó de repente.

—Lo siento, hermana. Estaba equivocada. Pedid la ayuda de María, porque a veces el amor nos llega de sitios inesperados.

La hermana Mary Angela miró a Stevie Rae a los ojos durante lo que pareció mucho tiempo.

—Puedes unirte a nosotros en la oración, niña.

Stevie Rae le sonrió.

—Gracias, pero yo tengo mi propia especie de oración que hacer.

Stevie Rae

—¡Maldita sea, no, no voy a mentir por ti! —exclamó Kramisha.

—No te estoy pidiendo que mientas —dijo Stevie Rae.

—Sí lo estás haciendo. Quieres que diga que estás comprobando el túnel con la hermana Mary Angela cuando todo el mundo sabe ya que lo sellaste la última vez que estuviste aquí.

—No todo el mundo lo sabe —replicó Stevie Rae.

—Sí que lo saben. Además, todas las monjas están rezando por Zoey y no me parece correcto en absoluto que uses a una monja orando para mentir y cubrirte.

—Vale, bajaré al túnel y lo comprobaré, si eso te hace sentir mejor.

Stevie Rae no podía creerse que Kramisha estuviese armando tanto jaleo por contar una mentirijilla. Estaban malgastando mucho tiempo... tiempo que pasaba alejada de Rephaim, cuando solo la diosa sabía lo herido que estaba por aquella asquerosa vaca blanca. Recordaba el tremendo dolor que había sentido cuando la Oscuridad se había alimentado de ella y sabía que había sido el doble de malo para Rephaim. Esta vez iba a tener que hacer algo más que vendarlo y alimentarlo para ayudarlo a sentirse mejor. ¿Estaría muy herido? Todavía podía ver a la criatura amenazante sobre él, la lengua roja de su sangre mientras...

Sobresaltada, se dio cuenta de que Kramisha estaba allí de pie, mirándola sin decir nada.

Stevie Rae se espabiló mentalmente y dijo la primera excusa que le vino a la mente.

—Mira, simplemente no quiero tener que aguantar el pollo que se va a montar si todo el mundo en la Casa de la Noche se entera de que me he pasado como uno coma dos segundos sola. Eso es todo.

—Eres una mentirosa.

—¡Soy tu alta sacerdotisa!

—Pues entonces deberías actuar como tal —le dijo Kramisha—. Dime la verdad de lo que andas haciendo.

—¡Voy a ver al otro tío y no quiero que nadie lo sepa! —soltó Stevie Rae. Kramisha inclinó la cabeza hacia un lado.

—Eso ya me gusta más. No es ni iniciado, ni vampiro, ¿no?

—No —dijo Stevie Rae con total honestidad—. Es alguien que no le iba a caer bien a nadie.

—No estará maltratándote, ¿no? Porque eso es una mierda y está fatal y conozco a unas cuantas tías que se vieron atrapadas en eso y que no fueron capaces de salir.

—Kramisha, puedo hacer que la tierra se eleve y le dé una paliza a cualquiera. Ningún tío me pegaría nunca. Jamás.

—Entonces es humano y está casado.

—Te prometo que no está casado —dijo Stevie Rae, evitando la otra afirmación.

—Uh. —Kramisha bufó por la nariz—. ¿Es gilipollas?

—No creo que lo sea.

—El amor apesta.

—Sí. Pero no estoy diciendo que esté enamorada de él —añadió rápidamente—. Lo único que digo es que…

—Te está confundiendo y eso es justo lo que no necesitas ahora mismo. —Kramisha puso morritos, pensando—. Vale, ¿qué te parece si hago que una de las monjas me lleve a la Casa de la Noche y cuando todo el mundo se ponga de los nervios porque estás fuera y sola, le digo que has tenido que visitar a una persona, así que no estás técnicamente sola? Así yo no estaría mintiendo, tampoco.

Stevie Rae se lo pensó.

—¿Tienes que decirles que es un tío?

—Solo diré que es una persona y que se ocupen de sus propios asuntos. Diré que es un tío solo si alguien me lo pregunta específicamente.

—Trato hecho —dijo Stevie Rae.

—Ya sabes que vas a tener que aclarar las cosas con él tarde o temprano. Y si no está casado, entonces no hay problema. Eres una alta sacerdotisa. Puedes tener un compañero humano y un vampiro consorte al mismo tiempo.

Fue el turno de Stevie Rae para resoplar.

—¿Y tú crees que a Dallas le va a parecer bien eso?

—Sí, si quiere estar con una alta sacerdotisa. Todos los vampiros lo saben.

—Bueno, Dallas todavía no es un vampiro, así que quizás pedirle eso sea un poco excesivo. Y la verdad es que sé que eso heriría sus sentimientos y no quiero hacerle daño.

Kramisha asintió.

—No te puedo decir que no, pero creo que le estás dando demasiada importancia a esto. Dallas aprenderá a sobrellevarlo. Lo que tienes que averiguar es si ese chico humano merece la pena o no.

—Lo sé, Kramisha. Eso es lo que estoy intentando hacer. Así que adiós. Te veo en la Casa de la Noche dentro de un ratito.

Stevie Rae echó a andar rápidamente hacia el Escarabajo.

—¡Eh! —le gritó Kramisha desde atrás—. No es negro, ¿no?

Pensando en las alas del color de la noche de Rephaim, Stevie Rae se detuvo y la miró por encima de su hombro.

—¿Qué importa de qué color sea?

—Mucho, si te avergüenzas de él —le replicó Kramisha.

—Kramisha, eso es una tontería. No. No es negro. Y no, no me avergonzaría de él si lo fuese. Jesús. Adiós. De nuevo.

—Solo me aseguraba…

—Solo decías estupideces —susurró Stevie Rae mientras se dirigía hacia el aparcamiento.

—Te he oído —dijo Kramisha.

—¡Bien! —contestó.

Se metió en el coche de Zoey y se dirigió al museo Gilcrease, hablando en voz alta consigo misma.

—No, Kramisha, no es que sea negro. Es que un pájaro asesino cuyo padre es malvado… Y no es que tanto blancos como negros se vayan a enfadar conmigo porque esté con él… ¡se va a cabrear todo el mundo!

Después, sorprendiéndose a sí misma, Stevie Rae se echó a reír.

18

Rephaim

Cuando Rephaim abrió los ojos, descubrió a Stevie Rae en cuclillas delante de su nido en el armario, estudiándolo tan atentamente que tenía un surco en la frente, entre los ojos, haciendo que su tatuaje rojo de una luna creciente se arrugase, transformándolo en una especie de ola. Tenía los rizos rubios desparramados por la cara y recordaba tanto a una niña que se quedó atónito recordando lo joven que era ella en realidad.

Y, sin importar lo vastos que fuesen sus poderes elementales, pensó en lo vulnerable que su juventud la hacía. Pensar en su vulnerabilidad hizo que el miedo le acuchillase el corazón.

—Hola. ¿Estás despierto? —dijo ella.

—¿Por qué me miras así? —le preguntó con voz brusca a propósito, molesto porque solo con verla se sentía preocupado por su seguridad.

—Bueno, estaba intentando averiguar lo cerca que habías estado de la muerte esta vez.

—Mi padre es un inmortal. Soy difícil de matar.

Se obligó a sentarse sin hacer ninguna mueca.

—Sí, ya sé lo de tu padre y lo de tu sangre inmortal y todo eso, pero la Oscuridad se alimentó de ti. Mucho. Eso no puede ser nada bueno. Además, si te soy honesta, tienes una pinta horrible.

—Tú no —dijo él—. Y la Oscuridad también se alimentó de ti.

—No estoy tan herida como tú porque tú descendiste en picado tipo Batman y me sacaste del apuro antes de que ese maldito y asqueroso toro pudiese fastidiarme demasiado. Y después recibí una inyección de Luz, algo genial, por cierto. Y esa sangre inmortal tuya es como enchufarse unas pilas del conejito de Duracell.

—Yo no soy ningún murciélago —fue lo único que se le ocurrió decir porque fue lo único que alcanzó a medio entender.

—No te he comparado con un murciélago, dije que eras como Batman, el hombre murciélago. Es un superhéroe.

—Tampoco soy un héroe.

—Bueno, has sido mi héroe. Dos veces.

Rephaim no sabía qué contestar a eso. Lo único que sabía era que el hecho de que Stevie Rae lo llamara héroe hacía que algo se encogiese en su interior, y aquello de repente hizo que el dolor de su cuerpo y su preocupación por ella fuesen más fáciles de soportar.

—Venga, a ver si te puedo devolver el favor. De nuevo.

Stevie Rae se puso de pie y le tendió la mano.

—No creo que pueda comer nada ahora mismo. Pero un poco de agua me vendría bien. Me he bebido toda la que subimos antes.

—No te voy a llevar a la cocina. Al menos no ahora mismo. Te voy a sacar afuera. A los árboles. Bueno, vale, a ese árbol grande en el viejo cenador delante del jardín, para ser más específica.

—¿Por qué?

—Ya te lo he dicho. Tú me ayudaste. Creo que yo te puedo ayudar a ti, pero tengo que estar más cerca de la tierra de lo que estamos aquí. He estado pensándolo y sé que los árboles tienen grandes poderes en su interior. De alguna manera, ya los he utilizado antes. De hecho, esa debe de haber sido la razón por la que fui capaz de llamar a aquella cosa.

Se estremeció, recordando con claridad el momento en que había invocado a la Oscuridad, algo que Rephaim entendió perfectamente. Si su cuerpo no le doliese tanto, él también se habría estremecido.

Pero vaya si le dolía. Más que eso. Su sangre estaba demasiado caliente. Con cada latido de su corazón, un dolor ardiente se repartía por su cuerpo, y el punto donde sus alas se unían a la columna, el lugar donde el toro de la Oscuridad se había alimentado de él y había invadido su cuerpo, era un martirio abrasador. ¿Y ella pensaba que un árbol iba a arreglar los estragos causados por la Oscuridad?

—Creo que mejor me quedo aquí. Descansar me ayudará. Y también el agua. Si quieres hacer algo por mí, tráeme el agua que te he pedido.

—No.

Stevie Rae se agachó y, con una fuerza que siempre lo sorprendía, lo cogió de los antebrazos y lo puso en pie. Lo sujetó mientras la habitación se le venía encima y giraba a su alrededor. Durante un terrible momento, Rephaim pensó que iba a desplomarse como una niñita mareada.

Por suerte, el momento pasó y fue capaz de abrir los ojos sin miedo de parecer más tonto. Miró a Stevie Rae desde arriba. Seguía sujetándolo por los antebrazos. *No retrocede ante mí llena de asco. Nunca lo ha hecho.*

—¿Por qué me tocas sin miedo? —se escuchó preguntarle antes de poder contenerse.

Ella se rió brevemente.

—Rephaim, no creo que pudieras matar ni a una mosca ahora mismo. Además de eso… me has salvado dos veces la vida y estamos conectados. Te aseguro que no te tengo miedo.

—Quizás la pregunta debería haber sido por qué me tocas sin sentir asco.

De nuevo, las palabras salieron de su boca casi sin permiso. Casi.

Ella volvió a arrugar la frente y él decidió que le gustaba verla pensar.

—No creo que sea posible que un vampiro sienta asco por alguien con quien está conectado —dijo finalmente, encogiéndose de hombros—. Me refiero a que antes de beber tu sangre estaba conectada con Aphrodite y hubo un momento en que ella me daba asco… no era muy agradable precisamente. Para nada. De hecho, sigue sin serlo. Pero me acabó gustando, con el tiempo. No de una forma sexual, pero ya no me daba asco.

Después los ojos de Stevie Rae se abrieron como platos cuando se dio cuenta de lo que acababa de decir y la palabra «sexual» parecía haberse convertido en una presencia tangible en la habitación.

Soltó sus brazos como si le quemaran.

—¿Puedes bajar tú solo las escaleras? —preguntó con una voz que sonaba extraña y áspera.

—Sí. Te seguiré. Si realmente crees que un árbol puede ayudar…

—Bueno, no tardaremos mucho en averiguar si lo que creo vale para algo.

Stevie Rae le dio la espalda y se dirigió hacia las escaleras.

—Oh —dijo, sin mirarlo—, gracias por salvarme. De nuevo. Esta… esta vez no tenías por qué hacerlo.

Sus palabras eran dubitativas, como si tuviese problemas para escoger exactamente las que quería dirigirle:

—Dijo que no me iba a matar.

—Hay cosas peores que la muerte —repuso Rephaim—. Lo que la Oscuridad puede extraer de la gente que camina con la Luz puede cambiar un alma.

—¿Y qué pasa contigo? ¿Qué tomó de ti la Oscuridad? —le preguntó, aún sin mirarlo, mientras llegaban a la planta baja de la vieja mansión.

Ralentizó el paso para que él pudiera seguirla más fácilmente.

—No tomó nada. Solo me llenó de dolor y después se alimentó de ese sufrimiento mezclado con mi sangre.

Alcanzaron la puerta de entrada y Stevie Rae se detuvo, mirándolo:

—Porque la Oscuridad se alimenta del dolor y la Luz del amor.

Sus palabras dieron con un interruptor mental en el interior de Rephaim y la estudió más de cerca. *Sí, decidió, me está ocultando algo.*

—¿Qué tributo te exigió la Luz a cambio de salvarme?

Stevie Rae no fue capaz de mirarlo a los ojos de nuevo, lo que extrañamente lo asustó. Pensó que no le iba a contestar pero finalmente lo hizo, con una voz que parecía casi enfadada.

—¿Quieres contarme todo lo que tomó el toro de ti mientras se alimentaba de tu sangre, lo tenías encima y básicamente abusaba de ti?

—No —respondió Rephaim sin dudarlo—. Pero el otro toro…

—No —le imitó Stevie Rae—. Yo tampoco quiero hablar de ello. Así que olvidémoslo y corramos un tupido velo. Bueno, vamos a ver si puedo aliviar parte de ese dolor que dejó la Oscuridad en tu interior.

Rephaim caminó con ella por el helado césped, patético por su deterioro, un triste y pálido reflejo de su opulento pasado. Mientras Rephaim la seguía, moviéndose despacio para tratar de compensar el terrible dolor que lo hacía estar tan débil, continuó preguntándose qué le podía haber pedido la Luz a Stevie Rae. Estaba claro que era algo que la ponía nerviosa… algo que Stevie Rae era reacia a contarle.

Siguió lanzándole miradas a hurtadillas cuando pensaba que no se daba cuenta. Le parecía sana y totalmente recuperada de su enfrentamiento con la Oscuridad. De hecho, parecía fuerte, entera y completamente normal.

Pero, como él sabía bien, las apariencias podían ser fácilmente engañosas.

Algo estaba mal… o, como mínimo, algo que tenía que ver con la deuda que le había pagado a la Luz la hacía sentir incómoda.

Rephaim estaba tan ocupado tratando de que su estudio fuese sigiloso que casi se tropieza con el árbol al lado del que ella se había detenido.

Ella lo miró y sacudió la cabeza.

—No me engañas. Estás demasiado chungo como para ser discreto, así que deja de observarme. Estoy bien. Jesús, eres peor que mi madre.

—¿Has hablado con ella?

Stevie Rae frunció aún más el ceño.

—No es que haya tenido precisamente mucho tiempo libre durante los dos últimos días. Así que no, no he hablado con mi madre.

—Deberías hacerlo.

—No quiero hablar de mi madre ahora mismo.

—Como desees.

—Y no hace falta que uses ese tono conmigo.

—¿Qué tono?

—Tú siéntate y quédate quieto, para variar —le dijo en lugar de contestarle—, y déjame pensar en cómo se supone que te puedo ayudar.

Como si estuviese haciendo una demostración, Stevie Rae se sentó con las piernas cruzadas y la espalda apoyada en el viejo cedro que lloraba hielo y aromáticas agujas a su alrededor. Al ver que no se movía, hizo un sonido impaciente y le señaló el espacio enfrente de ella.

—Siéntate —le ordenó.

Él se sentó.

—¿Y ahora? —le preguntó Rephaim.

—Bueno, dame un minuto. No sé muy bien cómo hacer esto.

Él la observó mientras ella retorcía uno de sus rizos rubios en un dedo y fruncía el ceño durante un rato.

—¿Te ayudaría pensar en lo que hiciste para que aquel molesto iniciado, que pensó que podía enfrentarse a mí, tropezase? —intentó ayudarla.

—Dallas no es molesto y pensó que me estabas atacando.

—Menos mal que no lo estaba haciendo.

—¿Por qué dices eso?

A pesar del dolor que sentía, su tono lo divirtió. Ella sabía muy bien que aquel enclenque iniciado no habría sido ninguna amenaza para él, a pesar de su debilitada condición. Si Rephaim la hubiese estado atacando a ella, o a cualquiera, el joven inexperto no podría haberlo contenido. Aun así, el chico estaba marcado con una luna creciente roja, lo que significaba que era uno de los suyos, y su Stevie Rae era ante todo ferozmente leal. Así que Rephaim inclinó la cabeza en reconocimiento.

—Porque habría sido… inoportuno tener que defenderme de él.

Los labios de Stevie Rae se curvaron en lo que podría ser una sonrisa.

—Dallas pensó que de verdad me estaba protegiendo de ti.

—Tú no necesitas que él te proteja.

Rephaim pronunció las palabras sin pensar. Stevie Rae lo miró durante un largo instante. Él deseó poder leer sus expresiones con más facilidad. Le pareció ver sorpresa en sus ojos y quizás un pequeño destello de esperanza, pero también vio miedo… de eso estaba seguro. ¿Miedo de él? No, ella ya había demostrado que no le tenía miedo. Así que debía de tener el miedo en su interior, miedo de algo que no era él pero que él había iniciado.

—Como has dicho, no podría ni matar a una mosca —soltó, sin saber qué decir—. Estaba claro que no era ninguna amenaza para ti.

Stevie Rae parpadeó un par de veces, como tratando de librarse de demasiados pensamientos. Después se encogió de hombros.

—Sí, aunque he pasado unos momentos horribles tratando de convencer a todo el mundo en la Casa de la Noche de que había sido una extraña coincidencia que hubieses caído del cielo a la vez que se había manifestado la Oscuridad, y de que tú no estabas atacándome. Como ahora saben que hay un cuervo del escarnio en Tulsa, me han puesto muchas dificultades para alejarme de la escuela sola.

—Debería irme —dijo él.

Sus palabras hicieron que Rephaim se sintiera extrañamente vacío en su interior.

—¿Adónde irías?

—Al este —dijo él, sin dudarlo.

—¿Al este? ¿Te refieres al este hasta Venecia? Rephaim, tu padre no está en su cuerpo. No puedes ayudarlo yendo allí ahora. Creo que puedes ayudarlo más quedándote aquí y trabajando conmigo para traerlos tanto a Zoey como a él de vuelta.

—¿No quieres que me vaya?

Stevie Rae miró al suelo, como si estuviese estudiando la tierra donde se sentaban.

—Es difícil para una vampira tener a la persona con la que está conectada demasiado lejos de ella.

—Yo no soy una persona.

—Ya, pero eso no impidió que nos conectásemos, así que supongo que la misma regla se aplica contigo.

—Entonces me quedaré hasta que me digas que me vaya.

Ella cerró los ojos como si esas palabras le hubiesen hecho daño y él tuvo que esforzarse por quedarse quieto y no inclinarse para consolarla, para tocarla.

¿Tocarla? ¿Quiero tocarla?

Se cruzó de brazos como negación física del asombro que le había causado esa idea.

—Tierra —dijo él.

Su voz sonó demasiado alta en el silencio que se había instaurado entre ellos. Ella lo miró desde abajo, con ojos interrogativos.

—La llamaste antes, cuando hiciste que el iniciado rojo tropezase. Le dijiste que se abriese para poder escapar de la luz del sol en el tejado. Le dijiste que cerrase el túnel tras de mí en la abadía. ¿No puedes ahora llamarla sin más y hacerle tu petición?

Sus dulces ojos azules se abrieron más.

—¡Tienes razón! ¿Por qué lo estoy haciendo tan difícil? Lo he hecho como millones de veces antes por otros motivos. No hay ninguna razón por la que no lo pueda hacer ahora.

Extendió sus manos, mostrando las palmas.

—Dame las manos.

Se le hizo demasiado fácil descruzar los brazos y presionar sus palmas contra las de ella. Miró abajo, hacia sus palmas unidas y se dio cuenta de que, aparte de a Stevie Rae, nunca había tocado a ningún humano por ningún motivo que no fuese violento. Y ahí estaba él, tocándola de nuevo... suavemente... con tranquilidad.

El tacto de su piel era agradable. Era cálido. Y suave. Sus palabras llegaron a él entonces y lo que dijeron lo conmovieron y anidaron en un lugar muy profundo que nunca antes nadie había tocado.

—Tierra, tengo que pedirte un gran favor. Rephaim, que está aquí conmigo, es especial para mí. Está dolorido y le está costando recuperarse. Tierra, te he pedido tu fuerza antes... para salvarme a mí misma, para salvar a aquellos que me importan. Esta vez te pido tu fuerza para ayudar a Rephaim. Es lo justo. —Hizo una pausa y lo miró desde abajo. Sus miradas se encontraron al repetir las palabras que él había dicho ante la Oscuridad, cuando pensó que ella no podía escucharlo—. Está herido por mi culpa. Cúralo. Por favor.

El suelo tembló bajo sus pies. Rephaim lo vivió como una sensación extraña, como si la piel de un animal se retorciese. Entonces Stevie Rae jadeó y su cuerpo se estremeció.

Rephaim empezó a alejarse, intentando parar lo que fuese que le estaba sucediendo, pero ella le agarró fuerte de las manos.

—¡No! No te sueltes. Todo va bien.

El calor se extendió por sus palmas hasta las suyas. Durante un momento aquello le recordó la última vez que había convocado lo que él creía que era el poder inmortal de la sangre de su padre aunque fue la Oscuridad la que respondió en su lugar… introduciéndose con cada latido en su sangre y curando su brazo y su ala destrozados. Pero enseguida se dio cuenta de que había una diferencia básica entre que te tocase la Oscuridad y que te tocase la tierra. El primero era un poder salvaje y absorbente y lo llenaba de una energía que se disparaba por su cuerpo; el que ahora lo invadía era más como un viento estival bajo las alas. Su presencia en su cuerpo no era menos exigente que la de la Oscuridad, pero se trataba de una energía suavizada por la compasión… Su contenido estaba vivo, saludable y en crecimiento, en lugar de ser frío, violento y aplastante. Era un bálsamo para su sangre recalentada y aliviaba el dolor que latía en su cuerpo. Cuando la calidez de la tierra llegó a su espalda, al punto en carne viva, sin curar, de donde partían sus enormes alas, el alivio fue tan instantáneo que Rephaim cerró los ojos, soltando un gran suspiro mientras el inmenso dolor se evaporaba.

Y durante el proceso de curación, el aire alrededor de Rephaim se llenó del aroma embriagador y reconfortante de las agujas de cedro y de la dulzura de la hierba veraniega.

—Piensa en ir devolviendo la energía a la tierra —dijo Stevie Rae con voz amable, pero insistente.

Él quiso abrir los ojos y soltarle las manos, pero ella lo volvió a sostener con fuerza.

—No, sigue con los ojos cerrados. Quédate como estás, pero imagina el poder de la tierra como una luz verde brillante que sale del suelo bajo donde yo estoy, sube por mi cuerpo y mis manos hasta ti. Cuando sientas que ya ha hecho su trabajo, visualízala saliendo de tu cuerpo de vuelta a la tierra.

Rephaim permaneció con los ojos cerrados.

—¿Por qué? ¿Por qué dejar que me abandone?

Él pudo oír la sonrisa en su voz.

—Porque no es tuya, tonto. No puedes poseerla. Pertenece a la tierra. Solo puedes tomarla prestada y después devolverla con un «muchas gracias».

Rephaim casi le dice que le parecía algo ridículo, que cuando te otorgaban un poder, no había que dejarlo marchar. Tenías que usarlo y poseerlo. Casi se lo dice, pero no pudo. Aquellas palabras no le parecían adecuadas mientras estaba lleno de la energía de la tierra.

Así que, en lugar de eso, hizo lo que le parecía correcto. Rephaim imaginó la energía que lo invadía como una columna de luz verde brillante y la visualizó descendiendo por su espina dorsal de vuelta a la tierra de la que había salido. Y cuando la rica calidez de la tierra salió de él, se lo agradeció con una palabra, muy suavemente:

—Gracias.

Después volvió a ser él mismo. Sentado bajo un gran cedro en el suelo húmedo y frío, sosteniendo las manos de Stevie Rae, Rephaim abrió los ojos.

—¿Mejor ahora? —le preguntó ella.

—Sí. Mucho mejor.

Rephaim abrió las manos y esta vez ella lo soltó.

—¿En serio? Quiero decir que sentí la tierra y pensé que la estaba canalizando desde mi interior y parecía que tú también la sentías. —Inclinó la cabeza, estudiándolo—. Sí que tienes mejor pinta. Ya no hay sufrimiento en tus ojos.

Él se levantó, ansioso por mostrárselo, y abrió los brazos, desplegando sus majestuosas alas como si estuviese flexionando un músculo.

—¡Mira! Puedo hacer esto sin dolor.

Ella estaba sentada en el suelo mirando hacia arriba, con los ojos abiertos como platos. Su mirada era tan extraña que Rephaim automáticamente bajó los brazos y plegó las alas a su espalda.

—¿Qué pasa? —le preguntó—. ¿Qué va mal?

—Yo… había olvidado que habías ido volando al parque. Bueno, y que te habías ido volando también. —Hizo un sonido que podría haber sido una risa si no hubiese sonado tan alterada—. Es estúpido, ¿no? ¿Cómo me puedo haber olvidado de algo así?

—Supongo que te habías acostumbrado a verme destrozado —dijo, tratando de entender por qué de repente ella parecía tan distante.

—¿Qué fue lo que te arregló el ala?

—La tierra —contestó él.

—No, ahora no. No estaba rota cuando salimos. El dolor que te invadía no tenía nada que ver con ella.

—Oh, no. Estoy curado desde ayer por la noche. El dolor lo causaban los vestigios de la Oscuridad y lo que esta le hizo a mi cuerpo.

—¿Y cómo se curaron tu ala y tu brazo ayer por la noche?

Rephaim no quería responderle. Mientras ella lo miraba con aquellos ojos enormes, acusadores, quiso mentirle, decirle que había sido un milagro causado por la inmortalidad que había en su sangre. Pero no podía hacerlo. No le mentiría.

—Convoqué los poderes a los que tengo derecho gracias a la sangre de mi padre. Tenía que hacerlo, te oí gritar mi nombre.

Ella parpadeó y él vio en sus ojos que lo había comprendido.

—Pero el toro dijo que había sido su poder y no el de tu padre el que te había llenado.

Rephaim asintió.

—Supe que era diferente. No sé por qué. Tampoco entendía por qué estaba recibiendo poder directamente de la propia Oscuridad.

—Entonces te curó la Oscuridad.

—Sí, y después la tierra me curó la herida que la Oscuridad dejó en mi interior.

—Vale, bueno, bien —dijo Stevie Rae levantándose bruscamente y sacudiéndose los vaqueros—. Ahora ya estás mejor y yo me tengo que ir. Como ya te he dicho, se me hace difícil salir ahora que la Casa de la Noche al completo está histérica al saber que hay un cuervo del escarnio en la ciudad.

Pasó por su lado andando apresuradamente y él estiró la mano para cogerla de la muñeca. Stevie Rae se apartó de él. La mano de Rephaim cayó inmediatamente a su lado y dio un paso alejándose de ella.

Se miraron fijamente.

—Tengo que irme —repitió ella.

—¿Volverás?

—¡Tengo que hacerlo! ¡Lo prometí!

Se lo dijo gritando y él se sintió como si lo hubiese abofeteado.

—¡Te libero de tu promesa! —le gritó en respuesta, enfadado porque aquella mujercita pudiese causar tal terremoto en su interior.

Los ojos de Stevie Rae eran sospechosamente brillantes cuando le respondió.

—No te lo prometí a ti… así que tú no puedes liberarme.

Después pasó rápidamente a su lado con la cabeza volteada para que no le viese la cara.

—No vuelvas porque tengas que hacerlo. Vuelve solo si quieres hacerlo —le dijo a sus espaldas.

Stevie Rae no se detuvo ni lo miró. Simplemente, se marchó.

Rephaim se quedó allí de pie un rato largo. Cuando el sonido de su coche se perdió en la distancia, se movió por fin. Con un grito de frustración, el cuervo del escarnio corrió y se lanzó al cielo nocturno, batiendo el frío viento con sus inmensas alas y subiendo sin descanso hacia las corrientes ascendentes de aire caliente que lo elevarían, lo sostendrían y lo llevarían a cualquier parte… a todas partes.

¡Pero lejos! ¡Sacadme de aquí!

El cuervo del escarnio voló hacia el este, alejándose del camino que había tomado el coche de Stevie Rae, alejándose de Tulsa y de la confusión que reinaba en su vida desde que ella apareció en ella.

Después cerró su mente a todo, excepto a la alegría familiar del cielo, y voló.

19

Stark

—Sí, te estoy escuchando, Aphrodite. Quieres que memorice ese poema.

Stark habló a través de los auriculares del helicóptero. Hubiese querido saber cómo apagarlos. No deseaba escuchar su perorata; no le apetecía hablar ni con Aphrodite ni con nadie. Estaba demasiado ocupado dándole vueltas en su cabeza a la estrategia que seguiría para poder entrar con Zoey en la isla. Stark miró por la ventanilla del helicóptero, intentando distinguir algo a través de la oscuridad y de la niebla y echarle un primer vistazo a la isla de Skye donde, según Duantia y todo el Alto Consejo, encontraría una muerte segura en uno de los próximos cinco días.

—No es un poema, idiota. Es una profecía. No le pediría a nadie que memorizara un poema. Metáforas, símiles, alusiones, simbolismos... blablablá... puaj. Me duele el pelo de solo pensar en esa mierda. No es que una profecía sea mucho mejor, pero esta es... desgraciadamente importante. Y Stevie Rae tiene razón sobre ella. Sí que parece un confuso mapa poético —replicó Aphrodite.

—Estoy de acuerdo con Aphrodite y Stevie Rae —advirtió Darius—. Los poemas proféticos de Kramisha han guiado a Zoey antes. Este podría hacer lo mismo.

Stark apartó su mirada de la ventana.

—Lo sé.

Miró a Darius y a Aphrodite y después al cuerpo aparentemente sin vida de Zoey, que estaba sujeto a una extraña litera situada entre los tres.

—Ella ya encontró a Kalona en el agua. Tiene que purificarlo a través del fuego. El aire tiene que susurrarle algo que su espíritu ya sabe y si continúa fiel a la verdad, será libre. Ya he memorizado esa maldita cosa. No me importa si es un poema o una profecía. Si tiene cualquier posibilidad de ayudarla, se lo llevaré a Zoey.

La voz del piloto les llegó a todos por los auriculares.

—Voy a descender ahora. Recordad que solo puedo posarme para que bajéis. El resto es cosa vuestra. Pero sabed que si ponéis un pie en la isla sin el permiso de Sgiach, moriréis.

—Lo pillé la primera docena de veces que nos lo dijiste, gilipollas —murmuró Stark, sin preocuparle que el piloto lo mirara mal por encima del hombro.

Entonces el helicóptero aterrizó y Darius se dispuso a ayudarlo a desatar a Zoey. Stark bajó a tierra. Darius y Aphrodite le pasaron a Zoey, y él la acurrucó en sus brazos, tratando de protegerla del viento frío y húmedo, aún más lacerante a causa de las enormes cuchillas del helicóptero. Darius y Aphrodite se reunieron con él y todos corrieron para alejarse del aparato, aunque el piloto no había exagerado: no llevaban ni un minuto en tierra cuando el helicóptero despegó.

—Nenazas —dijo Stark.

—Están solo obedeciendo a sus instintos —dijo Darius, mirando a su alrededor como si esperara que el hombre del saco saltase de en medio de la niebla.

—No me extraña. Este lugar da mucho miedo —dijo Aphrodite, acercándose a Darius, que le pasó el brazo por encima del hombro, posesivamente.

Stark frunció el ceño, mirándolos.

—¿Estáis bien? No me digáis que todo el mal rollo de esos vampiros os ha hecho mella.

Darius lo miró de arriba abajo y después compartió una mirada con Aphrodite antes de responderle.

—Tú no lo sientes, ¿no?

—Siento el frío y la humedad. Siento que estoy enfadado porque Z está en peligro y yo no he podido ayudarla, y me siento cabreado porque solo falta una hora o así para el amanecer y mi único cobijo es una cabaña que los vampiros dicen que queda a treinta minutos en dirección contraria. ¿Te referías a alguna de esas cosas con el «lo»?

—No —dijo Aphrodite por Darius, aunque el guerrero también sacudía la cabeza—. El «lo» que tanto Darius como yo sentimos es un intenso deseo de escapar. Y me refiero a salir corriendo. Ya.

—Yo quiero sacar a Aphrodite de aquí. Quiero alejarla de esta isla y no volver nunca —corroboró Darius—. Eso es lo que me dice mi instinto.

—¿Y tú no sientes nada de eso? —le preguntó Aphrodite a Stark—. ¿No quieres sacar a Zoey a toda leche de aquí?

—No.

—Creo que eso es buena señal —dijo Darius—. La advertencia inherente a esta tierra está, de alguna manera, obviándolo a él.

—O Stark tiene demasiados músculos en el cerebro como para notar ninguna advertencia —aventuró Aphrodite.

—Con ese optimista pensamiento, pongámonos en marcha. No tengo tiempo que perder con mieditos absurdos —dijo Stark.

Todavía cargado con Zoey, echó a andar por el largo y estrecho puente que se extendía sobre un saliente de la propia Escocia y que llevaba hasta la isla. Estaba iluminado por antorchas que se distinguían a duras penas entre la viscosa mezcla de noche y niebla.

—¿Venís? ¿O vais a echar a correr gritando como niñitas, huyendo de aquí?

—Vamos contigo —dijo Darius, alcanzándolo con un par de zancadas.

—Sí, y yo dije que quería correr. No dije una mierda sobre gritar. Yo no soy del tipo de las que se ponen a chillar —dijo Aphrodite.

Los dos se mostraban muy duros, pero Stark no había llegado ni a la mitad del puente cuando oyó a Aphrodite susurrándole a Darius. Los miró. Incluso bajo la tenue luz de las antorchas pudo ver lo pálidos que estaban el guerrero y su profetisa. Stark se detuvo.

—No tenéis que venir conmigo. Todos, incluso Tánatos, dijeron que no hay ninguna posibilidad de que Sgiach os deje entrar en la isla. Aunque todo el mundo se equivocase y consiguieseis entrar, no podríais hacer mucho. Soy yo quien tiene que averiguar cómo llegar hasta Zoey. Solo yo.

—No podremos estar a tu lado mientras estés en el Otro Mundo —adujo Darius.

—Así que te cubriremos las espaldas y no hay nada más que decir. Zoey se cabreará conmigo cuando vuelva ahí adentro —dijo Aphrodite señalando el cuerpo de Zoey— si ve que Darius y yo te hemos dejado tirado con toda esta mierda. Ya sabes lo pesada que es con su mentalidad de «uno para todos y todos para uno». Las vampiras se negaron a que viniese toda la panda de lerdos, algo que no les puedo reprochar, así que Darius y yo tendremos que comernos el marrón. De nuevo. Como has dicho, deja de perder un tiempo que no tienes —dijo señalando hacia la oscuridad que tenían delante—. Continúa. Yo voy a ignorar las rompientes olas negras que tenemos ante nosotros y el hecho de que esté totalmente segura de que este puente se va a hacer trizas en cualquier momento y nos va a arrojar a la jodida agua, donde monstruos marinos nos arrastrarán bajo las espeluznantes olas negras y nos succionarán el cerebro.

—¿Así es como te hace sentir este lugar? ¿En serio?

Stark trató, sin éxito, de esconder su sonrisa.

—Sí, gilitrasado, así es.

Stark miró a Darius, que asintió, de acuerdo con ella. En lugar de hablar, prefirió apretar la mandíbula y mirar con ojos suspicaces hacia abajo, a las «espeluznantes olas negras».

—Ah.

Stark dejó de intentar esconder su sonrisa y le hizo una mueca a Aphrodite.

—Para mí solo hay agua y un puente. Es una maldita lástima que os esté asustando tanto.

—Camina —dijo Aphrodite—. Antes de que me olvide de que llevas a Zoey y te empuje fuera del puente para que Darius y yo podamos volver corriendo por donde vinimos, chillando o no.

La sonrisa de Stark solo le duró un par de pasos más. No hacía falta un antiguo hechizo de advertencia para espabilarlo. Lo único que hacía falta era el peso muerto de Zoey en sus brazos. *No debería estar metiéndome con Aphrodite. Tengo que concentrarme. Pensar en lo que he decidido decirles y, por favor, oh, por favor, Nyx, ayúdame a que sea lo correcto. Ayúdame a decir algo que me permita entrar en esa isla.* Sin sonreír, resuelto, Stark los guió a lo largo del puente hasta que se detuvieron ante un imponente arco hecho de una piedra blanca de una belleza etérea. La luz de las antorchas reflejaba las vetas plateadas de lo que Stark pensó que debía de ser un extraño tipo de mármol. El arco relucía seductoramente.

—Oh, por todos los demonios. Casi no puedo ni mirarlo —dijo Aphrodite, girando la cabeza para no ver el arco, escondiendo sus ojos—. Y mira que me suelen gustar las cosas brillantes.

—Es parte del hechizo —dijo Darius con la voz ronca por la tensión—. Se supone que tiene que ahuyentarnos.

—¿Ahuyentarnos? —Aphrodite miró el arco, se estremeció y volvió a apartar la vista rápidamente—. «Repelernos» sería una palabra más adecuada.

—A ti tampoco te afecta, ¿verdad? —le preguntó Darius a Stark.

Stark se encogió de hombros.

—Es impresionante y obviamente caro, pero no me hace sentir extraño. —Se acercó al mármol y estudió el arco—. Bueno, ¿dónde está el timbre o lo que sea? ¿Cómo llamamos para que venga alguien? ¿Hay un teléfono, tengo que gritar, o qué?

—*Ha Gaelic akiv?*

La masculina voz incorpórea parecía provenir del mismo arco, como si fuese un portal con vida. Stark miró hacia la oscuridad, perplejo.

—Bueno, pues será en vuestra lengua, entonces —continuó la voz—. Vuestra presencia no deseada aquí es lo único necesario para convocarme.

—Necesito ver a Sgiach. Es una cuestión de vida o muerte —dijo Stark.

—A Sgiach no le preocupan las *wains,* aunque sea cuestión de vida o muerte.

Esta vez la voz sonaba más cerca y más nítida. Tenía un deje escocés que parecía más una serie de gruñidos que un acento pronunciado.

—¿Qué demonios es una *wain?* —susurró Aphrodite.

—Shhh —le dijo Stark. Después se dirigió a la voz sin rostro—. Zoey no es una niña. Es una alta sacerdotisa y necesita ayuda.

Un hombre salió de entre las sombras. Llevaba un *kilt* del color de la tierra, pero no era como esos que habían visto en su viaje relámpago por las Highlands. Este estaba hecho con más tela y no estaba ni cuidado, ni limpio. El vampiro no llevaba puesta ninguna chaqueta de *tweed* con una camisa llena de volantes.

Mostraba un musculoso pecho y los brazos desnudos. Solo llevaba un chaleco y protectores de brazo de cuero tachonado. La empuñadura de un estilete brilló en su cintura. Tenía la cabeza afeitada excepto por un mechón de pelo corto en medio. Dos aros de oro destellaban en una oreja. La luz del fuego iluminó una pulsera dorada enroscada en una de sus muñecas. En contraste con su poderoso cuerpo, su cara estaba surcada de arrugas. Su cerrada y poblada barba era completamente blanca. Los tatuajes de su rostro eran grifos y sus garras se extendían sobre sus pómulos. La primera impresión general de Stark fue la de que era un guerrero que podría caminar sobre el fuego y salir no solo ileso, sino victorioso.

—Esa *wee lass* es una iniciada, no una alta sacerdotisa —dijo.

—Zoey no es como las otras sacerdotisas. —Stark habló rápidamente, con miedo de que el hombre que parecía que acababa de salir del mundo antiguo se desmaterializase y se desvaneciese en el pasado de un momento a otro—. Hasta hace dos días, tenía tatuajes de vampira, e inscripciones en la mayor parte de su cuerpo. Y tenía afinidad por los cinco elementos.

Los evaluadores ojos del vampiro siguieron fijos en Stark y ni siquiera miró a Zoey o a Darius y a Aphrodite.

—Pero hoy yo solo veo a una iniciada inconsciente.

—Su alma se rompió hace dos días luchando contra un inmortal caído. Cuando eso pasó, sus tatuajes desaparecieron.

—Entonces ella morirá.

El vampiro levantó una mano para despedirse y empezó a girarse.

—¡No! —gritó Stark dando un paso hacia delante.

—*Stad anis!* —ordenó el guerrero.

Con una velocidad sobrenatural, el vampiro se giró y caminó hacia él, aterrizando directamente bajo el arco y bloqueando el camino de Stark.

—¿Eres estúpido o un jodido imbécil, chico? No tienes permiso para entrar en la *Eilean nan Sgiach,* en la isla de las Mujeres. Si lo intentas, tu vida será el precio, *aye,* no tengas ninguna duda de ello.

A pocos centímetros del imponente vampiro, Stark se quedó en su sitio y lo miró a los ojos.

—No soy ni estúpido ni imbécil. Soy el guerrero de Zoey y creo que puedo protegerla mejor entrando con ella en esta isla. Por lo tanto, tengo derecho a llevar a mi alta sacerdotisa hasta Sgiach.

—Alguien te ha informado mal, guerrero —dijo el vampiro plácida pero firmemente—. Sgiach y su isla están a un mundo de distancia de tu Alto Consejo y sus reglas. Yo no soy un Hijo de Érebo y *mo bann ri,* mi reina, no está en Italia. Seas el guerrero de una alta sacerdotisa o no, no tienes derecho a entrar aquí. Aquí no tienes ningún derecho.

Bruscamente, Stark se giró hacia Darius.

—Sujeta a Zoey.

Le entregó su alta sacerdotisa al otro guerrero y después se encaró de nuevo con el vampiro. Stark levantó una mano con la palma hacia arriba y mientras el vampiro lo miraba con patente curiosidad, se hizo un corte desde el pulgar hasta la muñeca.

—No estoy pidiendo entrar como un guerrero Hijo de Érebo. He abandonado el Alto Consejo. Sus reglas no significan una mierda para mí. Demonios, ¡no estoy pidiendo entrar! Por el derecho que me confiere mi sangre, estoy exigiendo ver a Sgiach. Tengo algo que decirle.

El vampiro no apartó sus ojos de los de Stark, pero sus fosas nasales se dilataron cuando olfateó el aire.

—¿Cuál es tu nombre?

—Hoy me llaman Stark, pero creo que el nombre que buscas es aquel por el que me llamaban antes de que me marcaran... MacUallis.

—Quédate aquí, MacUallis.

El vampiro desapareció en la noche.

Stark se limpió el brazo ensangrentado en los vaqueros y tomó a Zoey de brazos de Darius.

—No voy a dejarla morir.

Respirando profundamente, cerró los ojos y se preparó para pasar bajo el arco y seguir al vampiro, contando con que la sangre de sus ancestros humanos lo protegiese.

La mano de Darius lo agarró del brazo, impidiéndole cruzar el umbral.

—Creo que si el vampiro te ha dicho que esperes aquí, es porque tiene intención de volver.

Stark se detuvo y miró a Darius y a Aphrodite, que le puso los ojos en blanco.

—¿Sabes? En esta vida se supone que debes aprender a ser paciente, junto a un poquito de *espabilación*. Jesús, espérate un par de minutos. El guerrero bárbaro te dijo que aguardases, no que te fueses. Suena como si fuese a volver.

Stark gruñó y se alejó medio paso del medio del círculo, aunque se apoyó contra su exterior, cambiando el peso de Zoey para que ella estuviese más cómoda.

—Vale. Esperaré. Pero no pienso hacerlo mucho tiempo. O me dejan entrar en la maldita isla, o no. Sea como sea, estoy impaciente por lidiar con lo que venga después.

—La humana tiene razón —dijo una voz de mujer desde la oscuridad de la isla—. Tienes que aprender a ser paciente, joven guerrero.

Stark se puso recto y volvió a mirar la isla.

—Solo me quedan cinco días para salvarla. Si no lo hago, morirá. No tengo tiempo para aprender a ser paciente ahora mismo.

La risa de la mujer erizó el fino vello de los brazos de Stark.

—Impetuoso, arrogante e impertinente —dijo—. Me recuerda a ti hace varios siglos, Seoras.

—*Aye*, pero yo nunca fui tan joven —contestó la voz del guerrero vampiro.

Stark luchaba por contenerse para no gritarles a los dos que saliesen de la oscuridad y mostrasen su cara, cuando parecieron materializarse directamente desde la niebla enfrente de él, en la parte del arco que estaba en la isla. El vampiro con pinta arcaica estaba allí de nuevo, pero Stark casi ni lo miró. Estaba totalmente cautivado por la mujer.

Era alta y su cuerpo, aunque de anchos hombros y musculoso, era totalmente femenino. Tenía arrugas en las esquinas de unos ojos grandes, hermosos y con matices sorprendentes de dorado verdoso, del color exacto de la pieza de ámbar del tamaño de un puño que colgaba del collar que le rodeaba la garganta. Excepto por un reflejo de color rojo canela, su pelo largo hasta la cintura era perfectamente blanco, pero no parecía vieja. Tampoco parecía joven. Mientras la estudiaba, Stark se dio cuenta de que le recordaba a Kalona, que era eternamente joven y viejo al mismo tiempo. Sus tatuajes eran increíbles: espadas con intrincadas empuñaduras y hojas talladas enmarcaban su cara fuerte y sensual. Se dio cuenta de que nadie había dicho nada mientras él la había estado mirando. Stark se aclaró la garganta, apretó a Zoey contra él y se inclinó respetuosamente ante ella.

—Feliz encuentro, Sgiach.

—¿Por qué debería permitirte entrar en mi isla? —le preguntó ella sin más preámbulo.

Stark respiró profundamente y levantó la barbilla, mirando a Sgiach a los ojos como había hecho con su guerrero.

—Tengo derecho por mi sangre. Soy un MacUallis. Eso significa que soy parte de tu clan.

—No del de ella, chico. Del mío —le dijo el vampiro, curvando sus labios en una sonrisa que tenía más pinta de peligrosa que de atrayente.

Pillado por sorpresa, Stark cambió su foco de atención hacia el guerrero.

—¿Tuyo? ¿Soy parte de tu clan? —dijo estúpidamente.

—Te recuerdo más inteligente cuando eras tan joven como él —le dijo Sgiach a su guerrero.

—*Aye* —bufó el vampiro—. Joven o no, yo tenía más cabeza que él.

—Soy lo suficientemente inteligente como para saber que mi sangre humana me sigue uniendo a vosotros y a esta isla —replicó Stark.

—Pero si aún parece que llevas pañales, muchacho —dijo el guerrero sarcásticamente—. Deberías dedicarte a jugar en el patio del colegio, y en esta isla no encontrarás nada parecido.

En lugar de cabrearlo, las palabras del guerrero encendieron una lucecita en los recuerdos de Stark. Fue como si los apuntes de Damien volviesen a estar ante sus ojos.

—Por eso tengo derecho a entrar en la isla —dijo Stark—. No sé una mierda de lo que hace falta para ser un buen guerrero y salvar a Zoey, pero puedo deciros que ella es más que una alta sacerdotisa. Antes de que su alma se rompiese, se estaba convirtiendo en algo que los vampiros no habían visto nunca.

Los pensamientos siguieron llegándole. Mientras hablaba y veía la sorpresa en la cara de Sgiach, las piezas del rompecabezas fueron encajando y su instinto le dijo que estaba siguiendo la línea correcta de razonamiento.

—Zoey se estaba convirtiendo en una Reina de los Elementos. Yo soy su guerrero, su guardián, y ella es mi As. Estoy aquí para aprender cómo proteger a mi As. ¿No es eso lo que hacéis? ¿Entrenar a los guerreros para proteger a sus Ases?

—Dejaron de venir a mí —dijo Sgiach.

Stark pensó que solo había imaginado la tristeza en su voz, pero cuando su guerrero se acercó un poco más a su reina, como si estuviese tan compenetrado con sus necesidades que podría haber notado incluso esa pequeña nota de incomodidad en ella, supo que, sin lugar a dudas, había encontrado la respuesta y le envió un «gracias, Nyx» silencioso a la Diosa.

—No, no hemos dejado de venir. Yo estoy aquí —le dijo Stark a la anciana reina—. Soy un guerrero. De la sangre de los MacUallis. Te estoy pidiendo ayuda para proteger a mi As. Por favor, Sgiach, déjame entrar en tu isla. Enséñame cómo mantener a mi reina viva.

Sgiach dudó solo lo suficiente para compartir una mirada con su guerrero. Después levantó una mano.

—*Failte gu ant Eilean nan Sgiath...* Bienvenido a la isla de Sgiach. Puedes entrar en mi isla.

—Su Majestad.

La voz de Darius paralizó a todo el mundo. El guerrero se había puesto sobre una rodilla ante el arco. Aphrodite estaba de pie, unos pasos detrás de él.

—Puedes hablar, guerrero —dijo Sgiach.

—Yo no tengo la sangre del clan, pero sí que protejo a un As; por lo tanto, solicito también entrar tu isla. Aunque no llego como un guerrero recién formado, creo que hay mucho que desconozco... mucho que me gustaría aprender mientras permanezco al lado de mi hermano guerrero en su lucha por salvar la vida de Zoey.

—Esa es una mujer humana y no una alta sacerdotisa. ¿Cómo podrías estar vinculado a ella por juramento? —le preguntó el vampiro guerrero.

—Lo siento. No entendí tu nombre. ¿Era Shawnus? —intervino Aphrodite caminando hasta ponerse al lado de Darius y colocando una mano sobre su hombro.

—Es Seoras, joder, ¿es que también estás sorda? —dijo el guerrero, pronunciando lentamente.

Stark se sorprendió al ver que las comisuras de los labios del guerrero se elevaban al escuchar el tono malicioso de Aphrodite.

—Vale, Seoras —dijo imitando su acento con una inquietante precisión—. Yo no soy una humana. Era una iniciada que tenía visiones. Después dejé de ser una iniciada. Y cuando me *desinicié*, Nyx, por razones que aún desconozco, decidió mantener mis visiones. Así que ahora soy la profetisa de la Diosa. Espero que, además del estrés y de los dolores de ojos que eso me causa, esta labor me permita envejecer elegantemente, como tu reina.

Aphrodite hizo una pausa para inclinar la cabeza ante Sgiach, cuyas cejas se arquearon, mas no la mató de un solo golpe, aunque Stark pensaba que se lo merecía.

—Sea como sea, Darius me prestó su juramento como guerrero. Si he entendido bien su alusión, y eso espero porque se me da como el culo el lenguaje figurativo, yo soy un As a mi manera. Así que Darius sí que encaja en vuestro clan de guardianes, tenga vínculo de sangre o no.

Stark pensó que oía a Seoras murmurar:

—Jodida arrogante...

—Interesante —susurró Sgiach al mismo tiempo—. *Failte gu ant Eilean nan Sgiath*, profetisa y su guerrero.

Sin más discusiones, Stark pasó bajo el arco de mármol sosteniendo a Zoey, seguido por Darius y Aphrodite, y juntos entraron en la isla de las Mujeres.

20

Stark

Seoras los llevó hasta un Range Rover negro que estaba aparcado tras la esquina, oculto desde el arco. Stark se paró al lado del vehículo. Su expresión debió de mostrar la sorpresa que sentía, porque el guerrero se rió.

—¿Te esperabas un carro con ponis de las Highlands?

—No sé él, pero yo sí —dijo Aphrodite, subiéndose en el asiento de atrás, al lado de Darius—. Y por una vez, estoy supercontenta de haberme equivocado.

Seoras le abrió la puerta del copiloto a Stark y este entró, sosteniendo a Zoey con cuidado. El guerrero se había puesto ya a conducir cuando Stark se dio cuenta de que Sgiach no iba con ellos.

—Eh, ¿dónde está tu reina? —le preguntó Stark.

—Sgiach no necesita un motor para viajar por su isla.

Stark estaba intentando pensar cómo formular su próxima pregunta cuando Aphrodite habló:

—¿Qué demonios significa eso?

—Significa que la afinidad de Sgiach no está limitada a ningún elemento. La afinidad de Sgiach es con esta isla. Manda sobre todos y sobre cuanto hay en ella.

—¡Por todos los infiernos! ¿Me estás diciendo que se puede teletransportar, como en una versión no friki de *Star Trek?* No, no es posible eliminar el frikismo de *Star Trek* —dijo Aphrodite.

Stark empezó a pensar en maneras de amordazarla sin que Darius se enfadase con él. Pero el viejo guerrero ni se inmutó por las palabras de Aphrodite. Simplemente se encogió de hombros.

—*Aye,* esa sería tan buena explicación como cualquier otra.

—¿Sabes lo que es *Star Trek?*

La pregunta salió de la boca de Stark antes de que su cerebro pudiese detenerla.

De nuevo, el guerrero se encogió de hombros.

—Tenemos satélite.

—¿E internet? —preguntó Aphrodite, esperanzada.

—E internetógrafo también —dijo Seoras, imperturbable.

—Así que hacéis incursiones en el mundo exterior —dedujo Stark.
Seoras lo miró.

—*Aye*, cuando eso cumple con los deseos de la reina.

—No me sorprende. Es una reina. Le gusta comprar, por eso lo de internet —dijo Aphrodite.

—Es una reina. Le gusta permanecer constantemente informada del mundo y de su estado —la corrigió el guerrero con un tono que no invitaba a hacer más preguntas.

Siguieron en silencio hasta que Stark se empezó a preocupar por los rayos de sol en el cielo, hacia el este. Estaba a punto de contarle a Seoras lo que le pasaría si no estaba a cubierto cuando amaneciese, cuando el guerrero señaló hacia delante y a su izquierda.

—El *Craobh*… la Arboleda Sagrada. El castillo está más allá, en la orilla.

Fascinado, Stark miró hacia la izquierda y vio los troncos deformes de lo que engañosamente podrían parecer árboles larguiruchos porque sostenían un océano de verde. Solo alcanzó a ver retazos de lo que había en el interior de la arboleda: capas de musgo, sombras y trozos de más mármol, como el que componía el arco, semejantes a manchas de luz brillante. Y en frente de todo aquello, como un faro que atrae a los viajeros, se encontraba lo que parecían dos árboles enroscados juntos para formar uno solo. Las ramas de aquella extraña unión tenían tiras de tela de color brillante atadas que contrastaban de forma extraña, pero complementaria, con sus miembros nudosos.

Cuanto más lo miraba Stark, más raro le hacía sentir.

—Nunca había visto un árbol como este. ¿Y por qué tiene esas telas atadas? —preguntó.

Seoras frenó, parándose en medio de la carretera.

—Son un espino y un serbal que crecieron juntos para dar forma a un árbol votivo.

Como esa fue la única explicación que dio, Stark lo miró con frustración.

—¿Un árbol votivo?

—Tu educación es bastante incompleta, muchacho. *Ach*, a ver, es un árbol de los deseos. Cada lazada, cada cinta de tela, representa un deseo. A veces son de padres que desean el bienestar de su *wain*. A veces son de amigos recordando a los que han pasado a la siguiente vida. Pero la mayor parte de las veces son deseos de amantes que tratan de unir sus vidas y desean ser felices. Son árboles cuidados por la gente buena, sus raíces se alimentan gracias a los deseos de bondad que transportan de su mundo al nuestro.

—¿«La gente buena»?

Stark parecía exasperado.

—Las *Fey*... las hadas para ti. ¿No sabías que es de ahí de donde viene lo de «los lazos matrimoniales»?

—Eso es muy romántico —dijo Aphrodite con un tono, por una vez, totalmente exento de sarcasmo.

—*Aye*, mujer, es bastante romántico, así que seguro que es escocés —dijo el guerrero metiendo la marcha y alejándose despacio del árbol cargado de deseos.

Distraído por la idea de atar un deseo con Zoey, Stark no vio el castillo hasta que Seoras se detuvo de nuevo. Entonces levantó la vista y el brillo de la luz reflejándose en la roca y el agua llenó sus ojos. El castillo se asentaba a un par de cientos de metros de la carretera principal, bajando por un sendero que era en realidad un puente de piedra elevado sobre un mar cenagoso. Unas antorchas como las que se alineaban en el puente desde Escocia, iluminaban el sendero, solo que aquí fácilmente triplicaban su número, alumbrando el camino hasta el castillo y los muros del enorme edificio.

Y en medio de las antorchas resaltaban unas estacas tan gruesas como el brazo de un hombre. En cada una de ellas había una cabeza machacada, con la boca en una mueca, sin ojos. Esas cosas macabras al principio parecían moverse, pero después Stark se dio cuenta de que solo era el pelo largo y grasiento de cada reseco cuero cabelludo que flotaba en la brisa fresca como un fantasma.

—Qué horror —susurró Aphrodite desde el asiento de atrás.

—El Gran Decapitador —dijo Darius en voz baja, sobrecogido.

—*Aye*, Sgiach —fue todo lo que dijo Seoras, pero sus labios dibujaron una sonrisa que reflejaba el orgullo en su voz.

Stark no habló. En lugar de eso, su mirada se vio atraída por el truculento camino de entrada hacia arriba y más arriba. La fortaleza de Sgiach colgaba del mismo borde de un acantilado, sobre el océano. Aunque solo podía ver la parte del castillo que daba al lado en tierra, a Stark no le fue difícil imaginar la escarpada imagen que debía de presentar al mundo exterior... un mundo que nunca podría acceder a sus dominios, aunque el hechizo protector de la reina no hubiese conseguido repeler a los intrusos. El castillo estaba construido con piedra gris intercalada con el brillante mármol blanco que predominaba en la isla. En frente de las gruesas puertas de madera había un arco imponente que se asentaba, a modo de puente, ante la estrecha entrada del castillo.

Cuando salió del Range Rover, Stark oyó un sonido que atrajo su mirada aún más arriba. Iluminada por un círculo de antorchas, flotaba una bandera desde la torre más alta del castillo. Se mecía en la brisa fresca y briosa, a pesar de lo cual Stark pudo ver claramente la llamativa forma de un poderoso toro negro con la imagen de una diosa, o quizás una reina, pintada en el interior de su cuerpo musculoso.

Entonces se abrieron las puertas del castillo y unos guerreros, hombres y mujeres, salieron del interior, cruzaron el puente y corrieron hacia ellos. Stark automáticamente dio un paso atrás mientras Darius se ponía a su lado en posición defensiva.

—No busquéis problemas donde no los hay —dijo Seoras, haciendo un gesto de calma con su mano callosa—. Solo quieren mostrar el respeto adecuado a tu reina.

Los guerreros, vestidos como Seoras fuesen hombres o mujeres, se movieron rápidamente, pero sin signos de agresividad, hacia Stark. Se acercaron en una columna de a dos, sosteniendo una camilla de cuero entre ellos.

—Es la tradición; respeto, muchacho, cuando uno de nosotros cae. Es responsabilidad del clan devolverlo o devolverla a su casa en *Tír na nóg,* la tierra de nuestra juventud —dijo Seoras—. Nunca dejaremos atrás a uno de los nuestros.

Stark dudó.

—No creo que pueda dejarla ir —dijo mirando los ojos firmes del guerrero.

—Oh, *aye* —dijo Seoras suavemente, asintiendo con compresión—. No tienes que hacerlo. Irás el primero. El clan hará el resto.

Cuando Stark se quedó allí parado, sin moverse, Seoras fue junto a él y extendió los brazos. No iba a dejar a Zoey; no pensaba que pudiese soportarlo. Entonces Stark vio el brazalete dorado de jefe brillando en la muñeca de Seoras. Fue el brazalete lo que tocó algo en su interior. Con sorpresa, se dio cuenta de que confiaba en Seoras y mientras le pasa al guerrero a Zoey, comprendió que no la estaba entregando, sino compartiéndola.

Seoras se giró y tumbó a Zoey con cuidado en la camilla. Los guerreros, seis a cada lado, inclinaron la cabeza respetuosamente. Entonces el líder, una mujer alta con el pelo negro como el azabache que ocupaba la primera posición en la larga fila, habló.

—Guerrero, mi lugar es tuyo.

Moviéndose por instinto, Stark caminó hacia la camilla y cuando la mujer se apartó, él asió el mango desgastado. Seoras caminó delante de ellos. Como si fuesen uno, Stark y los otros guerreros lo siguieron, transportando a Zoey como una reina caída al interior del castillo de Sgiach.

Stark

El interior del castillo fue una sorpresa mayúscula, sobre todo después de la truculenta decoración del exterior. Como mínimo, Stark había esperado que fuese el castillo típico de un guerrero, masculino, espartano y básicamente una mezcla entre una mazmorra y un vestuario de chicos. Estaba completamente equivocado.

El interior del castillo era magnífico. El suelo era de mármol blanco liso con vetas plateadas. Los muros de piedra estaban cubiertos de tapices de colores intensos con variadas representaciones, desde idílicas escenas de la isla, incluso con sus peludas vacas, a imágenes de campos de batalla tan hermosos como sangrientos. Cruzaron el vestíbulo y descendieron un largo pasillo para llegar a unas inmensas escaleras dobles donde Seoras detuvo la procesión con un movimiento de su mano.

—No puedes ser un guardián de un As si no eres capaz de tomar decisiones. Así que tienes que elegir, muchacho. ¿Quieres llevar a tu reina arriba y tomarte tu tiempo para descansar y prepararte, o prefieres empezar ahora tu búsqueda?

Stark no lo dudó.

—No tengo tiempo para descansar y empecé a prepararme para esto desde el día en que Zoey aceptó mi juramento como guerrero suyo. Decido dar comienzo a mi búsqueda ahora.

Seoras asintió ligeramente.

—*Aye*. Entonces vamos a la sala de *Fi-anna Foil*.

El guerrero torció en las escaleras y continuó bajando por el pasillo. Cerca de él, Stark y los demás transportaban a Zoey.

Para irritación de Stark, Aphrodite apretó el paso hasta llegar casi a su altura.

—Oye, Seoras, ¿a qué te referías exactamente cuando hablabas de que Stark tiene que hacer una búsqueda? —le preguntó.

Seoras ni miró por encima del hombro cuando le contestó:

—No vacilé, mujer. Llamé a su tarea una búsqueda, y es así.

Aphrodite bufó.

—Cállate —le susurró Stark.

Como siempre, Aphrodite lo ignoró.

—Sí, entendí la palabra. Pero no estoy segura de su significado.

Seoras llegó a un enorme conjunto de puertas de doble hoja en forma de arco. Stark pensó que haría falta un ejército para abrirlas, pero lo único que hicieron los guerreros fue hablar en voz suave y queda.

—Tu guardián pide permiso para entrar, mi As.

Con un sonido que pareció el suspiro de un amante, las puertas se abrieron y Seoras los condujo al interior de la habitación más suntuosa que hubiese visto nunca Stark.

Sgiach estaba sentada en un trono de mármol blanco sobre una tarima de tres gradas en medio de la inmensa sala. El trono era increíble y estaba tallado de arriba abajo con nudos intrincados que parecían narrar una historia o retratar una escena, pero la vidriera tintada a las espaldas de Sgiach y su estrado ya estaban revelando el alba y Stark se detuvo, tambaleándose, fuera del alcance de su progresivo brillo, lo que hizo que la larga fila de guerreros se quedara inmóvil y le brindara miradas curiosas. Entrecerró los ojos por la luz y trató de que su cerebro funcionase a través de la bruma que las horas de sol instalaban en su consciencia. En ese momento, Aphrodite se adelantó, se inclinó rápidamente ante Sgiach y después habló con Seoras.

—Stark es un vampiro rojo. Es diferente a vosotros, chicos. Arderá si recibe la luz directa del sol.

—Cubrid las ventanas —ordenó Seoras.

Los guerreros siguieron su orden inmediatamente, desplegando unas cortinas que Stark no había visto hasta entonces. Antes incluso de que más guerreros encendieran las antorchas de las paredes y los candelabros del tamaño de árboles, pudo ver claramente a Seoras subiendo los escalones del estrado y colocándose a la izquierda del trono de su reina. Se quedó allí de pie con una confianza que era casi tangible. Stark supo, sin lugar a dudas, que nada en este mundo y quizás ni en el siguiente, podría lograr pasar a Seoras para así herir a su reina y, por un momento, Stark sintió una ola terrible de envidia. *¡Yo quiero eso! ¡Quiero que Zoey vuelva para poder estar seguro de que nada la vuelve a herir jamás!* Sgiach levantó la mano izquierda y acarició el antebrazo de su guerrero breve pero íntimamente. La reina no levantó la vista hacia él, pero Stark sí. Seoras la estaba mirando con una expresión que Stark comprendía completamente. *No es solo un guardián... es El Guardián. Y la ama.*

—Acércate. Dejad a la joven ante mí.

Mientras hablaba, Sgiach le hizo una seña para que se acercase.

La columna se movió hacia delante y sus miembros depositaron la camilla de Zoey en el suelo de mármol, a los pies de la reina.

—No soportas la luz del sol. ¿Qué más hay diferente en ti? —preguntó Sgiach mientras se encendía la última de las antorchas y la habitación se teñía del cálido brillo amarillo de las llamas.

Los guerreros se fundieron en las sombras de las esquinas. Stark miró a la reina y a su guardián y le respondió con rapidez, sin rodeos o preámbulos que le hicieran perder tiempo.

—Normalmente duermo durante el día. No estoy al cien por cien mientras el sol está en lo alto. Tengo más sed de sangre que los vampiros normales. No puedo entrar en una casa privada sin ser invitado. Puede haber más diferencias, pero no hace mucho que soy un vampiro rojo y esto es lo que he averiguado hasta ahora.

—¿Es verdad que perdiste la vida y después la recuperaste? —le preguntó la reina.

—Sí —contestó rápidamente Stark, esperando que no le preguntara más sobre ese tema.

—Intrigante... —murmuró Sgiach.

—¿Fue durante el día cuando el alma de tu reina se rompió? ¿Por eso fallaste en protegerla? —le preguntó Seoras.

Parecía que el guerrero le había disparado las preguntas al corazón, pero Stark lo miró fijamente y le dijo solo la verdad.

—No. No fue durante el día. No le fallé por eso. Le fallé porque cometí un error.

—Estoy segura de que el Alto Consejo, igual que los vampiros de tu Casa de la Noche, te han explicado que un alma rota es una sentencia de muerte para una alta sacerdotisa vampira, y a menudo también para su guerrero. ¿Por qué crees que venir aquí puede cambiar esa realidad? —dijo Sgiach.

—Porque, como he dicho antes, Zoey no es solo una alta sacerdotisa. Ella es diferente. Ella es más que eso. Y porque yo no voy a ser solo su guerrero, quiero ser su guardián.

—Así que estás dispuesto a morir por ella.

El guerrero no lo dijo como una pregunta, pero Stark asintió de todas maneras.

—Sí, moriría por ella.

—Pero sabe que si lo hace, no tendrá ninguna oportunidad de que ella regrese a su cuerpo —dijo Aphrodite mientras él y Darius se colocaban al lado de Stark—. Porque eso es lo que intentaron hacer otros guerreros antes y ninguno tuvo éxito.

—Él quiere usar a los toros y las antiguas creencias de los guerreros para encontrar una puerta al Otro Mundo, pero vivo —explicó Darius.

Seoras se rió sin humor.

—No esperarás entrar en el Otro Mundo persiguiendo mitos y rumores.

—En este castillo ondea la bandera del toro negro —dijo Stark.

—Hablas del *tara,* el simbolismo antiguo hace tiempo olvidado, al igual que mi isla —dijo Sgiach.

—Nosotros nos acordamos de tu isla —contraatacó Stark.

—Y los toros no se han olvidado tanto en Tulsa —dijo Aphrodite—. Ambos se manifestaron allí ayer por la noche.

Hubo un momento de silencio en el que la cara de Sgiach mostró una completa sorpresa y la expresión de su guerrero se convirtió repentinamente en una peligrosa disposición.

—Cuéntanos —dijo Seoras.

Rápidamente y con una sorprendente carencia de sarcasmo, Aphrodite explicó que Tánatos les había hablado de aquellas figuras mitológicas, lo que había empujado a Stevie Rae a pedir la ayuda del toro equivocado al mismo tiempo que Damien y el resto de los chicos investigaban lo que, por su parte, les había hecho descubrir el vínculo de sangre de Stark con los Guardianes del As y la isla de Sgiach.

—Repíteme exactamente lo que predijo el toro blanco —pidió Sgiach.

—«El guerrero debe mirar en su sangre para descubrir el puente que le permitirá entrar en la isla de las Mujeres y después debe derrotarse a sí mismo en la arena. Solo reconociéndose a sí mismo ante el otro se reunirá con su sacerdotisa. Después de reunirse con ella, será su elección, y no la de él, el regresar o no» —recitó Stark.

Sgiach miró hacia su guerrero.

—El toro le ha dado un pasaje para el Otro Mundo.

Seoras asintió.

—*Aye*, pero solo el pasaje. El resto debe hacerlo él.

—¡Explicádmelo! —dijo Stark, incapaz de aguantar la impotencia durante más tiempo—. ¿Qué demonios tengo que hacer para entrar en el maldito Otro Mundo?

—Un guerrero vivo no puede entrar en el Otro Mundo —le confió Sgiach—. Solo una alta sacerdotisa tiene esa habilidad, y no muchas de ellas pueden realmente conseguir entrar en ese reino.

—Eso lo sé —dijo Stark con los dientes apretados—. Pero, como habéis dicho, los toros me permiten la entrada.

—No —lo corrigió Seoras—. Te están permitiendo viajar hasta allí, no entrar. Nunca podrás entrar como guerrero.

—¡Pero yo soy un guerrero! ¿Entonces cómo entro? ¿A qué se refiere la parte de derrotarme a mí mismo?

—Ahí es donde entra la antigua religión. Hace mucho tiempo, los vampiros macho podían servir a la Diosa o a los dioses de más de una manera —dijo Sgiach.

—Alguno de nosotros éramos chamanes —dijo Seoras.

—Vale, entonces… ¿necesito convertirme en un chamán? —preguntó Stark, completamente confuso.

—Solo he conocido a un guerrero que también llegase a transformarse en chamán.

Para subrayar sus palabras, Sgiach dejó descansar una mano en el antebrazo de Seoras.

—Tú eres las dos cosas —dijo Aphrodite emocionada—. ¡Pues dile a Stark cómo hacerlo! ¡Así se podrá convertir en chamán, siendo a la vez un guerrero!

Las cejas del viejo guerrero se elevaron y una esquina de su boca ascendió para dibujar una sonrisa sardónica.

—*Ach*, eso es bastante fácil, en realidad. El guerrero de su interior debe morir para que nazca el chamán.

—Genial. De una manera o de otra, tengo que morir —dijo Stark.

—*Aye*, eso parece —asintió Seoras.

En su imaginación, Stark casi podía oír la típica frase de Zoey: *¡Ah, demonios!*

21

Stevie Rae

Sabía que se tendría que enfrentar a un montón de mierda cuando regresara a la escuela, pero Stevie Rae no se esperaba que la misma Lenobia la estuviese esperando en el aparcamiento.

—Escucha, solo necesitaba un poco de tiempo para mí misma. Como puedes ver, estoy bien y…

—En las noticias de la noche ha habido un avance informativo sobre un robo de una banda en los apartamentos Tribune Loft. Han matado a cuatro personas. Tenían el cuello cortado y estaban parcialmente drenados de sangre. La única razón por la que la policía no está en nuestra puerta acusándonos es el informe de varios testigos que juran que fue una pandilla de adolescentes humanos con los ojos rojos.

Stevie Rae tragó el sabor amargo de la bilis en el fondo de su garganta.

—Han sido los iniciados rojos de los túneles. Han interferido en la memoria de los testigos, pero ninguno de ellos ha superado un cambio, así que no tienen la habilidad de ocultarlo todo.

—No pudieron borrar esos ojos rojos brillantes de las memorias de los humanos —dijo Lenobia, asintiendo.

Stevie Rae estaba fuera del coche y se dirigía a la escuela.

—Dragon no ha salido tras ellos, ¿no?

—No. Lo he mantenido ocupado con pequeños grupos de iniciados. Ya ha empezado a enseñarles autodefensa por si se produce otro ataque de los cuervos del escarnio.

—Lenobia, de verdad creo que el del parque fue una casualidad. Apuesto a que ahora está a miles de kilómetros de Tulsa.

Lenobia hizo un gesto desdeñoso.

—Un solo cuervo del escarnio es ya demasiado. Pero esté solo o con una bandada, Dragon lo encontrará y lo destruirá. Y a no ser que Kalona y Neferet los estén incitando, no creo que nos tengamos que preocupar de que ataquen la escuela. Me preocupan más esos perversos iniciados rojos.

—A mí también —dijo Stevie Rae, contenta de cambiar de tema—. ¿Las noticias decían que solo perdieron parte de su sangre?

Lenobia asintió.

—Sí, y que sus gargantas estaban abiertas... no cortadas o mordidas y después desangradas, como nos alimentaríamos tú o yo.

—No se están alimentando. Están jugando. Les gusta aterrorizar a la gente; es como una especie de droga para ellos.

—Esa es una verdadera aberración del camino de Nyx —dijo Lenobia apresuradamente y con la voz llena de ira—. Aquellos de los que nos alimentamos deben sentir solo nuestro placer mutuo. Por eso la Diosa nos concedió la habilidad de compartir tan poderosa sensación con los humanos. Nosotros no los tratamos brutalmente ni los torturamos. Los apreciamos... los hacemos consortes nuestros. El Alto Consejo incluso ha expulsado a los vampiros que abusan de su poder con los humanos.

—No le has hablado al Alto Consejo sobre los iniciados rojos, ¿verdad?

—No lo haría sin discutirlo antes contigo. Tú eres su alta sacerdotisa. Pero debes entender que sus acciones los han colocado en una situación que no podemos ignorar.

—Lo sé, pero sigo queriendo ocuparme yo misma.

—Sola de nuevo no. Esta vez no —dijo Lenobia.

—Tienes razón. Lo que han hecho hoy es muestra de lo peligrosos que son.

—¿Debería recurrir a Dragon?

—No. No voy a ir sola y mi plan es darles un ultimátum: o se adaptan, o se van. Pero si llevo a gente de fuera allí abajo, no habrá ninguna oportunidad de que alguno decida abandonar la Oscuridad y venir conmigo.

Entonces Stevie Rae se dio cuenta de lo que acaba de decir y se paró en seco como si acabase de tropezarse contra una pared.

—¡Oh Diosa, eso es! No podría haberlo sabido antes de conocer a los toros, pero ahora lo entiendo. Lenobia, sea lo que sea lo que nos invade después de perder la vida y alcanzar la no muerte, cuando somos malvados y estamos llenos de ansias de sangre y todo eso... forma parte de la Oscuridad. O sea, que no es nada nuevo. Tiene que ser tan antiguo como la religión de los guerreros y los toros. Neferet está detrás de lo que me pasó a mí y al resto de los chicos —dijo Stevie Rae mirando los ojos de la profesora de equitación. En ellos vio reflejado el miedo que sentía—. Tiene tratos con la Oscuridad. Ahora ya no hay duda de ello.

—Me temo que hace tiempo que no hay duda de ello —dijo Lenobia.

—¿Pero cómo demonios se enteró Neferet de lo que era la Oscuridad? Durante siglos y siglos, los vampiros han adorado a Nyx.

—Que la gente deje de rendirle culto a algo, no significa que una deidad deje de existir. Las fuerzas del bien y del mal se mueven en una danza atemporal, sin importarles los caprichos o las modas mortales.

—Pero Nyx es la Diosa.

—Nyx es nuestra diosa. No creerás en serio que solo hay una deidad en un mundo tan complejo como el nuestro.

Stevie Rae suspiró.

—Supongo que si lo pones así, no me queda otra que darte la razón, pero desearía que no hubiese más de una elección para el mal.

—Entonces solo habría una elección para el bien. Recuerda que siempre se debe mantener un equilibro, eternamente.

Caminaron en silencio durante un rato.

—¿Te llevarás a los iniciados rojos contigo para enfrentarte a los malvados? —quiso saber Lenobia.

—Sí.

—¿Cuándo?

—Cuanto antes, mejor.

—Quedan poco más de tres horas para el amanecer —informó Lenobia.

—Bueno, solo les voy a hacer una pregunta: sí o no. No me va a llevar mucho tiempo.

—¿Y si dicen que no?

—Entonces me aseguraré de que no puedan usar los túneles como cómodo escondrijo nunca más y de que se separen. Sigo sin creer que sean todos malos si no están en grupo.

Stevie Rae dudó antes de continuar.

—No quiero matarlos. Siento que si lo hiciera, estaría rindiéndome ante el mal. Y no quiero que esa Oscuridad me vuelva a tocar, nunca más.

Recordó una imagen de Rephaim con las alas extendidas, totalmente restablecido y poderoso.

Lenobia asintió.

—Lo entiendo. Pero tu plan es digno de mención. Si los apartas de su fuerte y los obligas a dispersarse, los que se queden atrás tendrán que preocuparse por sobrevivir y no tendrán tiempo de andar jugueteando con los humanos.

—Vale, pues dividámonos y hagamos correr la voz de que necesito que todos los iniciados rojos se reúnan conmigo junto al Hummer en el aparcamiento… ya. Yo voy a la residencia.

—Yo a la casa de campo y a la cafetería. De hecho, cuando venía a buscarte, vi a Kramisha entrando en la cafetería. Hablaré primero con ella. Siempre sabe dónde están todos.

Stevie Rae asintió y Lenobia se fue corriendo, dejándola sola de camino hacia las habitaciones. Sola y con tiempo para pensar. Tenía que pensar en lo que iba a decirle a la estúpida de Nicole y a su grupo de iniciados asesinos. Pero no podía sacarse a Rephaim de la cabeza.

Alejarse de él había sido una de las cosas más difíciles que había hecho en su vida.

Entonces ¿por qué lo había hecho?

—Porque vuelve a estar bien —dijo en voz alta.

Inmediatamente cerró la boca y miró con ojos culpables a su alrededor. Por suerte, no había nadie cerca. Aun así, continuó con los labios apretados mientras su mente seguía pensando.

Vale, Rephaim estaba curado. ¿Y qué? ¿Había creído que él estaría destrozado para siempre?

¡No! ¡No quiero que esté destrozado! Ese pensamiento fue rápido y sincero. Pero no se trataba solo de que estuviese bien. Era que había sido la Oscuridad la que lo había curado... la que lo había hecho parecer...

Los pensamientos de Stevie Rae se acabaron allí porque no quería pensar en ello. No quería admitir, ni siquiera silenciosamente, a sí misma, el aspecto que tenía Rephaim allí de pie, enmarcado por la luz de la luna, poderoso y perfecto.

Nerviosamente, retorció un rizo rubio. Y, además, estaban conectados. Se suponía que le tenía que atraer un poco. Pero Aphrodite no le había afectado tanto como Rephaim estaba empezando a hacer.

—Bueno, tampoco soy lesbiana... —murmuró, cerrando inmediatamente la boca de nuevo porque aquel pensamiento se le había escapado sin querer.

A Stevie Rae le había gustado el aspecto de Rephaim. Era fuerte, maravilloso y, por un momento, pudo vislumbrar la belleza en el interior de la bestia y no le pareció un monstruo. Se mostró espléndido y por un momento fue suyo.

Se frenó en seco. ¡Era por culpa de ese maldito toro negro! Tenía que serlo. Antes de que se materializase por completo, le había hecho una pregunta a Stevie Rae: *Puedo hacer que la Oscuridad se vaya, pero si lo hago, tendrás una deuda con la Luz: estarás atada para siempre a la humanidad de esa criatura de ahí... esa por la que me has llamado, la que quieres que salve.* Ella le había respondido sin dudarlo.

—¡Sí! ¡Pagaré tu precio!

Y entonces el maldito toro le había hecho algún tipo de abracadabra con la Luz y aquello había cambiado algo en su interior.

¿Pero era esa la verdad? Stevie Rae se retorcía sin parar un rizo alrededor de un dedo mientras lo pensaba. No... algo había cambiado entre ella y Rephaim antes de que apareciese el toro negro. Fue cuando Rephaim se había enfrentado a la Oscuridad en su lugar, asumiendo el dolor de su deuda.

Rephaim había dicho que ella le pertenecía.

Hoy se había dado cuenta de que era verdad y eso la asustaba más que la mismísima Oscuridad.

Stevie Rae

—Vale, bien, ¿estamos todos aquí?

Las cabezas asintieron.

—Sí, todos están aquí —dijo Dallas a su lado.

—Los chicos malos fueron los que mataron a la peña de los Tribune Lofts, ¿no? —dijo Kramisha.

—Sí —confirmó Stevie Rae—. Eso creo.

—Eso es malo —dijo Kramisha—. Muy malo.

—No puedes dejar que anden matando gente así —intervino Dallas—. Ni siquiera eran mendigos.

Stevie Rae respiró profundamente.

—Dallas, ¿cuántas veces tengo que decirte que no importa si alguien es mendigo o no? No está bien matar a nadie.

—Lo siento —dijo Dallas—. Sé que tienes razón, pero a veces el pasado vuelve a mi cabeza y me olvido.

El pasado… Aquella palabra resonó a su alrededor. Stevie Rae sabía exactamente a qué se refería Dallas: a ese pasado antes de que su humanidad fuera salvada por el sacrificio de Aphrodite y de que tuviesen la habilidad de elegir entre el bien y el mal. Ella también se acordaba del pasado, pero cuantos más días pasaba alejada de aquellos días oscuros, más fácil le era apartarlos de su mente. Mientras estudiaba a Dallas, se preguntó si era diferente para él o para el resto de los chicos que aún no habían superado el cambio, porque Dallas parecía tener ese tipo de lapsus bastante a menudo.

—¿Stevie Rae? ¿Estás bien? —le preguntó Dallas, obviamente incómodo por su examen.

—Sí, estoy bien. Solo pensaba. Bueno, esto es lo que hay: bajaré a los túneles de la estación, a nuestros túneles, y les voy a dar una oportunidad más a esos chicos para portarse como es debido. Si lo hacen, podrán quedarse y volver a clase con nosotros el lunes. Si no, tendrán que encontrar su propio camino, en su propio lugar, porque vamos a recuperar los túneles y ya no serán bienvenidos.

Kramisha sonrió.

—¡Vamos a volver a vivir en los túneles!

—¡Sí! —confirmó Stevie Rae.

Supo por los vítores y las exclamaciones de «¡por fin!» que había tomado la decisión correcta.

—Aún no lo he comentado con Lenobia, pero supongo que no habrá ningún problema para que nos traigan y nos lleven en bus de los túneles a la Casa de la Noche. Necesitamos estar bajo tierra y aunque me encanta esta escuela, ya no es mi hogar. Los túneles sí.

—Estoy contigo, niña —dijo Dallas—. Pero necesitamos dejar algo claro desde ya: no vas a ir con ellos sola de nuevo. Yo voy contigo.

—Yo también —se unió Kramisha—. No me importa lo que les hayas contado a los demás, yo supe desde el principio que esos tíos estaban detrás de que casi te frieras en el tejado.

—Sí, todos lo hemos hablado —dijo el musculoso Johnny B—. No vamos a dejar que nuestra alta sacerdotisa vuelva a enfrentarse a eso sola.

—Y me da igual qué superpoderes te otorgue la tierra—dijo Dallas.

—No voy a ir sola. Por eso os he llamado. Juntos vamos a recuperar nuestros túneles, y si hay que patear algún culo, lo haremos entre todos —dijo Stevie Rae—. A ver, Johnny B, quiero que tú conduzcas el Hummer.

Le tiró las llaves. El hombretón le sonrió y las pilló al vuelo.

—Llévate a Hormiga, Shannoncompton, Montoya, Elliot, Sophie, Geraty y Venus. Yo iré con Dallas y Kramisha en el Escarabajo de Z. Seguidme… vamos al aparcamiento inferior de la estación.

—Suena bien, ¿pero cómo puedes estar segura de que vayamos a encontrar allí a los chicos rojos? Ya sabes que esos túneles son, bueno, como un hormiguero —dijo el pequeño chico apodado Hormiga. Todo el mundo se rió.

—También he pensado en eso —dijo Kramisha—. Y tengo una idea, si no te importa que opine.

—Eh, esa es otra de las razones por las que os he llamado a todos, porque necesito que todos colaboréis —habló Stevie Rae.

—Sí, bueno, esta es mi idea: esos chicos ya han tratado de matarte una vez, ¿no?

Suponiendo que ya no había manera de esconderse de sus iniciados, Stevie Rae asintió.

—Sí.

—Así que supongo que si lo intentaron y no consiguieron librarse de ti a la primera, querrán volverlo a intentar, ¿no?

—Probablemente.

—¿Qué harían si supieran que estás en los túneles de nuevo?

—Vendrían a por mí —respondió Stevie Rae.

—Pues usa a la tierra para que sepan que estás allí de nuevo. Puedes hacerlo, ¿no?

Stevie Rae parpadeó, sorprendida.

—Nunca lo había pensado antes, pero apuesto a que sí.

—¡Eres un genio, Kramisha! —se sorprendió Dallas.

—¡Totalmente de acuerdo! —dijo Stevie Rae—. A ver, esperad y dejadme intentar algo.

Se alejó corriendo hacia el lateral de la escuela colindante con el aparcamiento. Había un par de viejos robles allí, un banco de hierro forjado y una fuente de agua cristalina rodeada de lo que ahora era una cama de pensamientos amarillos y violetas encapsulada por el hielo. Mientras sus iniciados la observaban, encaró el norte y se agachó en el suelo, delante del árbol más grande. Inclinó la cabeza y se concentró.

—Ven a mí, tierra —susurró.

Al instante, la tierra donde se posaban sus rodillas se calentó y pudo oler el aroma de las flores silvestres y de una hierba larga y ondeante. Stevie Rae apretó las manos contra la tierra que tanto amaba y se deleitó en su conexión con el elemento. Se sentía cálida y llena de la fuerza de la naturaleza.

—¡Sí! Te conozco. Puedo sentirte en mi interior y a mí en el tuyo. Por favor, haz algo por mí. Por favor, coge algo de esta magia, de lo maravilloso que es estar unidas y viértelo en el túnel principal de la estación. Deja un rastro que indique que estoy ahí para que cualquiera que descanse bajo tu manto lo sepa.

Stevie Rae cerró los ojos e imaginó un rayo de energía verde brillante abandonando su cuerpo, viajando a través de la tierra y desembocando en el túnel que había justo fuera de su antigua habitación en la estación.

—Gracias, tierra —dijo a continuación—. Gracias por ser mi elemento. Te puedes ir.

Cuando se reunió con sus iniciados, todos la miraban con los ojos como platos.

—¿Qué pasa? —preguntó.

—Ha sido impresionante —dijo Dallas con voz insegura.

—Sí, eras verde y brillante —dijo Kramisha—. Nunca había visto nada así.

—Fue totalmente genial —dijo Johnny B mientras el resto de los chicos asentían y sonreían.

Stevie Rae les sonrió también, sintiéndose como una alta sacerdotisa de verdad.

—Bueno, estoy bastante segura de que ha funcionado —explicó.

—¿Sí? —dijo Dallas.

—Sí —le contestó.

Se volvió hacia él y compartieron una mirada que hizo que el estómago de Stevie Rae se encogiese. Tenía que recomponerse mentalmente y volverse a concentrar.

—Eh, vale. Vamos a ello.

Los chicos se repartieron en los dos vehículos y Dallas le pasó el brazo por encima del hombro. Ella dejó que la acercase a él.

—Estoy orgulloso de ti, niña —le dijo.

—Gracias.

Stevie Rae sacó el brazo para rodearle la cintura y meterle una mano en el bolsillo trasero.

—Y me alegro de que esta vez nos lleves contigo —dijo él.

—Es lo correcto —contestó ella—. Además, somos más fuertes juntos que separados.

Cuando estaban al lado del Escarabajo, se paró y la abrazó completamente. Se inclinó para hablarle con los labios pegados a los suyos.

—Eso es verdad, niña. Nosotros somos fuertes juntos.

Después la besó con una posesión feroz que sorprendió a Stevie Rae. Antes de que se diese cuenta, le estaba devolviendo el beso... y le estaba gustando la manera en que su cuerpo fuerte, familiar y normal la estaba haciendo sentir.

—¿Podríais buscaros un hotel? —les dijo Kramisha mientras se deslizaba en el asiento trasero del coche.

Stevie Rae se rió, extrañamente mareada sobre todo por el pensamiento que se cruzó por su mente: *Sé realista. Al otro ni siquiera lo puedes besar.*

Dallas la dejó escapar de sus brazos de mala gana para que pudiese ir a la puerta del conductor del Escarabajo. Por encima del techo, la miró.

—Eso del hotel suena muy bien —le dijo suavemente.

Stevie Rae sintió que se sonrojaba y se le escapó otra risita. Dallas y ella entraron en el coche. Desde el asiento de atrás, Kramisha se quejó.

—He oído eso de que te sonaba bien lo del hotel, Dallas. Solo os digo que es mejor que calméis vuestras mentes calenturientas, dejéis de pensar en guarradas y os concentréis en los chicos malos a los que les gusta destrozar cuellos.

—He hablado de un hotel, no dicho nada de ninguna guarrada —bromeó Dallas pícaramente girándose en el asiento para mirar a Kramisha.

—Y yo soy multitarea —añadió Stevie Rae con otra risita.

—Lo que digáis. Será mejor que nos vayamos. Tengo un mal presentimiento sobre todo esto —dijo Kramisha.

Abandonando la actitud juguetona de repente, Stevie Rae miró a Kramisha por el espejo retrovisor mientras salía del aparcamiento.

—¿Un mal presentimiento? ¿Has escrito otro poema? Me refiero de además de los que ya me has enseñado.

—No. Y no estaba hablando de esos chicos.

Stevie Rae le frunció el ceño al reflejo de Kramisha.

—¿De qué otra cosa ibas a estar hablando? —preguntó Dallas.

Kramisha miró largamente a Stevie Rae antes de contestarle.

—De nada. Debo de estar un poco paranoica, nada más. Y que os estéis comiendo los morros en lugar de prestar atención a lo que nos ocupa no ayuda nada.

—Yo estoy prestando atención —dijo Stevie Rae, apartando la vista del reflejo de Kramisha y concentrándose en la carretera.

—Sí, recuerda que mi niña es una alta sacerdotisa y que está claro que puede ocuparse de un montón de cosas al mismo tiempo.

—Ya —bufó Kramisha.

Hicieron el camino hasta la estación en poco tiempo y en silencio. Stevie Rae era plenamente consciente de la presencia de Kramisha en el asiento de atrás. *Sabe lo de Rephaim.* Ese pensamiento llegó a su mente como un susurro que ella trató de acallar inmediatamente. Kramisha no sabía nada de Rephaim. Solo sabía que había otro chico. Nadie sabía nada de Rephaim.

Excepto los iniciados rojos.

El pánico le revolvió el estómago. ¿Qué demonios iba a hacer si Nicole o los demás les hablaban a los otros iniciados sobre Rephaim? Stevie Rae podía imaginar la escena.

Nicole se comportaría de manera odiosa y cruel. Sus chicos se sorprenderían y asombrarían. No se creerían que ella hubiese podido…

Sobresaltada, se dio cuenta de algo que casi la hace soltar un grito. Stevie Rae conocía la respuesta a su problema. *Mis iniciados nunca creerían que estoy conectada con un cuervo del escarnio. Jamás.* Simplemente, lo negaría. No había ninguna prueba. Sí, puede que su sangre siguiera oliendo raro, pero eso ya lo había explicado. La Oscuridad se había alimentado de ella… y eso hacía que oliese raro. Kramisha se lo creyó y también Lenobia. El resto de los chicos también lo haría. Sería su palabra, la palabra de una alta sacerdotisa, contra la de un montón de chicos que se habían vuelto malvados y que habían intentado matarla.

¿Y si alguno de ellos decidía de verdad escoger el bien esta noche y se quedaba con todos los demás?

Entonces tendrán que mantener la boca cerrada o no se podrán quedar. Ese pensamiento desalentador la persiguió mientras aparcaba en la estación y reunía a los iniciados a su alrededor.

—Vale, vamos a entrar. No los subestiméis —aconsejó Stevie Rae.

Sin discusión, Dallas se puso a su derecha y Johnny B a su izquierda. El resto de los chicos los siguió de cerca mientras apartaban la engañosa reja de seguridad que les proporcionaba un acceso fácil al sótano de la estación abandonada de Tulsa.

Parecía seguir casi igual que cuando vivían allí abajo. Quizás había un poco más de basura, pero básicamente era un sótano oscuro y frío. Se acercaron a la esquina de la entrada trasera, desde donde los túneles bajaban a una profundidad más oscura.

—¿Ves algo? —preguntó Dallas.

—Claro, pero encenderé las antorchas de la pared en cuanto encuentre una cerilla o algo así para que vosotros también podáis ver.

—Yo tengo un mechero —dijo Kramisha, buceando en su bolso gigante.

—Kramisha, no me digas que fumas —se sorprendió Stevie Rae, cogiendo el mechero que le alargaba.

—No, no fumo. Eso es algo estúpido. Pero me gusta estar preparada. Y un mechero puede venir bien a veces… como ahora.

Stevie Rae se dispuso a agacharse para bajar por la escalera de metal, pero la mano de Dallas en su brazo la detuvo.

—No, yo voy primero. A mí no me quieren matar.

—Bueno, que tú sepas —replicó Stevie Rae.

Sin embargo, le dejó bajar por la escalera antes que ella. La siguió Johnny B, un par de pasos por detrás.

—Esperad —les dijo, haciéndolos esperar al pie de la escalera mientras se movía con absoluta confianza en la completa oscuridad para encontrar la primera de las ancestrales lámparas de queroseno que había ayudado a colgar en uno de los clavos viejos de las vías férreas de la pared curvada del túnel. La encendió y se giró para sonreír a los chicos.

—Hala, mejor así, ¿eh?

—Buen trabajo, niña —le dijo Dallas devolviéndole la sonrisa. Después dudó e inclinó la cabeza hacia un lado—. ¿Oyes eso?

Stevie Rae miró a Johnny B, que sacudió la cabeza mientras ayudaba a Kramisha a bajar por la escalera.

—¿El qué, Dallas? —le preguntó Stevie Rae.

Dallas apoyó la mano contra el muro de tosco cemento que formaba el túnel.

—¡Eso! —murmuró, como hipnotizado.

—Dallas, estás diciendo cosas sin sentido —le dijo Kramisha.

Él los miró por encima del hombro.

—No estoy seguro, pero creo que puedo oír el zumbido de las líneas eléctricas.

—Qué raro… —dijo Kramisha.

—Bueno, tú siempre has sido buenísimo con la electricidad y todas esas cosas de tíos —dijo Stevie Rae.

—Sí, pero nunca ha sido así antes. En serio, puedo sentir la electricidad zumbando a través de los cables que conecté aquí abajo.

—Bueno, quizás sea como una afinidad para ti y no lo has visto antes porque estabas aquí abajo siempre y te parecía normal —le dijo Stevie Rae.

—Pero la electricidad no viene de la Diosa. ¿Cómo va a ser un don de afinidad? —dijo Kramisha, enviándole miradas suspicaces.

—¿Por qué no puede venir de Nyx? —dijo Stevie Rae—. Sinceramente, he visto cosas más raras que un iniciado recibiendo una afinidad por la electricidad. Eh, como un toro blanco personificando a la Oscuridad, por ejemplo.

—En eso tienes razón —Kramisha estuvo de acuerdo.

—¿Entonces es posible que tenga una afinidad de verdad? —preguntó Dallas, aturdido.

—Claro que sí, chico —le dijo Stevie Rae.

—Si la tienes, haz que sea útil —dijo Johnny B ayudando a Shannoncompton y a Venus en la escalera.

—¿Útil? ¿Cómo? —le preguntó Dallas.

—Bueno, ¿puedes usar ese zumbido o lo que sea para saber si esos asquerosos iniciados rojos han usado la electricidad aquí abajo últimamente? —consultó Kramisha.

—Lo intentaré.

Dallas se volvió de nuevo hacia la pared, apoyó las manos contra el cemento y cerró los ojos con fuerza. Tras un par de latidos, abrió los ojos de golpe, lanzó un grito ahogado y miró directamente a Stevie Rae.

—Sí, los iniciados han usado la electricidad. De hecho, lo están haciendo ahora mismo. Están en la cocina.

—Pues ahí es adonde vamos —dijo Stevie Rae.

22

Stevie Rae

—Vale, esto sí que me cabrea —dijo Stevie Rae dándole una patada a otra de las botellas vacías de Dr. Pepper que cubrían el suelo del túnel.

—Son asquerosos y ridículos —asintió Kramisha.

—Oh, dios. Si me ensucio por su culpa, me voy a enfadar en serio —dijo Venus.

—¿Ensuciarte? Tía, ¿tú has visto lo que le han hecho a mi habitación? —gruñó Kramisha.

—De verdad, creo que deberíamos centrarnos —dijo Dallas.

Seguía recorriendo con una mano la pared de cemento. Cuanto más se acercaban a la cocina, más inquieto estaba.

—Dallas tiene razón —dijo Stevie Rae—. Primero tenemos que echarlos. Ya nos preocuparemos después de que nuestras cosas vuelvan a su estado original.

—Las tiendas de Pier One y Pottery Barn tienen todavía archivada la tarjeta oro de Aphrodite —le dijo Kramisha a Venus.

Venus pareció tremendamente aliviada.

—Bueno, eso ayudará a arreglar este caos.

—Venus, vas a necesitar algo más que una tarjeta oro para arreglar eso en lo que te has convertido.

El duro sarcasmo provenía de las sombras del túnel que tenían ante ellos.

—Miraos, todos mansos y aburridos. Y yo que pensaba en serio que teníais un tremendo potencial…

Venus, Stevie Rae y el resto de los iniciados se detuvieron.

—¿Yo soy mansa y aburrida? —se rió Venus con tanto sarcasmo como Nicole—. Entonces tu idea de algo genial debe de ser ir abriendo las gargantas de la gente. Por favor. Eso no parece nada sexi.

—Eh, no lo descartes antes de probarlo —le dijo Nicole, apartando la manta que colgaba del quicio de la puerta de la cocina.

Estaba enmarcada en el umbral de la puerta por la luz de las lámparas del interior. Parecía más delgada… más dura de lo que la recordaba Stevie Rae. Starr y Kurtis estaban detrás de ella y al fondo había al menos una docena de iniciados de ojos rojos juntos, mirándolos maliciosamente.

Stevie Rae dio un paso adelante. Los malvados ojos de Nicole, teñidos de rojo, dejaron a Venus para mirarla a ella.

—Oh, ¿has venido a jugar un poco más? —dijo Nicole.

—No voy a jugar contigo, Nicole. Y a ti se te ha acabado el tiempo de juego —dijo marcando esa palabra con comillas— con la gente de aquí.

—¡No puedes decirnos lo que debemos hacer!

Las palabras explotaron entre los labios de Nicole. Detrás de ella, Starr y Kurtis enseñaron los dientes e hicieron ruidos que parecían más gruñidos que risas. Los iniciados de la cocina se agitaron incómodos.

Fue entonces cuando Stevie Rae la vio. Se suspendía cerca del techo, sobre los iniciados malos, como si fuese un mar ondeante de tinieblas que parecía extenderse y concentrarse como un fantasma hecho de nada más que de oscuridad.

Oscuridad…

Stevie Rae tragó la bilis que le produjo el terror que sintió y se forzó a mirar a Nicole a los ojos. Sabía lo que tenía que hacer: tenía que acabar con aquello de inmediato, antes de que la Oscuridad los atrapara más de lo que ya lo había hecho.

En lugar de responderle a Nicole, Stevie Rae respiró profundamente, purificándose.

—¡Tierra, ven aquí! —dijo.

Cuando sintió que el suelo bajo sus pies y los lados curvos del túnel que la rodeaba empezaban a calentarse, se volvió hacia Nicole.

—Como siempre, te equivocas, Nicole. Yo no te voy a decir lo que tienes que hacer.

Stevie Rae habló con una voz tranquila y razonable. Sabía, por los ojos abiertos de Nicole, que probablemente estaba tomando ese resplandor verde que la había rodeado en la Casa de la Noche. Empezó a elevar las manos, atrayendo más energía rica y vibrante de su elemento.

—Os voy a dejar escoger y después vais a tener que lidiar con las consecuencias de vuestra elección. Como debemos hacer todos.

—¿Y si elegís llevar de vuelta vuestros culos de ding a la Casa de la Noche con el resto de los capullos débiles que se llaman a sí mismos vampiros? —sugirió Nicole.

—Sabes que yo no soy ninguna nenaza —dijo Dallas, acercándose a Stevie Rae.

—Ni yo —se hizo eco Johny B detrás de Dallas.

—Nicole, nunca me caíste bien. Siempre pensé que tú eras un caso grave de gilipollitis. Ahora estoy convencida —dijo Kramisha, acercándose al otro lado de Stevie Rae—. Y no me gusta la manera en que le hablas a nuestra alta sacerdotisa.

—Kramisha, no me importa una mierda lo que te gusta y lo que no. ¡Y además esa no es mi alta sacerdotisa! —gritó Nicole, escupiendo baba blanca por la comisura de la boca.

—Vaya asquito —dijo Venus—. Quizás quieras pensarte mejor eso de ser una iniciada malvada. Te vuelve horrorosa, en más de una manera.

—El poder nunca es horroroso y yo tengo poder —dijo Nicole.

Stevie Rae no necesitó mirar hacia arriba para ver que la Oscuridad que se filtraba del techo de la cocina era cada vez más densa.

—Vale, es suficiente. Está claro que no sabes comportarte, así que no queda otra. Esta es vuestra elección… y cada uno de vosotros tiene que hacerla individualmente.

Stevie Rae miró por encima de Nicole mientras hablaba, deteniéndose en los ojos escarlata de cada uno de ellos, deseando, sin muchas esperanzas, llegar al menos a uno.

—Podéis abrazar la Luz. Si lo hacéis, significará que elegís la bondad y el camino de nuestra Diosa y que podéis quedaros aquí con nosotros. Empezaremos de nuevo en la escuela en la Casa de la Noche el lunes por la noche, pero viviremos aquí, en nuestros túneles, rodeados de tierra, donde nos sentimos cómodos. O podéis seguir con la Oscuridad —Stevie Rae vio el saltito de sorpresa de Nicole cuando la nombró—. Sí, lo sé todo sobre la Oscuridad. Y te aseguro que tener tratos con ella, en cualquier sentido, es un gran error. Pero si esa es vuestra elección, entonces tendréis que partir, solos, para no volver.

—¡No puedes obligarnos! —dijo Kurtis desde detrás de Nicole.

—Sí que puedo —dijo Stevie Rae levantando las manos y cerrando los puños resplandecientes con fuerza—. Y no solo yo: Lenobia le va a hablar al Alto Consejo sobre vosotros. Se os prohibirá la entrada en todas las Casas de la Noche del mundo.

—Eh, Nicole, como ha dicho Venus, pareces bastante tocada. ¿Cómo te sientes en realidad? —le preguntó Kramisha de repente. Después alzó la voz, hablándoles a los chicos que estaban detrás de ella—. ¿Cuántos habéis estado tosiendo y sintiéndoos hechos una mierda? Hace tiempo que no estáis cerca de ningún vampiro, ¿verdad?

—Oh, Diosa, no sé cómo se me ha podido olvidar eso —le dijo Stevie Rae a Kramisha.

A continuación volvió a centrar su atención en los chicos de la cocina, hablando por encima de Nicole.

—A ver, ¿cuántos de vosotros queréis moriros… otra vez?

—Parece que los iniciados rojos son iguales que los demás tipos de iniciados —dijo Dallas.

—Sí, te puedes morir si estás cerca de vampiros —dijo Johnny B.

—Pero la muerte es segura si no estás cerca de ellos —dijo Kramisha con un tono bastante satisfecho—. Pero eso ya lo sabéis porque ya perdisteis la vida una vez. ¿Queréis hacerlo de nuevo?

—Así que tenéis que elegir —continuó Stevie Rae, todavía con los puños resplandecientes en alto.

—¡Estamos malditamente seguros de que no te elegimos a ti como alta sacerdotisa! —dijo Nicole, escupiéndole las palabras—. Y ninguno de vosotros lo haría si supiese la verdad sobre ella.

Con una sonrisa digna del gato de Cheshire, pronunció las palabras que Stevie Rae más temía.

—Apuesto a que no os ha contado que salvó a un cuervo del escarnio, ¿verdad?

—Eres una mentirosa —dijo Stevie Rae, mirando con fijeza los ojos rojos de Nicole.

—¿Cómo sabías que había un cuervo del escarnio en Tulsa? —dijo Dallas. Nicole resopló.

—Estaba aquí. El olor de vuestra preciosa alta sacerdotisa lo rodeaba por completo porque ella le había salvado la vida. Fue gracias a él como la atrapamos en el tejado. Subió para salvarlo... de nuevo.

—¡Eso es mentira! —gritó Dallas.

Apoyó la mano contra la pared de cemento. Stevie Rae sintió que el vello se le erizaba por una repentina ráfaga de electricidad estática.

—¡Uau, sí que los tienes engañados! —dijo Nicole, burlona.

—Ya está bien. Se ha acabado —dijo Stevie Rae—. Elegid. Ahora. Luz u Oscuridad, ¿qué escogéis?

—Nosotros ya hemos elegido.

Nicole metió la mano bajo su ancha camiseta y sacó una pistola de cañón corto con la que apuntó al centro de la cabeza de Stevie Rae.

Ella sintió pánico por un momento y la miró, aturdida. Después escuchó a Kurtis y a Starr amartillando las otras dos pistolas que habían sacado, apuntando a Dallas y a Kramisha.

Eso sí que cabreó a Stevie Rae y todo se aceleró.

—¡Protégelos, tierra! —gritó Stevie Rae.

Abrió los brazos y los puños e imaginó el poder de la tierra como una crisálida que los protegía. El aire a su alrededor resplandeció de un verde suave y musgoso. Y cuando la barrera se manifestó, Stevie Rae vio la aceitosa Oscuridad que colgaba del techo temblar y disiparse por completo.

—Ah, demonios, no. ¡A mí no me vas a apuntar con esa cosa! —gritó Dallas.

Cerrando los ojos y concentrándose, Dallas puso las dos manos en la pared del túnel. Se escuchó un crujido. Kurtis aulló y soltó su pistola. Al mismo tiempo, Nicole gritó con un sonido salvaje y primario que se pareció más al rugido de un animal rabioso que a algo que pudiera haber salido de la garganta de un iniciado y apretó el gatillo.

Los disparos fueron ensordecedoramente ruidosos. El sonido hizo eco dolorosamente una y otra vez hasta que Stevie Rae perdió la cuenta de cuántos eran disparos de verdad y cuántos eran solo una avalancha de sonido, humo y sensaciones.

Stevie Rae no escuchó los gritos de los iniciados malos mientras las balas rebotaban en la barrera y perforaban sus cuerpos, pero sí que vio caer a Starr y observó la terrible mancha roja que brotó por un lateral de su cabeza. Dos de los otros chicos de ojos rojos se desplomaron también en el suelo.

Se desató un enorme alboroto y los iniciados ilesos de la cocina se empujaron, apartaron y treparon unos por encima de los otros mientras luchaban por llegar a la estrecha entrada que conducía hasta el edificio principal de la estación, arriba.

Nicole no se había movido. Sostenía el arma descargada, con mirada salvaje, y seguía apretando el gatillo cuando Stevie Rae le gritó.

—¡No! ¡Ya has hecho bastante!

Actuando por instinto, totalmente unida a la tierra, Stevie Rae juntó sus resplandecientes manos ante ella. Con un sonido desgarrador, se abrió un agujero salvaje enorme al final de la cocina, donde antes solo estaba la parte curva del túnel.

—Debes irte y no volver nunca más.

Como una diosa vengadora, Stevie Rae arrojó tierra hacia Nicole, Kurtis y los demás que seguían a su lado, enviando una ola de poder por toda la cocina. Los levantó uno por uno y los empujó hasta el nuevo túnel. Mientras Nicole gruñía insultos, Stevie Rae movió la mano tranquilamente. Usó una voz magnificada por su elemento para dirigirse a ellos.

—Condúcelos lejos de aquí y ciérrate tras ellos. Si no se van, entiérralos vivos.

La última imagen que tuvo Stevie Rae de Nicole fue la de ella gritándole a Kurtis que moviera su gordo culo.

Entonces el túnel se selló y después todo quedó en silencio.

—Vamos —dijo Stevie Rae.

Sin pararse a pensar dónde estaba entrando, avanzó hacia la cocina, directamente hacia los cuerpos destrozados y sangrientos que Nicole había dejado tras de sí. Había cinco. Tres, incluido Starr, habían sido alcanzados por las balas rebotadas. Los otros dos habían muerto aplastados.

—Están todos muertos —Stevie Rae pensó que era raro que sonara tan tranquila.

—Johnny B, Elliot, Montoya y yo nos desharemos de ellos —dijo Dallas, tomándose un momento para apretarle el hombro.

—Tengo que ir con vosotros —le dijo Stevie Rae—. Voy a abrir la tierra en la superficie para enterrarlos, no lo voy a hacer aquí. No los quiero en el lugar donde vamos a vivir.

—Vale, lo que te parezca mejor —dijo, acariciándole la cara muy suavemente.

—Mirad. Envolvedlos en estos sacos de dormir. —Kramisha se abrió paso entre los escombros y los cuerpos de la cocina, fue hasta el armario que hacía de almacén y empezó a coger sacos dormir.

—Gracias, Kramisha —dijo Stevie Rae, cogiéndole metódicamente los sacos de dormir y abriéndolos.

Un sonido llamó su atención en la puerta de entrada, donde estaban Venus, Sophie y Shannoncompton, con la tez pálida. Sophie emitía gemidos como si sollozara, aunque no salían lágrimas de sus ojos.

—Id al Hummer —les dijo Stevie Rae—. Esperadnos allí. Volvemos a la escuela. Hoy no nos vamos a quedar aquí, ¿vale?

Las tres chicas asintieron y después, cogiéndose de las manos, desaparecieron en el túnel.

—Probablemente van a necesitar ayuda —le dijo Kramisha.

Stevie Rae miró por encima de un saco de dormir.

—¿Y tú no?

—No. Solía ser voluntaria en las urgencias del St. John. Vi bastantes cosas horribles allí.

Deseando haber tenido también experiencia con aquellas cosas horribles, Stevie Rae apretó los labios e intentó no pensar mientras cerraban las cremalleras de los cinco sacos de dormir y seguían a los chicos, que gruñían bajo el peso de su carga, hasta fuera del edificio principal de la estación. En silencio, dejaron que los guiara hasta una zona desierta y oscura, detrás de las vías del tren.

Stevie Rae se arrodilló y puso las manos sobre la tierra.

—Ábrete, por favor, para permitir que estos chicos regresen a ti.

La tierra se estremeció como la piel de un animal sintiendo un escalofrío y después se abrió, formando una grieta profunda y estrecha.

—Adelante, metedlos —les dijo a los chicos, que siguieron sus órdenes lúgubremente y en silencio.

Stevie Rae no habló hasta que el último cuerpo hubo desaparecido.

—Nyx, sé que estos chicos han hecho alguna mala elección, pero no creo que todo fuese culpa suya. Son mis iniciados y, como su alta sacerdotisa, te ruego que les muestres tu bondad y les permitas conocer la paz que no encontraron aquí. —Después movió una mano delante de ella—. Ciérrate sobre ellos, por favor.

La tierra, igual que la iniciada que permanecía a su lado, hizo lo que Stevie Rae le pidió.

Cuando se puso de pie, se sentía como si tuviese cien años. Dallas trató de tocarla, pero ella empezó a caminar, de vuelta a la estación.

—Dallas, ¿podéis tú y Johnny B echar un vistazo por aquí fuera y aseguraros de que los chicos que salieron de la estación han entendido que ya no son bienvenidos? Yo estaré en la cocina. Reuníos allí conmigo, ¿vale?

—Enseguida, niña —asintió Dallas.

Él y Johnny B echaron a correr.

—El resto de vosotros puede irse al Hummer —dijo ella.

Sin más, los chicos bajaron por las escaleras que conducían al aparcamiento subterráneo.

Despacio, Stevie Rae atravesó la estación y bajó hasta la ensangrentada cocina. Kramisha seguía allí. Había encontrado una caja de bolsas de basura gigantes y estaba llenándolas de escombros, murmurando entre dientes. Stevie Rae no dijo nada, solo cogió otra bolsa y se unió a ella. Cuando tenían ya la mayor parte de la basura metida en bolsas, Stevie Rae habló.

—Vale, ya puedes irte. Voy a hacer algo con la tierra para deshacerme de toda esta sangre.

Kramisha estudió el suelo de tierra compacta.

—Ni siquiera se ha absorbido.

—Sí, lo sé. Voy a arreglarlo.

Kramisha la miró a los ojos.

—Eh, tú eres nuestra alta sacerdotisa y tal, pero tienes que aceptar que no puedes repararlo todo.

—Creo que una alta sacerdotisa siempre quiere arreglarlo todo —adujo ella.

—Creo que una alta sacerdotisa no se fustiga por aquello que no está en su mano.

—Serías una buena alta sacerdotisa, Kramisha.

Kramisha resopló.

—Yo ya tengo un trabajo. No trates de poner más mierda en mi plato. Casi no puedo ni soportar esto de los poemas.

Stevie Rae sonrió, aunque su expresión seguía siendo extraña y tensa.

—Ya sabes que eso depende de Nyx.

—Sí, bueno, Nyx y yo vamos a tener que hablar. Te veo fuera.

Todavía gruñendo entre dientes, Kramisha bajó por el túnel, dejando a solas a Stevie Rae.

—Tierra, ven a mí de nuevo, por favor —dijo, retrocediendo hasta la entrada de la cocina.

Cuando sintió la calidez bajo ella y en su interior, extendió las manos, con las palmas hacia el suelo ensangrentado.

—Como todo lo que está vivo, la sangre al final acaba por volver a ti. Por favor, absorbe la sangre de estos chicos que no deberían haber muerto.

Como una esponja gigante de tierra, el suelo de la cocina se hizo poroso y, mientras ella observaba, absorbió las manchas de color carmesí. Cuando desapareció, a Stevie Rae le fallaron las rodillas y se sentó, de golpe, en el suelo limpio. Entonces empezó a llorar.

Así fue como la encontró Dallas, con la cabeza inclinada, el rostro entre las manos, expulsando con sus sollozos su culpa, su tristeza y el dolor de su corazón. No lo había oído entrar en la cocina, únicamente sintió sus brazos en derredor cuando se sentó cerca y tiró de ella para acogerla en su regazo y abrazarla. Le acarició el pelo y la sostuvo cerca de él, meciéndola como si fuese muy pequeña.

Cuando sus sollozos se transformaron en hipidos y estos después cesaron, Stevie Rae se limpió la cara con la manga y apoyó la cabeza en su hombro.

—Los chicos están esperándonos fuera. Tenemos que irnos —dijo, aunque se le hacía difícil moverse.

—No, tómate tu tiempo. Los he enviado a todos de vuelta en el Hummer. Les dije que los seguiríamos en el Escarabajo de Z.

—¿También a Kramisha?

—También a Kramisha. Aunque se quejó de tener que sentarse en el regazo de Johnny B.

Stevie Rae se sorprendió al escuchar su propia risa.

—Apuesto a que él no se quejó.

—Bah, yo creo que se gustan.

—¿Tú crees? —dijo Stevie Rae echándose hacia atrás para poder mirar en el interior de sus ojos.

Él le sonrió.

—Sí, y a mí se me da muy bien decir cuándo a alguien le gusta alguien.

—Oh, ¿en serio? ¿Cómo quiénes?

—Como tú y yo, niña.

Dallas se inclinó y la besó.

Empezó como algo suave, pero Stevie Rae no dejó que se quedara en eso. No podía explicar realmente lo que le sucedía, pero fuese lo que fuese, se sintió como una antorcha ardiendo fuera de control. Quizás tenía algo que ver con haber estado tan cerca de la muerte que necesitaba ser tocada y amada para sentirse viva. O quizás era que la frustración que había ido fermentando en su interior desde que Rephaim le había hablado por primera vez había acabado por desbordarse… y Dallas era el que iba a consumirse en ella. Fuese cual fuese la razón, Stevie Rae estaba ardiendo y necesitaba que Dallas apagase el fuego.

Le tiró de la camisa.

—Quítatela… —le murmuró en los labios.

Con un gruñido, se la arrancó por la cabeza. Mientras lo hacía, Stevie Rae se deshizo de la suya y empezó a descalzarse con los pies y a desabrocharse el cinturón. Sintió que Dallas la miraba y levantó los ojos, viendo una interrogación en los suyos.

—Quiero hacerlo contigo, Dallas —le dijo rápidamente—. Ahora.

—¿Estás segura?

Ella asintió.

—Completamente. Ahora.

—Vale, ahora —dijo, acercándose a ella.

Cuando sus pieles desnudas se tocaron, Stevie Rae pensó que iba a estallar. Aquello era lo que necesitaba. Su piel era ultrasensible y Dallas la escaldaba allá donde la tocaba, pero de una manera muy agradable porque ella necesitaba sentirlo. Tenía que ser acariciada, amada y poseída una y otra vez para borrarlo todo: Nicole, los chicos muertos, su miedo por Zoey y Rephaim. Siempre, antes que nada, estaba Rephaim.

El roce de Dallas la quemó. Stevie Rae sabía que seguía conectada a él, nunca podría olvidarlo, pero en ese momento, con el calor de la piel lisa y sudorosa de Dallas, humana y real contra ella, Rephaim parecía muy distante. Era casi como si se alejase de ella... abandonándola...

—Puedes morderme, si quieres —dijo Dallas, su aliento era cálido contra su oreja—. De verdad. Está bien. Quiero que lo hagas.

Él estaba sobre ella y cambió el peso para que la curva de su cuello tocase sus labios. Ella le besó la piel y dejó que su lengua lo probase, sintiendo su pulso y su antiguo ritmo. Stevie Rae reemplazó su lengua por su uña, acariciándolo levemente, buscando el lugar perfecto para agujerear la piel y poder beber de él. Dallas gimió, anticipándose a lo que llegaría a continuación. Ella podía darle placer y extraerlo de él al mismo tiempo. Así funcionaban las cosas con los compañeros... así debían ser las cosas. Sería rápido, fácil y se sentirían increíblemente bien.

Si bebo de él, mi conexión con Rephaim se romperá. Esa idea le hizo dudar. Stevie Rae se detuvo con la uña presionando el cuello de Dallas. *No, una alta sacerdotisa puede tener un compañero y un consorte,* se dijo.

Pero aquello era mentira... al menos para Stevie Rae. Ella sabía, en el lugar más recóndito de su corazón, que su conexión con Rephaim era algo único. No seguiría las reglas que normalmente unían a un vampiro a su consorte. Era fuerte... impresionantemente fuerte. Y quizás fuera por culpa de esa fuerza inusual, pero no podría unirse a ningún otro chico.

Si bebo de Dallas, mi conexión con Rephaim se romperá.

Ahora la idea era una certeza fría en su interior.

Y, además, ¿qué pasaba con esa deuda que había aceptado pagar? ¿Podría seguir vinculada a la humanidad de Rephaim sin estar conectada con él?

Era una pregunta que no respondería porque en ese momento, desde detrás de ellos, como si sus pensamientos lo hubiesen conjurado, se oyó un grito.

—¡No nos hagas eso, Stevie Rae! —gritó Rephaim.

23

Rephaim

Rephaim sintió la ira de Stevie Rae se preguntó si sería capaz de distinguir si iba dirigida a él o no. Concentró sus pensamientos a propósito en ella, dejando que la unión de sangre que los conectaba se reforzara. Más ira. Se coló a través de su vínculo y su fuerza le sorprendió, aunque sintió que ella intentaba controlarse.

No. Su furia no iba dirigida a él. Había otra cosa que la estaba provocando... otra persona era el objetivo de aquella agresión.

Se compadeció del pobre ingenuo. Si fuese un ser inferior, se reiría sardónicamente y le desearía lo mejor al indefenso pobrecillo.

Era hora de sacar a Stevie Rae de su mente.

Rephaim siguió volando hacia el este, saboreando la noche con sus poderosas alas, deleitándose en su libertad.

Ahora ya no la necesitaba. Estaba completo. Volvía a ser él mismo.

Rephaim no necesitaba a la Roja. Ella era solo el navío que le había salvado. La verdad era que su reacción al verlo entero de nuevo había demostrado que la suya era una unión que se debía cortar.

Rephaim frenó, sintiéndose aplastado bajo esos pensamientos, inesperadamente. Aterrizó en una leve elevación del terreno cubierto por viejos robles de los pantanos. De pie en la pequeña loma, miró hacia atrás, al camino por el que había venido, pensando...

¿Por qué me rechazó?

¿La había asustado? Eso no parecía posible. Ya lo había visto recuperado cuando había entrado en el círculo. Estaba completamente repuesto cuando se enfrentó a la Oscuridad.

¡Se había enfrentado a la Oscuridad por ella!

Ausente, Rephaim extendió una mano y se frotó la base de las alas. Notó la piel lisa bajo sus dedos. No quedaba ninguna herida física. Stevie Rae lo había curado por completo del ataque de la Oscuridad.

Y después se había alejado de él como si de repente le hubiese parecido un monstruo, en lugar de un hombre.

¡Pero yo no soy un hombre! Chorros de pensamientos se cruzaron por la cabeza de Rephaim. *¡Ella ya sabía lo que era! ¿Por qué alejarse de mí después de todo lo que hemos pasado juntos?*

Su comportamiento lo desconcertaba por completo. Lo había llamado cuando había sentido pánico por su vida… *Cuando estuvo asustada más allá de lo imaginable, Stevie Rae me llamó.*

Él había respondido a su llamada, la había salvado.

La reclamé como mía.

Y después, llorando, ella había huido de él. Sí, él había visto sus lágrimas, pero no sabía lo que las había causado.

Con un grito profundo de frustración, lanzó las manos al aire, como para librarse hasta de su pensamiento y la luz de la luna se reflejó en sus palmas. Rephaim se quedó quieto. Con los brazos extendidos, las miró como si fuese la primera vez que las veía. Hasta la había acunado en sus brazos, aunque solo hubiera sido brevemente, mientras escapaban de la muerte en el tejado. Su piel en realidad no era diferente de la de ella. La de Rephaim era más oscura, quizás, pero solo un poco. Y sus brazos eran fuertes… bien formados… Por todos los dioses, ¿qué le estaba pasando? No importaba cómo fuesen sus brazos. Ella nunca sería suya de verdad. ¿Cómo podía ni siquiera pensar en eso? Estaba más allá de su imaginación… más allá incluso del más salvaje de sus sueños.

Sin pedirlo, las palabras de la Oscuridad resonaron en su cabeza: *Eres el hijo de tu padre. Como él, has decidido proteger a un ser que nunca te podrá dar aquello que más deseas.*

—Padre protegía a Nyx —le dijo Rephaim a la noche—. Ella lo rechazó. Y yo, ahora, también he protegido a alguien que me rechaza.

Rephaim se lanzó al cielo. Sus alas lo elevaron más y más arriba. Quería tocar la luna, aquel satélite creciente que simbolizaba a la Diosa que había roto el corazón de su padre y desencadenado la secuencia de sucesos que lo habían creado a él. Quizás si alcanzaba la luna, su Diosa le proporcionaría una explicación que tuviese sentido, que le sirviera de consuelo a su corazón, *porque la Oscuridad tenía razón. Lo que más deseo, Stevie Rae nunca podrá dármelo.*

Lo que más deseo es amor…

Rephaim no podía decir la palabra en voz alta, pero hasta pensarla lo quemaba por dentro. Había sido concebido mediante la violencia, a través de una mezcla de lujuria, miedo y odio. Sobre todo odio, siempre el odio.

Golpeó el cielo con sus alas, subiendo más.

El amor era imposible para él. Ni siquiera debería desearlo… no debería ni pensar en ello.

Pero lo hacía. Desde que Stevie Rae había aparecido en su vida, Rephaim había empezado a pensar en el amor.

Ella le había mostrado amabilidad, algo que él nunca antes había experimentado.

Había sido tierna con él, vendándole las heridas y cuidando de su cuerpo. Nunca antes nadie había cuidado de él hasta aquella noche en que ella lo había ayudado a salir de la gélida y sangrienta oscuridad.

Compasión… había llevado la compasión a su vida.

Y él no sabía lo que era la risa antes de conocerla.

Mirando la luna allá arriba, batiendo sus alas contra el viento, pensó en su parloteo incesante y en el modo en que sus ojos lo miraban chispeando de risa, aunque él no entendiera qué había hecho para divertirla y se tragara una inesperada carcajada.

Stevie Rae le hacía reír.

A ella no parecía importarle que él fuese el poderoso hijo de un inmortal indestructible. Stevie Rae le había mangoneado como si fuese cualquier persona que formase parte de su vida, cualquiera normal, mortal, capaz de amar, de reírse y de tener emociones reales.

¡Porque él sí que tenía emociones reales! Porque Stevie Rae se las había hecho sentir.

¿Había sido ese su plan todo este tiempo? Cuando lo había liberado en la abadía, le había dicho que tenía elección. ¿Se refería a esto, a que podía elegir una vida donde existieran de verdad la risa, la compasión y quizás incluso el amor?

¿Y entonces qué pasaría con su padre? ¿Qué pasaría si Rephaim escogía una nueva vida y Kalona volvía a este mundo?

Quizás aquello fuera algo de lo que preocuparse cuando sucediera. Si sucedía.

Antes de darse cuenta de lo que estaba haciendo, Rephaim disminuyó el ritmo. No podía alcanzar la luna, era tan imposible como lo era que una criatura como él fuese amada. Y entonces Rephaim se dio cuenta de que ya no estaba volando hacia el este. Había dado media vuelta y estaba deshaciendo su camino. Rephaim estaba volviendo a Tulsa.

Intentó no pensar mientras volaba. Intentó mantener su cabeza completamente en blanco. Solo quería sentir la noche bajo sus alas, dejar que el fresco y dulce aire le acariciase el cuerpo.

Pero Stevie Rae se entrometió de nuevo.

Su tristeza lo alcanzó. De repente, Rephaim supo que ella estaba llorando. Pudo sentir sus sollozos como si estuviesen en su propio cuerpo.

Voló más rápido. ¿Qué la había hecho llorar? ¿Estaba llorando por su culpa de nuevo?

Rephaim pasó volando por encima de Gilcrease sin dudarlo. Ella no estaba allí. Sentía que estaba más lejos, hacia el sur.

Mientras sus alas se movían en la noche, la tristeza de Stevie Rae cambió, transformándose en algo que al principio lo hizo sentirse confuso. Cuando Rephaim comprendió lo que era, su sangre hirvió.

¡Deseo! Stevie Rae estaba en brazos de otro.

Rephaim no se paró a pensar como una criatura de dos mundos que no era ni hombre ni animal. No se acordó de que había nacido de una violación y que había sido sentenciado a no disfrutar de nada distinto a la Oscuridad, la violencia y el servicio a su padre, movido por el odio. Rephaim no pensó en absoluto. Solo lo sintió: si Stevie Rae se entregaba a otro, la perdería para siempre.

Y si la perdía para siempre, su mundo volvería ser el lugar oscuro, solitario y sombrío que había sido antes de conocerla.

Rephaim no podría soportarlo.

No apeló a la sangre de su padre para que lo condujera a Stevie Rae. Rephaim hizo lo contrario: desde lo más profundo de su ser, convocó la imagen de una dulce doncella cheroqui que no se había merecido morir envuelta en una marea de sangre y dolor. Con aquella muchacha que soñaba, su madre, en mente, voló por instinto, siguiendo su corazón.

Y este lo condujo hasta la estación.

Divisar aquel lugar lo puso enfermo. No solo porque se acordaba del tejado y de lo cerca que Stevie Rae había estado de la muerte. Odiaba aquel lugar porque podía sentirla allí, dentro, bajo la tierra… y sabía que estaba en los brazos de otro.

Rephaim arrancó la verja de la entrada. Sin dudar un instante, se internó en el sótano. Siguiendo el vínculo que lo unía a ella, entró en los familiares túneles. Su respiración se hizo fuerte y agitada. La sangre latía con fuerza en su cuerpo, alimentando su rabia y su desesperación.

Cuando por fin la encontró, el chico estaba encima de Stevie Rae, apretándose contra ella , ignorando al mundo. Era imbécil. Rephaim debería haberlo apartado de ella. Quería hacerlo. El cuervo del escarnio que había en él quería aplastar al iniciado contra la pared una y otra vez hasta que estuviese machacado por completo, cubierto de sangre, y no fuese una amenaza nunca más.

El hombre en su interior quería llorar.

Inundado de sentimientos encontrados que no podía ni comprender ni controlar, se quedó allí paralizado, mirándolos, horrorizado y lleno de odio, pero también de deseo y desesperación. Mientras observaba, Stevie Rae se preparó para beber la sangre del chico y Rephaim tuvo dos cosas completamente claras: primero, que lo que iba a hacer rompería su conexión; y segundo, que él no quería que aquello ocurriese.

Le salió la voz sin pensarlo.

—¡No nos hagas esto, Stevie Rae! —gritó Rephaim.

La respuesta del chico fue más rápida que la de Stevie Rae. Saltó, poniéndose delante del cuerpo desnudo de ella.

—¡Sal de aquí, jodido engendro!

El chico se interponía entre Rephaim y Stevie Rae.

Ver al iniciado escudándola, protegiendo a su Stevie Rae de él, hizo que una oleada de furia posesiva invadiera a Rephaim.

—¡Márchate, chico! ¡No eres bienvenido aquí!

Rephaim se encogió defensivamente y comenzó a avanzar hacia él.

—¿Qué dem...? —dijo Stevie Rae, sacudiendo la cabeza como si tratase de aclararse mientras cogía la camisa de Dallas del suelo y se la ponía rápidamente para cubrirse.

—Quédate detrás de mí, Stevie Rae. No dejaré que llegue hasta ti.

Rephaim acechó al chico, siguiéndolo mientras retrocedía, empujando a Stevie Rae con él. Rephaim vio sus ojos abrirse cuando ella miró desde detrás del chico y por fin lo vio.

—¡No! —gritó—. ¡No, tú no puedes estar aquí!

Sus palabras lo apuñalaron.

—¡Pero estoy aquí!

Su cólera estaba en su punto álgido. El chico seguía retrocediendo, manteniendo a Stevie Rae a sus espaldas. Avanzando hacia él, Rephaim entró en la cocina. Cuando lo hizo, un movimiento rápido captó su atención y miró hacia arriba.

La Oscuridad se retorcía en un charco de un negro enfermizo que colgaba del techo.

Rephaim volvió a centrar su atención en Stevie Rae y en el iniciado. No era momento de pensar en la Oscuridad. Ni siquiera podía considerar la posibilidad de que el toro blanco hubiese retornado para reclamar el resto de su deuda.

—¡Quieto! —gritó el chico.

Increíblemente, el iniciado hizo un movimiento como para espantarlo, como si fuese un molesto pájaro que hubiera entrado en casa de alguien.

—¡Sssal de ahí! ¡Me estás alejando de lo que es mío!

Rephaim odiaba escuchar aquel silbido animal en su voz, pero no podía evitarlo. El maldito chico lo estaba empujando hasta el límite de su paciencia.

—Rephaim, vete. Estoy bien. Dallas no me estaba haciendo nada malo.

—¿«Vete»? ¿Dejarte? —Las palabras salieron en tropel de la boca de Rephaim—. ¿Cómo podría?

—¡No deberías estar aquí! —le gritó Stevie Rae, que parecía estar a punto de llorar.

—¿Cómo no iba a estarlo? ¿Cómo pudiste creer que no iba a saber lo que estabas a punto de hacer?

—¡Sal de aquí!

—¿Te refieres a que huya? ¿Cómo hiciste tú? No. No lo voy a hacer, Stevie Rae. Elijo no hacerlo.

El chico llegó a la pared. Mientras paseaba su mirada de Rephaim a Stevie Rae, tanteaba con una mano los cables que salían de un agujero que había sido hecho allí.

—Os conocéis. De verdad —se asombró el chico.

—¡Por ssssssupuesto que sí, idiota! —dijo Rephaim siseando de nuevo, odiando aquella bestia incontrolable de su voz.

—¿Cómo? —interrogó a Stevie Rae.

—Dallas, puedo explicarlo.

—¡Bien! —gritó Rephaim como si Stevie Rae le hubiese hablado a él y no al iniciado—. Quiero que me expliques lo que ha pasado hoy.

—Rephaim —dijo Stevie Rae mirándolo desde detrás de Dallas y sacudiendo la cabeza como si estuviese muy confundida—. Este no es el mejor momento.

—Os conocéis.

Rephaim se dio cuenta del cambio en la voz del chico antes que Stevie Rae. El tono del iniciado se había hecho más duro, se había enfriado y hecho malvado. La Oscuridad que los sobrevolaba se estremeció en feliz anticipación.

—Sí, vale, sí. Pero puedo explicarlo. Mira, él…

—Has estado con él todo este tiempo.

Stevie Rae frunció el ceño.

—¿Todo el tiempo? No. Es que lo encontré cuando estaba muy malherido, no sabía qué…

—Todo este tiempo te he tratado como si fueses algún tipo de reina o algo, como si fueses una alta sacerdotisa de verdad —interrumpió de nuevo a Stevie Rae.

Ella parecía sorprendida y herida.

—Soy una alta sacerdotisa de verdad. Pero como intentaba decirte, encontré a Rephaim cuando estaba malherido y simplemente, no pude dejarlo morir.

Aprovechándose de que la atención del chico estaba completamente puesta en Stevie Rae, Rephaim se acercó unos centímetros.

La Oscuridad sobre ellos se hizo más densa.

—¡Él formaba parte de lo que casi te mata en el círculo!

—¡Él fue quien me salvó en el círculo! —le gritó Stevie Rae a Dallas—. Si no hubiese aparecido, ese toro blanco me habría succionado toda la sangre.

Aquellas palabras no desconcertaron al chico.

—Lo has mantenido en secreto. ¡Le has estado mintiendo a todo el mundo!

—¡Bueno, demonios, Dallas! ¡No sabía qué otra cosa hacer!

—¡Me mentiste, puta!

—¡No te atrevas a hablarme así! —Stevie Rae lo abofeteó, con fuerza.

Dallas retrocedió medio paso.

—¿Qué cojones te ha hecho?

—¿Te refieres a además de salvarme la vida dos veces? ¡Nada! —gritó.

—¡Te ha sorbido los sesos por completo! —le gritó Dallas.

La Oscuridad empezó a caer del techo, como si hubiese encontrado de repente un punto débil en una presa. Se deslizó alrededor de Dallas, cubriéndole la cabeza y los hombros, rodeando su cintura con una familiaridad enfermiza que le recordó a Rephaim a las serpientes con piel de cuchilla. Pero la Oscuridad no seccionó a Dallas. Al contrario, él parecía ignorar las tinieblas resplandecientes que lo cubrían.

—Tengo completo control de mi mente. Él no me ha hecho nada —dijo Stevie Rae.

Sus ojos se agrandaron cuando por fin percibió a la Oscuridad. Se alejó un paso del chico, como si no quisiera ser tocada por lo que lo rodeaba.

—Dallas, escúchame. Piensa. Me conoces. Esto no es lo que parece.

Rephaim pudo ver venir el cambio de Dallas. Fue aquel paso atrás lo que lo causó, junto con la influencia de la Oscuridad que lo rodeaba.

—¡Te ha convertido en una maldita puta y en una mentirosa! —gritó el iniciado totalmente fuera de sí.

Dallas levantó la mano en un amago de pegarle a Stevie Rae.

Rephaim no dudó. Dio una zancada, cubriendo el espacio entre él y el chico, apartándolo de un manotazo del lado de Stevie Rae y ocupando su lugar delante de ella.

—¡No le hagas nada! —dijo Stevie Rae al tiempo que agarraba el brazo de Rephaim y evitaba que golpease de nuevo al chico—. Solo está asustado. Él no me haría daño.

Rephaim dejó que le retirase el brazo. Se giró hacia ella.

—Creo que subestimas al chico.

—Sí, que no te quepa la más jodida duda —dijo Dallas con gravedad.

Rephaim no supo de dónde provenía aquel dolor. Solo notó su refulgente calor. Su cuerpo convulsionó, la espalda se le arqueó con un calambre. Pudo ver los ojos de Dallas tenuemente, a través de un velo grisáceo. Resplandecían de un color escarlata insoportablemente brillante, sosteniendo uno de los cables que sobresalían del muro.

—¡Rephaim! —gritó Stevie Rae.

Dio un paso hacia él, pero entonces Rephaim vio que retrocedía y corría hacia Dallas.

—¡Para! Suéltalo —le ordenó al chico, tirándole del brazo.

Sus ojos rojos la atravesaron.

—Voy a freírlo. Y así ese control extraño que tiene sobre ti desaparecerá. Tú y yo podremos estar juntos para siempre y no le contaré nunca una mierda a nadie de lo que ha pasado aquí mientras tú seas mi chica.

Con un distante sentimiento de comprensión, Rephaim notó que la Oscuridad ya no estaba presente en el cuerpo del chico, sino que lo había impregnado por completo… lo había reclamado. Había aumentado cualquiera que fuese la fuerza que poseía el iniciado.

Rephaim estaba seguro de que Dallas iba a matarlo.

—Tierra, ven, te necesito.

Escuchó las palabras de Stevie Rae entre los últimos destellos de su consciencia, como si su voz fuese la luz de una vela tratando de llegar a él a través de un viento huracanado. Con un tremendo esfuerzo, Rephaim centró su mirada en ella. Sus ojos se encontraron y sus palabras le alcanzaron, de repente claras, firmes y seguras.

—Protégelo de Dallas porque Rephaim me pertenece.

Hizo un movimiento hacia Rephaim, como si le estuviese lanzando algo… y sí lo estaba haciendo. Un resplandor verde golpeó su cuerpo, echándolo hacia atrás y rompiendo el flujo de lo que fuese que Dallas canalizaba hacia él. Respirando con fuerza, se quedó tumbado en el suelo, hecho un ovillo, mientras absorbía lo que se estaba convirtiendo en el contacto dulce y familiar de la tierra curativa.

Dallas se giró hacia Stevie Rae.

—Acabas de decir que esa cosa te pertenece.

La voz del iniciado era como la muerte. Rephaim se apretó contra el suelo, abriéndole su sorprendido cuerpo a la tierra, deseando que entrase en él, que lo curase lo suficiente como para poder llegar al lado de Stevie Rae.

—Sí. Es verdad. Es difícil de explicar y entiendo que estés cabreado. Pero Rephaim me pertenece. —Sus ojos eludieron a Dallas y después volvió a mirarlo—. Y supongo que yo le pertenezco, por muy extraño que te resulte.

Antes de que Rephaim pudiese levantarse, Dallas la señaló con un dedo. Hubo un crujido ensordecedor y Stevie Rae se vio de repente rodeada de un circular resplandor verde. Tenía el ceño fruncido y sacudía la cabeza lentamente, de un lado a otro.

—¿Has intentado atacarme? ¿De verdad quieres hacerme daño, Dallas?

—¡Has elegido a esa cosa antes que a mí! —le gritó.

—¡Hice lo que pensaba que era correcto!

—¿Sabes qué? Si eso es lo correcto, ¡yo ya no quiero tener nada que ver con ello! ¡Quiero justo lo contrario!

En cuanto Dallas pronunció esas palabras, gritó y, dejando caer el cable que apretaba en su puño, el iniciado cayó de rodillas y se desplomó, de bruces.

—¿Dallas? ¿Estás bien? —dijo Stevie Rae dudando si tocarlo.

—No te acerques a él —dijo Rephaim con voz rasposa mientras se ponía de pie laboriosamente.

Stevie Rae se detuvo y después, en lugar de seguir andando hacia Dallas, corrió hacia Rephaim, pasándole el brazo por los hombros.

—¿Estás bien? Pareces un poco frito.

—¿Frito? —A pesar de todo, casi consigue que se ría—. ¿Qué significa eso?

—Esto —dijo Stevie Rae tocando una de las plumas de su pecho.

Rephaim se sorprendió al ver que parecía chamuscado.

—Estás un poco crujiente por los lados.

—Lo tocas. ¡Seguramente también te lo follas! Demonios, me alegro de que me interrumpiera antes de que acabáramos de hacerlo. ¡No voy a ser el segundo plato, después de un engendro!

—Dallas, hay tanto que… —empezó Stevie Rae, pero cuando miró a Dallas, sus palabras se diluyeron.

—Sí, es verdad. Ya no soy un estúpido iniciado —aclaró.

Tatuajes nuevos en forma de látigo enmarcaban la cara de Dallas. Rephaim pensó que se parecían preocupantemente a los hilos de Oscuridad que los habían atrapado a Stevie Rae y a él dentro del círculo. Los ojos le brillaban de un rojo más intenso y su cuerpo parecía más grande, henchido de su recién obtenido poder.

—¡Oh, Diosa! —dijo Stevie Rae—. ¡Has superado el cambio!

—¡Y he cambiado en muchos aspectos!

—Dallas, tienes que escucharme. ¿Te acuerdas de la Oscuridad? La vi agarrándote. Por favor, piensa. Por favor, no dejes que te atrape.

—¿Que me atrape? ¿Y me dices eso estando al lado de esa cosa? ¡Ah, demonios, no! Nunca más voy a escuchar tus mentiras. ¡Y me voy a asegurar de que nadie más lo haga!

Le soltó esas palabras con aire desdeñoso, con una voz llena de ira y odio.

Cuando se levantó y empezó a buscar los cables que había usado antes para canalizar su poder, Stevie Rae se movió. Tirando de Rephaim hacia ella, Stevie Rae salió de la cocina andando de espaldas. Fuera de la entrada, levantó una mano y respiró profundamente.

—Tierra, cierra esta habitación para mí, por favor.

—¡No! —gritó Dallas.

Rephaim alcanzó a verlo agarrando el cable y apuntando hacia ellos. Después, con un sonido como el susurro del viento entre las ramas de los árboles, la tierra se derramó ante ellos, cerrando la entrada del túnel de la cocina y protegiéndolos de la ira de la Oscuridad.

—¿Puedes caminar bien? —le preguntó Stevie Rae.

—Sí. No estoy malherido. O, por lo menos, ya no lo estoy. Tu tierra se aseguró de ello —dijo, mirando hacia abajo, hacia donde ella estaba de pie, pequeña pero orgullosa y poderosa.

—Vale, entonces. Tenemos que salir de aquí —dijo Stevie Rae separándose de él y empezando a correr por el túnel—. La cocina tiene otra salida. Estará fuera enseguida y tenemos que estar lejos para entonces.

—¿Por qué no cierras la otra salida también? —le preguntó mientras la seguía.

La mirada que le lanzó era visiblemente molesta.

—¿Cómo? ¿Y matarlo? Eh… no. Realmente no es tan malo, Rephaim. Solo se ha vuelto loco porque la Oscuridad estaba invadiéndole y porque descubrió lo nuestro.

Lo nuestro…

Rephaim quería aferrarse a las palabras que los unían, pero no podía. No había tiempo para eso. Rephaim sacudió la cabeza.

—No, Stevie Rae. La Oscuridad no solo intentó invadirlo. Dallas escogió someterse a ella.

Él pensó que se lo iba a rebatir. En lugar de eso, los hombros se le cayeron a los lados. No lo miró.

—Sí, ya lo sé —admitió.

Subieron la escalera en silencio y estaban atravesando ya el sótano cuando Rephaim escuchó un sonido a través de la puerta arrancada. Pensó que se le hacía familiar…

—¡Está arrancando el Escarabajo! —gritó Stevie Rae, corriendo fuera con Rephaim a sus talones.

Salieron justo a tiempo de ver el cochecito azul saliendo del aparcamiento.

—¡Bueno, hay que joderse! —dijo Stevie Rae.

Los ojos agudos de Rephaim miraron hacia el horizonte oriental, que estaba empezando a pasar de negro a un gris que anunciaba el amanecer.

—Tienes que volver a los túneles —le dijo.

—No puedo. Lenobia y los demás se volverán locos si no vuelvo antes del alba.

—Yo me voy a ir —dijo—. Vuelvo a Gilcrease. Así podrás descansar bajo tierra y tus amigos te encontrarán. Estarás a salvo.

—¿Y si Dallas está yendo a toda prisa hacia la Casa de la Noche? Les hablará de nosotros.

Rephaim solo dudó un momento.

—Entonces haz lo que debas. Ya sabes dónde estaré.

Se volvió para irse.

—Llévame contigo.

Esas palabras lo paralizaron. No la miró.

—Se acerca el amanecer.

—Te has curado, ¿verdad?

—Sí.

—¿Estás lo suficientemente fuerte como para volar y llevarme?

—Sí.

—Pues entonces llévame de vuelta a Gilcrease contigo. Seguro que ese viejo lugar tiene un sótano.

—¿Y qué hay de tus amigos… de los otros iniciados rojos? —le preguntó.

—Llamaré a Kramisha y le diré que Dallas ha perdido la cabeza y que estoy a salvo, pero que no estoy en los túneles y que se lo explicaré todo mañana.

—Cuando descubran que existo, les parecerá que me estás escogiendo a mí antes que a ellos.

—Lo que estoy eligiendo es tomarme algún tiempo para poder lidiar con el tremendo follón que Dallas va a montar —dijo. Continuó con una voz mucho más dulce—. A no ser que no quieras que vaya contigo. Puedes despegar… alejarte de aquí… entonces no tendrías que enfrentarte a todo lo que se avecina.

—¿Soy o no soy tu consorte? —preguntó Rephaim antes de poder contenerse.

—Sí, eres mi consorte.

No supo que estaba aguantando la respiración hasta que la soltó con un largo suspiro de alivio. Rephaim abrió los brazos.

—Entonces deberías venir conmigo. Me aseguraré de que hoy descanses sin que nadie te moleste.

—Gracias —dijo ella.

Entonces la alta sacerdotisa de Rephaim acudió a sus brazos. Él la sostuvo con fuerza mientras sus poderosas alas los elevaban en el cielo.

Rephaim

Stevie Rae tenía razón. Había un sótano en la vieja mansión. Tenía paredes de piedra y un suelo sucio de tierra compactada, pero era sorprendentemente seco y cómodo. Con un suspiro de alivio, Stevie Rae se acomodó, con las piernas cruzadas, apoyada contra la pared de cemento. Sacó su teléfono móvil. Rephaim se quedó allí de pie, inseguro sobre qué hacer mientras ella telefoneaba a la iniciada llamada Kramisha y empezaba un diálogo lleno de explicaciones apresuradas y superficiales sobre por qué no iba a volver a la escuela.

—Dallas ha perdido la maldita cabeza… la electricidad debe de haber fastidiado su sentido común… me sacó a patadas del coche de Z de vuelta a la Casa de la Noche… no, estoy bien… seguramente vuelva mañana por la noche…

Sintiéndose un intruso, Rephaim la dejó hablar con su iniciada en privado. Volvió al ático y caminó ante la puerta del armario que había convertido en un nido.

Estaba cansado. Aunque se había recuperado por completo, echarle una carrera al sol cargando con Stevie Rae había agotado sus reservas de fuerza. Debería retirarse al armario y dormir durante el día. Stevie Rae no dejaría el sótano hasta la puesta de sol.

Stevie Rae no podía salir del sótano.

Podían herirla durante las horas de luz. Era verdad que los iniciados rojos eran todos vulnerables entre el alba y el anochecer, así que Dallas no era ninguna amenaza para ella hasta la noche. ¿Pero y si un humano se tropezaba con ella?

Despacio, Rephaim cogió las mantas y los productos alimenticios que había acumulado y empezó a bajarlos hasta el sótano. Ya era de día cuando acabó su último viaje por las escaleras.

Stevie Rae había terminado de hablar por teléfono y estaba hecha un ovillo en la esquina. Casi ni se movió cuando Rephaim la cubrió con una manta. Después se acomodó a su lado. No tan cerca como para tocarla, pero no demasiado lejos como para que no lo viese nada más despertar. Y se aseguró de estar colocado entre ella y la puerta. Si alguien intentaba entrar, pasaría por encima de él para poder llegar hasta ella.

El último pensamiento de Rephaim antes de ceder al sueño fue que por fin había entendido el sentimiento omnipresente de ira y agitación que rodeaba a su padre. Si Stevie Rae lo hubiese rechazado hoy por completo y lo hubiera alejado de ella, su mundo habría estado teñido siempre por su pérdida. Y comprender aquello le causó más terror que la posibilidad de tener que enfrentarse de nuevo a la Oscuridad.

No quiero vivir en un mundo donde no esté ella. Completamente exhausto por unos sentimientos que casi no podía comprender, el cuervo del escarnio se durmió.

24

◦◦◦◦◦

Stark

—Sé que entrar en el Otro Mundo podría matarme, pero no quiero vivir en este sin ella —dijo Stark, aguantándose las ganas de gritar. Sin embargo, no podía evitar que la frustración hirviera en su voz—. Así que simplemente mostradme qué necesito hacer para llegar hasta donde está Zoey y a partir de ahí ya me las apañaré yo solo.

—¿Por qué quieres traer de vuelta a Zoey? —le preguntó Sgiach.

Stark se pasó la mano por el pelo. La fatiga que traía consigo la luz del sol tiraba de él, crispando sus nervios y confundiendo sus pensamientos. Por eso soltó la única respuesta que su agotada mente pudo formar.

—Porque la amo.

La reina pareció no reaccionar en absoluto ante esa declaración, sino que lo estudió con una expresión pensativa.

—Siento que la Oscuridad te ha tocado.

—Sí —asintió Stark, aunque su frase lo confundió—. Pero cuando elegí estar con Zoey, elegí la Luz.

—*Aye*, ¿pero seguirías eligiéndola si eso significase que vas a perder lo que más amas? —dijo Seoras.

—Alto, la única razón de que Stark vaya al Otro Mundo es para poder proteger a Zoey. Así ella podrá reunir su alma hecha pedazos y volver a su cuerpo, ¿no? —dijo Aphrodite.

—*Aye*, ella puede elegir volver si su alma está completa de nuevo.

—Entonces no entiendo tu pregunta. Si Z vuelve, él no la pierde —dijo ella.

—Mi guardián está explicando que Zoey cambiará si vuelve del Otro Mundo —dijo Sgiach—. ¿Y si ese cambio la conduce a un camino que la aleja de Stark?

—Yo soy su guerrero. Eso no va a cambiar. Permaneceré a su lado —respondió Stark.

—*Aye*, muchacho, como su guerrero seguro, pero quizás no como su amante —dijo Seoras.

◦ 212 ◦

Stark sintió una daga penetrando en su estómago.

—Moriría por traerla de vuelta —dijo aun así, sin dudar—. No importa lo que pase.

—Las emociones más intensas que sentimos pueden pasar de un extremo a otro dependiendo del tipo de seres humanos que seamos en nuestro interior —dijo la reina—. Codicia y compasión, generosidad y obsesión, amor y odio. Muchas veces están muy cerca las unas de las otras. Dices que amas a tu reina lo suficiente como para morir por esa emoción, pero si ella no te amase ya al regresar, ¿de qué color sería entonces tu mundo?

Oscuro. La palabra llegó al instante a la mente de Stark, pero sabía que no debía decirla.

Por suerte, el parloteo de Aphrodite lo salvó.

—Si cuando Z volviese no quisiera estar con él, rollo chico con chica, eso le jodería a Stark. No hace falta ser muy listo. Pero eso no significa que él se vaya a pasar al lado oscuro, y sé que sabéis lo que significa eso porque vosotros veis *Star Trek* y una cosa va con la otra. Además, ¿no es verdad que lo que haría o no haría Stark en una situación que no se ha dado, hipotética, en la que Zoey lo deja en realidad es algo entre Stark, Zoey y Nyx? En serio, la Diosa sabe que no quiero parecer pedante, pero tú eres una reina, no una diosa. Hay algunas cosas que no puedes controlar.

Stark aguantó la respiración, esperando que Sgiach usase algo de *Star Trek,* o de *La guerra de las galaxias* o de lo que fuese para descomponer a Aphrodite en un trillón de pedacitos. En lugar de eso, la reina se rió y eso la hizo parecer inesperadamente infantil.

—Me alegro de no ser una diosa, joven profetisa. El pequeño pedazo de mundo que controlo es más que suficiente para mí.

—¿Por qué te preocupa tanto lo que Stark vaya o no vaya a hacer? —le preguntó Aphrodite a la reina aunque Darius le estaba lanzando miradas que Stark interpretó como un «cállate ya».

Sgiach y su guardián compartieron una larga mirada y Stark vio al guerrero asentir ligeramente, como si acabasen de llegar a un acuerdo.

—El equilibrio entre la Luz y la Oscuridad en el mundo puede variar por un simple acto —dijo la reina Sgiach—. Aunque Stark es solo un guerrero, sus acciones tienen el potencial de afectar a muchos.

—Y este mundo no necesita otro poderoso guerrero que luche al lado de la Oscuridad.

—Eso lo sé y nunca más lucharé por la Oscuridad —dijo Stark con gravedad—. Vi que el alma de Zoey se hacía pedazos por un simple acto, así que eso lo entiendo también.

—Entonces sopesa tus acciones con cuidado —le dijo la reina—. En el Otro Mundo y en este. Y piensa en esto: los jóvenes y los ingenuos creen que el amor es la fuerza más poderosa del universo. Los que somos... digamos... más realistas, sabemos que la voluntad de una sola persona, reforzada por su integridad y su decisión, puede ser más sólida que un enamoramiento romántico.

—Lo recordaré. Lo prometo.

Stark apenas podía escuchar sus propias palabras. Habría jurado cortarse el brazo si eso fuera lo que Sgiach quisiese oír para pulsar el botón de «encendido» que iniciase el proceso que lo llevara hasta el Otro Mundo.

Como si pudiese leerle la mente, la reina sacudió la cabeza con tristeza.

—Muy bien, entonces. Que tu búsqueda comience. Que suba el *Seol ne Gigh* —dijo a continuación, levantando la mano, como una orden.

Hubo un zumbido y una serie de ruidos secos. El suelo delante del estrado de la reina, justo donde descansaba Zoey, se abrió y una losa de piedra de color teja surgió del suelo. Le llegaba hasta la cintura y era lo suficientemente larga para que un vampiro adulto se tumbase en su superficie plana. Vio que la roca estaba cubierta por un intrincado dibujo de nudos célticos y que a cada lado, en el suelo, rodeándola, había dos ranuras curvadas casi como arcos. Eran más anchas en uno de los extremos y en la parte más estrecha formaban puntas afiladas. Estudiándola, Stark descubrió dos cosas: que las ranuras parecían cuernos enormes y que la piedra no era de color teja… Era mármol blanco. El color teja eran manchas. Manchas de sangre.

—Esta es la *Seol ne Gigh,* el Ara del Espíritu —dijo Sgiach—. Es una antigua piedra sagrada de sacrificio y culto. Desde tiempos inmemoriales, este ha sido el conducto hacia la Oscuridad y hacia la Luz… hacia los dos toros, el blanco y el negro, que forman la base del poder de los guardianes.

—Sacrificio y culto —dijo Aphrodite, acercándose a la piedra—. ¿A qué clase de sacrificio te refieres?

—*Aye,* bueno, eso depende de lo que busques, ¿no crees? —dijo Seoras.

—Esa no es una respuesta —replicó Aphrodite.

—Seguro que sí, muchacha —dijo el guardián, sonriéndole gravemente—. Y tú lo sabes, te guste admitirlo o no.

—No tengo ningún problema con los sacrificios —dijo Stark.

A continuación, se pasó la mano por el entrecejo, cansado.

—Decidme qué, o a quién —dijo mirando a Aphrodite de lado, sin importarle que eso hiciera saltar a Darius— tengo que ofrecer en sacrificio y yo lo haré.

—El sacrificio serás tú, muchacho —dijo Seoras.

—Creo que le ayudará ese estado de debilidad que le invade durante las horas de luz. Debería hacer más fácil que su espíritu abandonase su cuerpo —le digo Sgiach a su guardián casi como si Stark no estuviese en la habitación.

—*Aye,* es verdad. La mayoría de los guerreros luchan para impedirlo. Su debilidad le facilitará esa parte —asintió Seoras.

—¿Entonces qué tengo que hacer? ¿Buscar una virgen o algo?

Esta vez no miró a Aphrodite porque, bueno… obviamente ella no entraba en esa categoría.

—Tú eres el sacrificio, guerrero. No vale la sangre de otro. Esta es tu búsqueda, desde el principio hasta el final. ¿Sigues deseando empezar, Stark? —le preguntó Sgiach.

—Sí.

Stark no lo dudó.

—Entonces túmbate en la *Seol ne Gigh,* joven guardián MacUallis. Tu jefe te drenará la sangre y te llevará a un lugar entre la vida y la muerte. La piedra tomará tu ofrenda. El toro blanco ha hablado y has sido aceptado. Guiará tu espíritu hasta la entrada del Otro Mundo. A partir de ahí, será cosa tuya conseguir entrar; que la Diosa se apiade de tu alma —dijo la reina.

—De acuerdo. Bien. Vamos allá.

Pero Stark no fue directamente a la *Seol ne Gigh.* En lugar de ello, se arrodilló al lado de Zoey. Ignorando el hecho de que todos los que estaban en la sala lo estaban mirando, le cogió la cara entre las manos y la besó suavemente, susurrándole a sus labios.

—Voy a por ti. Esta vez no te fallaré.

Después se puso de pie, echó los hombros hacia atrás y fue hacia la enorme piedra.

Seoras se había quitado del lado de su reina y estaba de pie en la parte frontal de la piedra. Mirando a Stark con firmeza, desenfundó un extremadamente afilado estilete que escondía en una vaina de cuero en su cintura.

—¡Espera, espera!

Era increíble, pero Aphrodite estaba revolviendo torpemente el interior de un bolso de cuero anormalmente grande que llevaba a cuestas desde Venecia.

Stark ya estaba cansado de ella.

—Aphrodite, ahora no es el momento.

—Oh, por todos los demonios, por fin. Sabía que no podía haber perdido algo tan grande y oloroso.

Sacó una bolsita llena de ramitas marrones y agujas y le hizo un gesto a uno de los guerreros que rodeaban el perímetro de la sala, chasqueando los dedos y comportándose de una forma más regia de lo que a Stark le gustaría admitir en voz alta.

—Antes de que empieces con lo que seguro que es una ofrenda de sangre poco sexi, alguien tiene que quemar esta… especie de incienso aquí, cerca de Stark.

—¿Qué demonios…? —dijo Stark, sacudiendo la cabeza, mirando a Aphrodite y preguntándose (no por primera vez) si aquella mujer tenía algún problema mental.

Ella le puso los ojos en blanco.

—La abuela Redbird le dijo a Stevie Rae, quien me lo dijo a mí, que quemar cedro es algún tipo de hechizo poderoso en el mundo de los espíritus.

—¿Cedro? —dijo Stark.

—Sí. Inhálalo y llévatelo contigo mientras vas al Otro Mundo. Y, por favor, cierra el pico y prepárate para sangrar —dijo Aphrodite, que centró después su atención en Sgiach—. Creo que vosotros consideraríais a la abuela Redbird como un chamán. Es sabia y seguidora de la idea esa de que todo en la tierra tiene espíritu. Dijo que el cedro ayudaría a Stark.

El guerrero al que le había dado la bolsita miró a su reina. Ella se encogió de hombros y asintió.

—No puede hacer daño —concedió.

Después de encender un brasero de metal y añadirle unas pocas agujas, Aphrodite sonrió e inclinó la cabeza ligeramente ante Seoras.

—Bien, ahora adelante.

Stark se tragó las palabras que quería gritarle a la molesta Aphrodite. Necesitaba concentrarse. Recordaría inhalar el cedro porque la abuela Redbird sabía muchas cosas y lo más importante era que necesitaba llegar hasta Zoey y protegerla. Stark se pasó la mano por la frente, deseando poder hacer desaparecer así la neblina de cansancio que se instalaba en su cerebro con la luz del día.

—No luches contra ello. Necesitas sentir que se te va la cabeza para poder salir de tu cuerpo. No es algo natural para un guerrero.

Seoras usó su estilete para señalar la superficie plana de la enorme losa.

—Descubre tu pecho y túmbate.

Stark se quitó la sudadera y la camiseta que llevaba debajo y después se echó sobre la piedra.

—Veo que ya estás marcado —le dijo Seoras, señalando la cicatriz rosada de una flecha rota que le cubría el lado izquierdo del pecho.

—Sí. Por Zoey.

—*Aye*, bueno, entonces es buena cosa que vayas a ser marcado de nuevo por ella.

Stark se preparó para lo que venía y permaneció muy quieto sobre la piedra manchada de sangre.

Debería haber estado fría y muerta, pero en cuanto su piel tocó la superficie de mármol, se generó calor bajo él. Ese calor se extendió rítmicamente desde su interior, como si fuesen latidos.

—*Ach, aye*, ya puedes sentirlo —dijo el anciano guardián.

—Está caliente —respondió Stark, mirándolo desde abajo.

—Para los que somos guardianes, está viva. ¿Confías en mí, muchacho?

Stark parpadeó sorprendido por la pregunta de Seoras, pero contestó sin dudarlo.

—Sí.

—Te voy a llevar a un lugar justo antes de la muerte. Necesitas confiar en mí para que te conduzca hasta allí.

—Confío en ti.

Stark lo hacía. Había algo en el guerrero que conectaba con algo en su interior. Confiar en él le parecía lo acertado.

—Esto no nos va a gustar a ninguno de los dos, pero es necesario. El cuerpo debe liberarse para darle al espíritu la libertad de marcharse. Solo el dolor y la sangre pueden hacer eso. ¿Estás listo?

Stark asintió. Apretó las manos contra la superficie caliente de la piedra e inhaló profundamente el olor del cedro.

—¡Espera! Antes de que lo cortes, dile algo que lo pueda ayudar. No dejes que su alma se ponga a revolotear atolondrada por el Otro Mundo. Tú eres un chamán, así que chamanízalo —dijo Aphrodite.

Seoras miró a Aphrodite y después a su reina. Stark no podía ver a Sgiach, pero fuese lo que fuese lo que pasó entre los dos, hizo que su guardián curvara los labios, en un asomo de sonrisa cuando volvió sus ojos hacia Aphrodite.

—Bueno, mi pequeña reina. Le voy a decir esto a tu amigo: cuando un alma quiere saber realmente lo que es la bondad, y me refiero a una bondad pura, sin motivos egoístas, es cuando lo más básico de nuestra naturaleza se rinde al deseo del amor, de paz y de armonía. Esa rendición es una fuerza muy poderosa.

—Eso es demasiado poético para mí, pero Stark lee mucho. Quizás él entienda de lo que estás hablando —dijo Aphrodite.

—Aphrodite, ¿me harías un favor? —le preguntó Stark.

—Quizás.

—Cállate. —Y se dirigió a Seoras—: Gracias por el consejo. Lo recordaré.

Seoras lo miró a los ojos.

—Tienes que hacer esto tú solo, muchacho. Ni siquiera yo te puedo sujetar. Si no puedes soportarlo, tampoco podrás pasar por la puerta y será mejor acabar con esto ahora, antes de empezar.

—No voy a moverme —dijo Stark.

—El latido de la *Seol ne Gigh* te conducirá al Otro Mundo. Volver, *ach,* bueno, ese es un camino que debes encontrar por ti mismo.

Stark asintió y extendió las manos sobre la superficie del mármol, intentando absorber su energía para calentar su cuerpo, de repente congelado.

Seoras levantó la daga y atacó a Stark tan rápido que el movimiento de la mano del guardián fue borroso. El dolor inicial de la herida, que ascendía desde la cintura hasta la parte superior derecha de su caja torácica, era poco más que una línea caliente en su piel.

El segundo corte fue casi idéntico al primero, solo que formó una llorosa línea roja cruzando sus costillas izquierdas.

Y ahí fue cuando comenzó el dolor. Su corazón le ardía. Su sangre era como lava mientras se derramaba por sus lados, formando charcos encima de la piedra. Seoras utilizó el afilado estilete metódicamente, cortando de un lado del cuerpo de Stark al otro hasta que su sangre llegó al canto de la roca como si fuese una lágrima al borde de unos ojos gigantes. Dudó un momento allí y finalmente la sobrepasó y rebosó, vertiendo gotas escarlata en los intricados nudos celtas y después descendiendo hasta llenar las ranuras con forma de cuerno.

Stark nunca había sentido un dolor igual.

Ni cuando se había muerto.

Ni cuando se había no muerto y solo pensaba en sed y violencia.

Ni cuando casi se había muerto por su propia flecha.

El dolor que le hizo sentir el guardián sobrepasaba lo físico. Le quemaba el cuerpo, pero también le incendiaba el alma. El martirio era líquido e interminable. Se trataba de una ola de la que no podía escapar y que lo golpeaba una y otra vez. Se estaba hundiendo en ella.

Stark luchó automáticamente. Sabía que no se podía mover, pero aun así luchó por mantener su consciencia. *Si me dejo ir, moriré.*

—Confía en mí, muchacho. Déjate ir.

Seoras estaba sobre él, inclinándose una y otra vez sobre su cuerpo, cortándole la piel, pero la voz del guardián le sirvió de ancla, lejana, apenas perceptible.

—Confía en mí...

Stark ya había elegido. Ahora lo único que tenía que hacer era seguir fiel a su elección.

—Confío en ti —se escuchó susurrar.

El mundo se volvió gris, después escarlata, después negro. De lo único de lo que Stark era consciente era del cálido sufrimiento y de lo líquido de su sangre. Los dos se fundieron y de repente se encontró fuera de su cuerpo, hundiéndose en la piedra, goteando por sus laterales tallados y colándose a través de los cuernos.

Rodeado solo de dolor y de oscuridad, Stark luchó contra el pánico pero, de forma extraña, tras solo un momento, el terror fue reemplazado por una aceptación insensible que le alivió lo suficiente. Pensándolo bien, aquella oscuridad no era tan mala. Al menos el dolor estaba desapareciendo. De hecho, el dolor parecía solo un recuerdo...

—¡No te rindas, imbécil! ¡Zoey te necesita!

¿La voz de Aphrodite? Diosa, era irritante que hasta separado de su cuerpo ella pudiera seguir molestándolo.

Separado de mi cuerpo. ¡Lo había conseguido! La euforia que le causó el descubrimiento pronto se vio seguida por la confusión.

Estaba fuera de su cuerpo.

No podía ver nada. No sentía nada. No oía nada. La oscuridad era absoluta. No tenía ni idea de dónde estaba. Su espíritu revoloteaba y, como un pájaro atrapado, tropezaba con la nada.

¿Qué le había dicho Seoras? ¿Cuál había sido su consejo?

... la rendición es una fuerza poderosa.

Stark dejó de luchar y tranquilizó su espíritu. Un pequeño recuerdo brilló entre la negrura, el de su alma mezclándose con su sangre en dos concavidades con forma de cuernos.

Cuernos.

Stark se centró en la única idea visible en su mente y se imaginó agarrando esos cuernos.

La criatura salió de la completa oscuridad. Era de un color negro diferente al que había envuelto a Stark. Era del negro de un cielo de luna nueva, del agua mansa y profunda en la noche y de sueños de medianoche medio olvidados.

Acepto tu sacrificio de sangre, guerrero. Enfréntate a mí y avanza, si osas.

¡Oso!, gritó Stark, aceptando el desafío.

El toro lo embistió. Actuando por puro instinto, Stark no corrió. No saltó a un lado. En lugar de eso, se encaró con el toro, con la cabeza por delante. Expulsando su ira, su rabia y su miedo con un grito, Stark corrió hacia el animal.

El toro bajó su inmensa cabeza como si lo fuese a cornear.

¡No! Stark lo saltó y, con un movimiento que parecía de ensueño, lo cogió de los cuernos. En ese momento la criatura levantó la cabeza y Stark se catapultó sobre su cuerpo. Se sentía como si se estuviera cayendo por un precipicio de una altura imposible mientras descendía cada vez más y, en algún lugar, detrás de él, desde la desalmada negrura, pudo escuchar la voz del toro resonando.

Bien hecho, guardián…

Después hubo una explosión de luz a su alrededor, justo antes de golpearse contra un duro suelo. Stark se levantó despacio, pensando lo extraño que era que, aunque no fuese nada más que espíritu, mantuviera aún la forma y los sentidos de su cuerpo. Miró a su alrededor.

Delante de él había una arboleda idéntica a la que crecía cerca del castillo de Sgiach. Incluso había un árbol votivo delante de él, decorado con más cintas de tela de las que podía contar. Mientras lo observaba, las telas cambiaron, tomando diferentes colores y longitudes y temblando como el espumillón de un árbol de navidad.

El Otro Mundo… aquella tenía que ser la entrada al reino de Nyx. Nada más podría ser tan mágico.

Antes de avanzar, Stark miró detrás de sí, ya que pensaba que no podía ser tan fácil entrar, por lo que esperaba que el toro negro se materializase y lo embistiese, aquella vez de verdad.

Sin embargo, lo único que había detrás de él era la nada tenebrosa de la que había partido. Y por si eso no fuese lo suficientemente aterrador, el pedazo de suelo sobre el que había aterrizado era un pequeño semicírculo de tierra roja que le recordó de repente a Oklahoma. En el centro de la parcela había una espada resplandeciente clavada hasta la mitad. Tuvo que usar las dos manos para liberarla y después, mientras Stark limpiaba automáticamente la hoja (que por otra parte estaba impoluta) en sus vaqueros, se dio cuenta de que, como en la *Seol ne Gigh,* el color original del suelo estaba teñido por la sangre.

Acabó de frotar la espada rápidamente. Por algún motivo no le gustaba la idea de que se tiñese de sangre. A continuación centró su atención en lo que tenía delante. Ahí era donde tenía que ir. Su mente, su corazón y su espíritu lo sabían.

—Zoey, estoy aquí. He venido a por ti —dijo.

Avanzó corriendo… y tropezó con una barrera invisible sólida como un muro de ladrillo.

—¿Qué demonios…? —murmuró, caminando hacia atrás y levantando la vista para ver un arco de piedra que acababa de aparecer.

Hubo una explosión de una luz blanca y fría y a Stark le pareció que un enorme congelador se abría para mostrar una aterradora imagen de carne muerta. Parpadeando, bajó los ojos y lo que vio frente a él lo sorprendió intensamente.

Stark se estaba viendo a sí mismo.

Al principio pensó que el arco debía de tener un espejo, pero no reflejaba la negrura que había a su espalda y su otro yo le sonría con una sonrisa familiar, socarrona. Stark no estaba sonriendo. Después habló, disipando todas las ideas de reflejos de espejos y otras explicaciones racionales.

—Sí, estúpido, eres tú. Tú eres yo. Para entrar en este lugar, vas a tener que matarme y eso no va a pasar porque a mí no me hace ninguna gracia la idea de morirme. Así que lo que va a pasar es que voy a ser yo el que te va a patear el culo y te va a matar… a ti.

Mientras Stark permanecía allí de pie, sin habla, mirándose a sí mismo, imagen reflejada se lanzó hacia delante, blandiendo una espada idéntica a la que tenía él y dibujándole una línea de sangre en el brazo.

—Sí, esto va a ser tan fácil como yo pensaba —dijo su otro yo, atacando de nuevo a Stark.

25

Aphrodite

—Sí, la luz está encendida, pero está claro que no hay nadie en casa.

Aphrodite movió la mano delante de los ojos abiertos pero ciegos de Stark. Después tuvo que apartarse del camino de Seoras que, ignorando que había estado a punto de cortarla a ella también, infligió otra herida en el lateral ya ensangrentado de Stark.

—Ya parece un montón de carne picada. ¿Tienes que seguir con esto? —le preguntó Aphrodite al guardián.

No existía ni rastro de cariño entre ella y Stark, pero eso no quería decir que disfrutase viendo cómo lo cortaban en pedacitos.

Seoras pareció no oírla. Estaba completamente concentrado en el cuerpo que yacía ante él.

—Están vinculados por esta búsqueda —dijo Sgiach, que había dejado su trono para ponerse al lado de Aphrodite.

—Pero tu guardián está consciente y presente en su cuerpo —dijo Darius, estudiando a Seoras.

—Sí. Su consciencia está aquí. Pero también está tan conectado al chico que puede oír sus latidos, sentir su respiración. Seoras sabe exactamente lo cerca que está Stark de la muerte física. Es en esa cúspide entre la vida y la muerte donde debe mantenerlo mi guardián. Si se inclina mucho hacia un lado, su alma volverá a su cuerpo y se despertará; si va hacia el otro, su alma nunca jamás regresará.

—¿Cómo sabrá cuándo debe acabar con esto? —le preguntó Aphrodite, estremeciéndose involuntariamente mientras el estilete de Stark rasgaba de nuevo la carne de Stark.

—Stark se despertará… o morirá. Sea como sea, dependerá de Stark y no de mi guardián. Lo que está haciendo Seoras ahora le permite al chico tomar sus propias decisiones —dijo Sgiach hablándole a Aphrodite, pero sin que sus ojos abandonaran a Seoras—. Tú deberías hacer lo mismo.

—¿Herirlo?

Aphrodite frunció el ceño mirando a la reina. Ella sonrió, pero siguió observando al guardián.

—Has dicho que eras una profetisa de Nyx, ¿no?

—Soy su profetisa.

—Entonces deberías pensar en ejercer tu don para ayudar tú también al chico.

—Lo haría si tuviese una maldita pista de cómo hacerlo.

—Aphrodite, quizás deberías… —empezó Darius, tomando a Aphrodite del brazo y alejándola de Sgiach, obviamente preocupado porque Aphrodite se hubiese pasado de la raya con la reina.

—No, guerrero. No hace falta que la apartes. Una cosa que aprenderás al estar unido a una mujer fuerte es que a menudo sus palabras la van a meter en problemas de los que no la vas a poder sacar. Pero son sus propias palabras y, por tanto, tienen sus propias consecuencias —dijo Sgiach mirando por fin a Aphrodite—. Usa parte de esa fuerza que hace que tus palabras sean como dagas y busca tus propias respuestas. Una profetisa de verdad recibe muy poca guía en este mundo, aparte de su don; pero la fuerza, suavizada por la sabiduría y la paciencia, debe enseñarte cómo usarlo correctamente.

La reina levantó una mano e hizo un gesto elegante hacia uno de los vampiros en las sombras.

—Muestra a la profetisa y a su guardián su habitación. Dales privacidad y algo de comer.

Sin más palabras, Sgiach volvió a su trono, con su mirada fija únicamente en su guardián.

Aphrodite apretó los labios con fuerza y siguió al gigante pelirrojo cuyos tatuajes eran una serie de enrevesadas espirales que parecían estar hechas de minúsculos puntos de color zafiro. Desandaron el camino hasta la escalera doble y después subieron hasta un pasillo cuyas paredes estaban decoradas con espadas ricamente adornadas con joyas que brillaban a la luz de las antorchas. Una escalera sencilla más pequeña los llevó finalmente hasta una puerta de madera arqueada que el guerrero abrió, haciendo un gesto para que entraran en la habitación.

—¿Te asegurarás de que alguien venga a buscarme si Stark sufre algún cambio? —le preguntó Aphrodite antes de que cerrase la puerta.

—*Aye* —dijo el guerrero con una voz sorprendentemente dulce antes de dejarlos solos.

Aphrodite se volvió hacia Darius.

—¿Tú crees que mi boca me mete en líos?

Su guerrero levantó las cejas.

—Por supuesto que sí.

Ella frunció el ceño.

—Vale, mira, no estoy bromeando.

—Ni yo.

—¿Por qué? ¿Porque digo lo que pienso?

—No, belleza, porque usas tus palabras como si fuesen dagas, y una daga desenfundada a menudo causa problemas.

Ella resopló y se sentó en la enorme cama con dosel.

—Si sueno como si mi lengua fuese una daga, ¿entonces por qué te gusto?

Darius se sentó a su lado y la cogió de la mano.

—¿Te has olvidado de que la daga arrojadiza es mi arma favorita?

Aphrodite lo miró a los ojos, sintiéndose vulnerable de repente, a pesar de su tono dulce.

—En serio. Soy una cabrona. No debería gustarte. No creo que le guste a la mayoría de la gente.

—Le gustas a la gente que te conoce. Les gusta tu yo verdadero. Y lo que yo siento por ti sobrepasa el concepto de gustar. Te amo, Aphrodite. Amo tu fuerza, tu sentido del humor, la profunda preocupación que muestras por tus amigos. Y amo lo que se rompió en tu interior y que está todavía empezando a curarse.

Aphrodite siguió mirándolo a los ojos, aunque parpadeaba para contener las lágrimas.

—Todo eso me hace ser una terrible cabrona.

—Todo eso te hace ser lo que eres —dijo levantándole la mano hasta sus labios y besándosela suavemente—. Y eso te hace también lo suficientemente fuerte para averiguar cómo ayudar a Stark.

—¡Pero no sé cómo!

—Usaste tu don para sentir la ausencia de Zoey, igual que la de Kalona. ¿No puedes usar el mismo camino que seguiste en esas ocasiones para sentir ahora a Stark?

—Lo único que hice con ellos fue sentir si sus almas estaban dentro de sus cuerpos o no. Ya sabemos que Stark se ha ido.

—Entonces no hará falta que lo toques como hiciste en los otros casos.

Aphrodite suspiró.

—El mismo camino, ¿eh?

—Sí.

Ella levantó la vista, apretándole la mano con más fuerza.

—¿De verdad crees que puedo hacerlo?

—Creo que hay poco que tú no puedas hacer cuando te lo propones, belleza.

Aphrodite asintió y le volvió a apretar la mano antes de soltársela. Bajó la cremallera de sus botas de tacón de cuero negro y se dejó caer en la cama, recostándose sobre el montículo de almohadas de plumón.

—¿Me protegerás mientras esté fuera? —le preguntó a su guerrero.

—Siempre —dijo Darius.

Él se colocó de pie al lado de la cama, recordándole a Aphrodite la manera en que Seoras se posicionaba al lado del trono de su reina. Ella extrajo fuerza de la certidumbre de saber que su corazón y su cuerpo siempre estarían a salvo con Darius, luego cerró los ojos y deseó relajarse. Después respiró tres veces profundamente, purificándose, y se concentró en su diosa.

Nyx, soy yo. Aphrodite. Tu profetisa. Casi añadió un «al menos es así como todo el mundo me llama», pero consiguió evitarlo. Respiró profundamente y continuó: *Solicito tu ayuda. Ya sabes que no sé muy bien cómo funciona esto de ser profetisa, así que no te sorprenderá oír que no sé cómo usar el don que me has dado para ayudar a Stark… pero él necesita mi ayuda. Al chico lo están fileteando en un mundo y anda por ahí revoloteando, tratando de usar poesías y palabras confusas de un viejo para ayudar a Z, en el Otro Mundo. Entre nosotras, yo a veces pienso que Stark es más una mezcla de músculo y buen pelo, eso hay que reconocerlo, que un cerebrito. Está claro que necesita ayuda y, por el bien de Zoey, yo querría dársela. Así que, por favor, Nyx, muéstrame cómo hacerlo.*

Entrégate a mí, hija.

La voz de Nyx en su cabeza fue como el aleteo de una cortina de seda diáfana, transparente, etérea e increíblemente bella.

¡Sí!, respondió Aphrodite instantáneamente. Se abrió de corazón, alma y mente a su Diosa.

Y de repente ella era la brisa deslizándose por la delicada línea de la voz de Nyx, elevándose y alejándose.

Contempla mi reino.

El espíritu de Aphrodite voló sobre el Otro Mundo de Nyx. Era indescriptiblemente encantador, con infinitas variaciones de verde, flores brillantes que ondeaban como al son de la música y lagos resplandecientes.

Aphrodite pensó que había visto caballos salvajes y destellos multicolores de pavos reales volando.

Y por todo el reino, los espíritus entraban y salían de su campo de visión bailando, riendo y amando.

¿Aquí es donde venimos cuando morimos?, preguntó Aphrodite, fascinada.

A veces.

¿Cómo que a veces? ¿Quieres decir si somos buenos?

Aphrodite tuvo la terrible sensación de que si ser bueno era el criterio para llegar a este lugar, probablemente ella nunca podría hacerlo.

La risa de la diosa fue como magia.

Yo soy tu Diosa, hija, no un juez. El bien es una idea muy compleja. Por ejemplo, contempla una faceta del bien.

El viaje del espíritu de Aphrodite ralentizó su ritmo y la hizo pararse sobre una arboleda impresionante. Parpadeó sorprendida cuando la estudió y entendió que le recordaba a la que había cerca del castillo de Sgiach. Mientras la comparaba, Aphrodite cayó suavemente a través del dosel de hojas estrechamente entretejidas para descansar en la gruesa alfombra de musgo que cubría el suelo.

—¡Escúchame, Zo! Puedes hacerlo.

Cuando oyó la voz de Heath, Aphrodite se volvió rápidamente para ver a Zoey, tan pálida que parecía traslúcida, y a Heath. Z caminaba sin parar en círculos, daba miedo, mientras que Heath estaba de pie, inmóvil, mirándola con una expresión profundamente triste.

¡Zoey! ¡Por fin! Vale, escúchame. Tienes que juntar tus pedazos y volver a tu cuerpo.

Ignorándola por completo, Zoey rompió a llorar, aunque no paró de caminar.

—No puedo, Heath. Hace tiempo que no están. No puedo reunir los pedazos de mi alma. No puedo recordar cosas… no puedo concentrarme… Lo único que sé seguro es que me merezco esto.

Oh, por todos los demonios. ¡Zoey! ¡Deja de lloriquear y préstame atención!

—¡Tú no te mereces esto! —exclamó Heath acercándose a Zoey y colocándole las manos sobre los hombros, obligándola así a quedarse quieta—. Y puedes hacerlo, Zo. Tienes que hacerlo. Si lo consigues, podremos estar juntos.

Genial. Estoy cantando villancicos como los malditos fantasmas de las Navidades pasadas, presentes y lo que sea. ¡No pueden oír ni una maldita palabra de lo que les digo!

Entonces quizás, hija, para variar, deberías escuchar.

Aphrodite ahogó un suspiro de frustración e hizo lo que le aconsejaba su Diosa, aunque se sentía como una mirona espiando a través de la ventana de alguien.

—¿Lo dices de verdad, Heath?

Zoey miró a Heath, pareciendo por un momento más ella misma que la cosa fantasmagórica y aterradora que no podía quedarse quieta.

—¿De verdad te gustaría que me quedase? —le dijo a Heath con una sonrisa vacilante mientras su cuerpo se agitaba continuamente bajo sus manos.

Él la besó.

—Nena, yo quiero estar donde tú estés, siempre.

Con un gemido de dolor, Zoey se alejó de los brazos de Heath.

—Lo siento. Lo siento —dijo caminando y llorando de nuevo—. No puedo quedarme quieta. No puedo descansar.

—Por eso tienes que llamar a los pedazos de tu alma. No puedes estar conmigo si no lo haces. Zo, no puedes ser nada si no lo haces. Seguirás moviéndote sin descanso, y perdiendo pedacitos de ti hasta que te desvanezcas por completo.

—Fue culpa mía que te murieses; es culpa mía que estés ahora donde no perteneces. ¿Cómo puedes amarme a pesar de ello?

Se apartó el pelo grasiento de la cara mientras rodeaba una y otra vez a Heath, sin detenerse, sin descansar.

—¡No es culpa tuya! Kalona me mató. Y eso es todo. Además, ¿qué importa el lugar donde estemos, o si estamos vivos o muertos, mientras estemos juntos?

—¿Lo dices en serio? ¿De verdad?

—Te quiero, Zoey. Lo he hecho desde el primer día en que te conocí, y te amaré para siempre. Te lo prometo. Si vuelves a estar completa, estaremos juntos para siempre.

—Para siempre —dijo Zoey en un susurro—. ¿Y me perdonas de verdad?

—Nena, no hay nada que perdonar.

Con lo que fue obviamente un enorme esfuerzo, Zoey se detuvo.

—Entonces lo intentaré, por ti —dijo.

Abrió los brazos y echó la cabeza hacia atrás. Su cuerpo pálido empezó a resplandecer primero con una lucecita vacilante en su interior. Zoey comenzó a decir nombres y... Aphrodite fue apartada de la visión y elevada de la arboleda con tanta rapidez que su estómago se retorció en una náusea.

¡Oh, ahhhhhh! Demasiado alto, demasiado rápido, voy a vomitar.

Un viento cálido la acarició, calmando su mareo. Cuando fue capaz de volver a moverse ya habían desaparecido las náuseas, pero no su confusión.

Vale, no lo entiendo. ¿Z reúne sus pedazos pero se queda con Heath en lugar de volver a su cuerpo?

En esta versión del futuro, sí.

Aphrodite dudó antes de hacer otra pregunta, a regañadientes.

¿Pero es feliz?

Sí. Zoey y Heath están contentos juntos en el Otro Mundo para toda la eternidad.

Aphrodite sintió que la invadía la tristeza, pesada y densa, pero tenía que continuar.

Entonces Z quizás debería quedarse donde está. La echaremos de menos. Yo la echaré de menos. Aphrodite dudó, sofocando unas ganas inesperadas de echarse llorar. *Será una mierda para Stark, pero si aquí es donde debe estar, Zoey debería quedarse.*

Lo que debe ser para una persona cambia con sus decisiones. Esta es solo una versión del futuro de Zoey y, como muchas elecciones que se hacen en el Otro Mundo, la suya tira de unos hilos que cambiarán el tapiz del futuro en la tierra. Si Zoey eligiera quedarse, contempla el nuevo futuro de la tierra.

Aphrodite se sumergió en una escena que le era muy familiar. Estaba en medio del campo en el que había estado en su última visión. Como antes, ella estaba con la gente que se quemaba: humanos, vampiros e iniciados. Volvió a experimentar el dolor del fuego y la agonía abstracta que la habían invadido durante su visión original. Como en ella, Aphrodite miró hacia arriba y vio a Kalona ante ellos, aunque aquella vez Zoey no estaba con él... no hacía ni decía nada de lo que le había dicho en la segunda parte de la visión que lo había destruido. En lugar de ello, apareció Neferet en escena. Caminó dejando a un lado a Kalona, mirando a los seres que ardían. Después empezó a trazar complicados dibujos en el aire que la rodeaba y cuando lo hizo, la Oscuridad surgió a su alrededor. Partiendo de ella, tiñó el campo, apagando el fuego, pero no el dolor.

—¡No, no los voy a matar! —Hizo un gesto con un dedo y un grupo de hilos se enredaron en el cuerpo de Kalona—. Ayúdame a hacerlos míos.

Kalona los absorbió. Aphrodite se concentró en él y, como un espejismo tomando forma corpórea, los hilos de Oscuridad que recubrían el cuerpo del inmortal se hicieron visibles. Se agitaron, haciendo que la piel del inmortal temblara y se estremeciese. Kalona jadeó y Aphrodite no pudo decir si sentía placer o dolor, pero le sonrió forzadamente a Neferet y abrió los brazos para aceptar la Oscuridad.

—Como desees, mi Diosa.

Cubierto de hilos, Kalona subió hasta situarse a su lado. Después el inmortal se agachó y despejó su cuello. Aphrodite vio que Neferet se inclinaba, le lamía la piel a Kalona y con una ferocidad codiciosa que asustaba, le clavaba los dientes y se alimentaba de él. Los hilos de Oscuridad se retorcieron, vibraron y se multiplicaron.

Completamente asqueada, Aphrodite apartó la vista y vio a Stevie Rae entrando en el campo.

¿Stevie Rae?

Había una cosa oscura a su lado. Aphrodite descubrió que Stevie Rae tenía al lado a un cuervo del escarnio, a su derecha… tan cerca que parecían estar juntos.

¡¿Qué demonios?!

El ala del cuervo del escarnio se desplegó y después se cerró alrededor de Stevie Rae, como si la estuviese abrazando. Stevie Rae suspiró y se acercó más a la criatura de tal manera que el ala la envolvía por completo. Aphrodite estaba tan sorprendida por aquella visión que no vio de dónde había salido el chico indio… De repente, estaba allí, justo delante del cuervo del escarnio.

A pesar del dolor y la conmoción que le causaba su visión, Aphrodite pudo apreciar lo increíblemente guapo que era aquel desconocido. Poseía un cuerpo impresionante y estaba casi desnudo, mostrando mucha piel. Su cabellera era densa, larga, tan negra como las plumas de cuervo que llevaba trenzadas en toda su longitud. Era alto, musculoso y, en resumen, estaba buenísimo.

Ignoró al cuervo del escarnio y le alargó la mano a Stevie Rae.

—Acéptame y él se irá.

Stevie Rae se apartó del abrazo de la criatura alada, pero no le dio la mano al chico.

—No es tan simple —dijo, en lugar de eso.

Todavía arrodillado, delante de Neferet, Kalona gritó.

—¡Rephaim! ¡No me vuelvas a traicionar, hijo mío!

Las palabras del inmortal incitaron al cuervo del escarnio, que atacó al chico indio. Los dos empezaron a luchar el uno contra el otro, brutalmente, mientras Stevie Rae se quedaba allí de pie, sin hacer otra cosa que mirar al ser oscuro y llorar, destrozada. A través de sus sollozos, Aphrodite la escuchó hablar.

—No me dejes, Rephaim. Por favor, por favor, no me dejes.

En el distante horizonte, detrás de todos ellos, Aphrodite vio lo que pensó que era el sol brillante del amanecer, pero entrecerrando los ojos a través de aquel resplandor vio que no era el astro rey, sino un enorme toro blanco trepando por encima del cuerpo asesinado de un toro negro que había intentado, sin conseguirlo, proteger los vestigios de lo que en su día fue el mundo que conocía.

Aphrodite se vio apartada de su visión. Nyx la sostuvo con una brisa delicada mientras su alma temblaba.

Oh, Diosa, susurró. *No, por favor, no. ¿Una elección tomada por una chica adolescente es suficiente para fastidiar el equilibrio entre la Luz y la Oscuridad en todo el mundo? ¿Cómo es posible?*

Considera que tú, al elegir el bien, abriste el camino para que existiese toda una nueva raza de vampiros.

¿Los iniciados rojos? Pero ellos ya existían antes de que yo hiciese nada.

Sí, pero el camino para recuperar su humanidad estaba cerrado hasta que tu sacrificio, tu elección, lo abrió. ¿Y no eres tú una simple chica adolescente?

Oh, demonios, Zoey tiene que volver.

Entonces Heath tiene que irse de mi reino del Otro Mundo. Esa es la única manera de que Zoey decida volver a su cuerpo, si su alma vuelve a estar entera.

¿Cómo me aseguro de que eso suceda?

Lo único que puedes hacer es transmitir lo que sabes, hija. La elección debe quedar en manos de Heath, Zoey y Stark.

Con un brusco tirón, Aphrodite se vio empujada hacia atrás… Buscando algo de aire, abrió los ojos y parpadeó; entre el dolor y la nube de lágrimas rojas vio a Darius inclinado sobre ella.

—¿Has vuelto a mí?

Aphrodite se sentó. Estaba mareada y le dolía la cabeza detrás de los ojos. Era un dolor que conocía demasiado bien. Se apartó el pelo de la cara y se sorprendió de lo mucho que le temblaba la mano.

—Bebe esto, belleza. Tienes que reponerte tras el viaje de tu espíritu.

Le acercó una copa y le ayudó a sostenerla cerca de sus labios.

Aphrodite tragó el vino.

—Ayúdame a ir junto a Stark —dijo después.

—Pero tus ojos… ¡debes descansar!

—Si descanso, existe la posibilidad de que todo el jodido mundo se vaya al carajo. Literalmente.

—Entonces te llevaré con Stark.

Se sentía débil y a punto de caerse, pero Aphrodite se apoyó en su guerrero mientras volvían al *Fianna Foil,* donde casi nada había cambiado. Sgiach seguí observando a su guardián mientras él, despacio y metódicamente, seguía cortando el cuerpo de Stark.

Aphrodite no perdió el tiempo. Se dirigió directamente a Sgiach.

—Tengo que hablar con Stark. Ahora.

Sgiach la miró y notó su cuerpo tembloroso y sus ojos inyectados en sangre.

—¿Has usado tu don?

—Sí y tengo que decirle algo a Stark o algo terrible podría ocurrir. Para todos. Terrible.

La reina asintió y le hizo un gesto a Aphrodite para que la siguiese hasta la *Seol ne Gigh.*

—Solo tendrás un momento. Háblale rápida y claramente. Si lo retienes aquí demasiado tiempo, no podrá volver a encontrar su camino al Otro Mundo hasta que se recupere del viaje de hoy. Y debes entender que le podría llevar semanas recuperarse.

—Lo pillo. Solo tengo una oportunidad. Estoy lista —dijo Aphrodite.

Sgiach tocó el antebrazo de su guardián. Fue la más ligera de las caricias, pero causó un estremecimiento en el cuerpo de Seoras. Se detuvo antes de asestar otro corte.

Siguió con los ojos puestos en Stark pero habló con una voz ronca que sonó como si tuviese gravilla en la boca.

—¿*Mo bann ri?* ¿Mi reina?

—Tráelo de vuelta. La profetisa debe hablar con él.

Los ojos de Seoras se cerraron como si aquellas palabras le hubiesen hecho daño, pero cuando los abrió respondió con un gruñido bajo.

—*Aye,* mujer… como desees.

Colocó la mano que no sostenía el estilete en la frente de Stark.

—Escúchame, chico. Tienes que volver.

26

Stark

Stark se tambaleó hacia atrás, sosteniendo en alto su propia espada, haciendo que el azar y el instinto le sirvieran para desviar el golpe mortal del otro, de aquel ser que era él sin serlo.

—¿Por qué haces esto? —gritó Stark.

—Ya te lo he dicho. La única manera de que puedas entrar aquí es matándome... y yo no voy a morir.

Los dos guerreros caminaron en círculos, mirándose con recelo.

—¿De qué hablas? Tú eres yo. Así que si entro allí, ¿por qué te vas a morir?

—Yo soy parte de ti. La parte no tan buena. O tú eres parte de mí: la mejor parte, y me jode casi decirlo. No te comportes de manera tan estúpida. No actúes como si no me conocieras. Piensa en antes de que te volvieras una nenaza y le prestaras el juramento a esa santurrona tuya. Nos conocíamos mucho mejor entonces.

Stark lo miró y vio el matiz rojo en sus ojos y la dureza de su propia cara. Su sonrisa seguía allí, pero la arrogancia se había vuelto cruel y hacía que sus rasgos fuesen a la vez familiares y extraños.

—Tú eres el mal de mi interior.

—¿El mal? Eso depende de en qué parte estés, ¿no? Y desde el lado en el que estoy yo ahora, no parezco tan malo —dijo riéndose el otro—. «Malo» es una palabra que ni se acerca a describir mi potencial. El mal es un lujo. Mi mundo está lleno de cosas que superan tu imaginación.

Stark empezó a sacudir la cabeza, intentando negar lo que estaba escuchando y su concentración decayó. Su reflejo atacó de nuevo, abriendo un ancho surco en su bíceps derecho.

Stark levantó la espada defensivamente, sorprendido de sentir solo una extraña quemazón, pero ningún dolor en ninguno de los dos brazos.

—Sí, no duele mucho, ¿verdad? Todavía. Eso es porque esta hoja está demasiado afilada como para hacer daño. Pero mira... estás sangrando. Mucho. Es solo cuestión de tiempo que llegue el momento en el que ya no puedas sostener esa espada en alto. Entonces estarás acabado y me libraré de ti, de una vez por todas —continuó el otro—. O quizás podamos jugar... ¿Qué te parece si me divierto un poco y te voy despellejando vivo, poquito a poco, hasta que no seas más que un jodido cadáver a mis pies?

Con su visión periférica Stark vio que el calor que sentía era causado por la sangre que salía a borbotones de las dos heridas. El otro tenía razón. Se estaba hundiendo.

Tenía que luchar... y tenía que hacerlo inmediatamente. Si seguía dudando, siendo puramente defensivo, moriría.

En un movimiento puramente instintivo, Stark embistió hacia delante, golpeando a su reflejo, o lo que fuese, donde fuera, en cualquier lugar que pudiese ser un punto flaco en su defensa; pero su versión de ojos rojizos bloqueó cada ataque con facilidad. Y entonces, como una cobra, le devolvió el golpe, haciéndole un tajo largo y profundo en un muslo.

—No puedes vencerme. Conozco todos tus movimientos. Yo soy todo lo que tú no eres. Esa bondad de mierda te ha hecho débil. Por eso no puedes proteger a Zoey, para empezar. Amarla te ha hecho débil.

—¡No! ¡Amar a Zoey es lo mejor que he hecho nunca!

—Sí, bueno, pues va a ser la última cosa que hagas, eso está...

Stark se sintió de nuevo en su cuerpo. Abrió los ojos y vio a Seoras sobre él con el estilete en una mano y la otra en su frente.

—¡No! ¡Tengo que volver! —gritó.

Sintió que le ardía el cuerpo. El dolor en los laterales era increíble... su fuerza le bombeaba adrenalina en la sangre. Su primer instinto fue moverse. ¡Sal de ahí! ¡Lucha!

—No, chico. Recuerda que no te puedes mover —le dijo Seoras.

La respiración de Stark era fuerte y agitada. Se obligó a quedarse quieto... a quedarse allí.

—Llévame de vuelta —le dijo al guardián—. Tengo que regresar.

—Stark, escúchame —dijo de repente la cara de Aphrodite desde arriba—. Heath es la clave. Tienes que hablar con él antes de ver a Zoey. Dile que tiene que avanzar. Tiene que dejar a Zoey en el Otro Mundo o ella nunca volverá.

—¿Qué? ¿Aphrodite?

Ella lo cogió del brazo y acercó su cara a la de él. Stark pudo ver la sangre en sus ojos y se sobresaltó al entender que debía de haber tenido una visión.

—Confía en mí. Habla con Heath. Haz que se vaya. Si no, nadie podrá detener a Neferet y a Kalona y se habrá acabado todo para nosotros.

—Si va a volver, tiene que irse ya —dijo Seoras.

—Hazlo regresar —dijo Sgiach.

Los bordes brillantes alrededor de la visión de Stark empezaron a volverse grisáceos y luchó por no ser empujado de nuevo.

—¡Espera! Dime. ¿Cómo... cómo lucho conmigo mismo? —consiguió preguntar Stark.

Ach, en realidad es bastante sencillo. El guerrero de tu interior debe morir para que nazca el chamán.

Stark no sabía si las palabras de Seoras eran la respuesta a su pregunta o si provenían de su memoria, y no tenía tiempo de averiguarlo. En menos de lo que dura un latido, Seoras le agarró la cabeza con fuerza y pasó la hoja por los párpados de Stark. Con un destello ardiente y cegador, volvió a estar cara a cara consigo mismo, como si nunca hubiese abandonado aquel lugar.

Pese a que se hallaba desorientado como consecuencia del dolor que le generaba el último corte del guardián, Stark comprendió que su cuerpo reaccionaba más rápidamente que su mente y que se estaba defendiendo fácilmente de los ataques de su reflejo. Era como si la línea del último corte hubiese revelado una geometría de líneas para atacar al otro que Stark no conocía de antes y, como él no sabía de ellas, era posible que su reflejo tampoco. Si realmente el asunto era así, contaba con una oportunidad, aunque fuera mínima.

—Yo puedo hacer esto todo el día. Tú no. Maldita sea, qué fácil es patearme el culo. —El Stark de ojos rojos se rió con arrogancia.

Mientras se reía, Stark lo golpeó siguiendo una de las líneas de ataque que ese dolor y esa necesidad le habían revelado, alcanzando el lado exterior del antebrazo de su reflejo.

—¡Joder! Parece que puedes sangrar. ¡No sabía que tenías sangre!

—Sí, bueno, ese es uno de tus problemas; eres demasiado arrogante.

Stark vio la duda que atravesaba los ojos de su reflejo y un susurro de comprensión pasó por su mente.

Siguió ese pensamiento con tanta naturalidad como levantaba la espada para defenderse y atendía a las líneas de ataque.

—No, no es que tú seas demasiado arrogante. Soy yo. Yo soy arrogante.

La defensa de su reflejo flaqueó. Entonces Stark lo entendió todo y siguió presionando.

—También soy egoísta. Así es como maté a mi mentor. Era demasiado egoísta como para dejar que nadie me superase en nada.

—¡No! —gritó el Stark de ojos rojos—. Ese no eres tú… ese soy yo.

Viendo el hueco, Stark atacó de nuevo, cortando al otro en un lateral.

—Te equivocas y lo sabes. Tú eres lo malo que hay en mí, pero sigues siendo yo. El guerrero no habría sido capaz de admitirlo, pero el chamán está empezando a entenderlo.

Mientras Stark hablaba, siguió avanzando, lanzándole una lluvia de golpes a su reflejo.

—Somos arrogantes, somos egoístas. A veces somos mezquinos. Tenemos un jodido mal temperamento y cuando nos cabreamos, somos rencorosos.

Las palabras parecieron activar algo en el otro y contraatacó con una velocidad casi increíble, embistiendo a Stark con una habilidad y una sensación de venganza sobrecogedoras.

Oh, Diosa, no. No permitas que mis palabras lo fastidien todo.

Mientras Stark luchaba desesperadamente por defenderse de la salvaje acometida, se dio cuenta de que estaba reaccionando demasiado racionalmente, de un modo demasiado predecible. La única manera posible de derrotarse a sí mismo era hacer algo que el otro no esperase.

Tengo que dejarle un hueco para que pueda matarme.

Mientras el otro le lanzaba golpes sin parar, Stark supo que era el momento. Fingió dejar abierto su flanco izquierdo. Con una velocidad imparable, su reflejo se lanzó hacia ese lugar, embistiendo y haciéndose, por un momento, más vulnerable que Stark. Stark vio la línea de ataque, la geometría de una abertura real y, con una ferocidad que desconocía que fuese capaz de generar, golpeó con la empuñadura de la espada el cráneo del otro.

El reflejo de Stark se desplomó sobre sus rodillas. Boqueando en busca de aire, casi no podía sostener la espada.

—Así que ahora me matarás, entrarás en el Otro Mundo y salvarás a la chica.

—No. Ahora te aceptaré porque no importa lo sabio que sea o lo bueno que llegue a ser… tú siempre estarás ahí, dentro de mí.

Los ojos rojos miraron una vez más a los marrones. El otro dejó caer su espada y con un movimiento rápido se echó hacia delante y se clavó la espada de Stark hasta la empuñadura en su pecho. En la salvaje intimidad del momento, el Otro expiró tan cerca de él que pudo inhalar su último aliento. El estómago de Stark se encogió. ¡A sí mismo! ¡Se había matado a sí mismo! Sacudió la cabeza para intentar borrar aquel terrible pensamiento.

—¡No! —gritó—. Yo…

Mientras intentaba negarlo a gritos, el Stark de ojos rojos sonrió con sabiduría y susurró a través de sus labios ensangrentados.

—Nos veremos de nuevo, guerrero, antes de lo que crees.

Stark puso al otro sobre el suelo y le sacó la gran espada de su pecho al mismo tiempo.

El tiempo se congeló mientras la luz divina del reino de Nyx se reflejaba en la espada y brillaba por toda su sangrienta pero hermosa longitud, cegando a Stark, exactamente como había hecho el último corte de Seoras con su visión. Milagrosamente, durante un instante, fue como si el anciano guardián estuviese allí, a su lado y al de su reflejo, y los tres contemplasen la espada.

Seoras habló sin apartar los ojos de la empuñadura.

—*Aye,* este *claymore* de guardián es para ti, chico, una espada forjada en sangre caliente y húmeda que solo se usa en la defensa del honor y que es blandida por el hombre que ha decidido proteger a un As, a una *bann ri,* a una reina. Su hoja está tan afilada que corta sin dolor y el guardián que la porte golpeará sin piedad, miedo o favor contra aquellos que deshonren nuestro gran linaje.

Hipnotizado, Stark giró el *claymore,* dejando que su empuñadura tachonada de joyas brillara bajo la luz mientras el guardián de Sgiach continuaba:

—Los cinco cristales, colocados en las cuatro esquinas y el quinto en el centro, en el corazón de la espada, crean una corriente constante conectada al latido de su guardián, si es uno de los guerreros elegidos para salvaguardar nuestro honor más allá de la vida. —Seoras hizo una pausa, apartando por fin la mirada del *claymore*—. ¿Eres tú uno de esos guerreros, muchacho? ¿Vas a ser un verdadero guardián?

—Quiero serlo —dijo Stark, intentando hacer que la espada latiera con el ritmo de su corazón.

—Entonces deberás actuar siempre con honor y enviar a quien derrotes a un lugar mejor. Si puedes hacerlo como un guardián, y no como un muchacho… si tienes un alma y un espíritu de sangre pura, hijo, te darás cuenta de que el último horror que sientas será la facilidad con la que aceptarás y ejecutarás tu compromiso eterno. Pero has de saber que no hay marcha atrás, pues esta es tanto la obligación como el destino del guardián: ser puro, no tener rencor, ni malicia, ni prejuicios ni sed de venganza. Con tu férrea fe en el honor como única recompensa. Sin promesas de amor, felicidad o lucro. Porque después de nosotros, no hay nada. —Stark vio la resignación atemporal en los ojos de Seoras—. Cargarás con esto durante toda la eternidad, ya que ¿quién protegerá a un guardián? Ahora ya conoces su verdad. Decide, hijo.

La imagen de Seoras desapareció y el tiempo empezó de nuevo. El otro estaba de rodillas ante él, mirándolo con ojos que expresaban miedo y aceptación.

Muerte con honor. Mientras Stark escuchaba aquellas palabras, la empuñadura del *claymore* se calentó en sus manos latiendo al compás de su corazón. Cerró la otra mano sobre la empuñadura, disfrutando de la sensación.

Después el peso de la hoja se convirtió en un poder con vida propia y llenó a Stark de fuerza y sabiduría, de forma terrible y a la vez maravillosa. Sin pensarlo, sin ninguna emoción, usó un arco en forma de luna creciente para asestarle un eficiente golpe mortal al otro, partiéndolo limpiamente de la cabeza hasta la entrepierna. Hubo un gran suspiro y el cuerpo desapareció.

Toda la extensión de su brutalidad se le vino encima. Dejó caer el *claymore* y cayó sobre sus rodillas.

—¡Diosa! ¿Cómo es posible hacer esto y ser honorable?

Con la cabeza dándole vueltas, Stark se arrodilló en el suelo, respirando agitadamente. Miró su cuerpo, esperando encontrar heridas abiertas en carne viva y sangre… montones y montones de su sangre.

Pero se equivocaba. Estaba completamente libre de heridas físicas. La única sangre que vio estaba acumulada en la tierra delante de él. La única herida que permanecía era el recuerdo de lo que acababa de hacer.

Casi con voluntad propia, su mano encontró la empuñadura de la gran espada. Recordando el golpe asesino que acababa de asestar, la mano de Stark tembló, pero asió con fuerza la empuñadura, encontrando la calidez y el eco de los latidos de su corazón.

—Soy un guardián —susurró.

Con el sonido de aquellas palabras se aceptó de verdad a sí mismo y, por fin, lo comprendió: no se trataba de aniquilar el mal de su interior; nunca se había tratado de eso. Era cuestión de controlarlo. Eso era lo que un guardián de verdad hacía. No negaba la brutalidad, sino que la ejercía con honor.

Stark inclinó la cabeza para apoyarla en su *claymore* de guardián.

—Zoey, mi As, mi *bann ri shi'*, mi reina… Elijo aceptarme y seguir el camino del honor. Es la única manera de poder ser el guerrero que necesitas que sea. Lo juro.

Con el juramento de Stark todavía flotando en el aire, a su alrededor, el arco que ejercía de frontera al Otro Mundo de Nyx desapareció junto con su *claymore* de guardián, dejando a Stark solo, desarmado y arrodillado frente a la arboleda de la diosa y a la belleza etérea del árbol votivo.

Stark se puso en pie con esfuerzo y empezó a caminar automáticamente hacia la arboleda. Su único pensamiento era que tenía que encontrarla… a su reina, a su Zoey.

Pero mientras se acercaba a la vegetación, disminuyó el ritmo y acabó por detenerse.

No. Estaba empezando mal. De nuevo.

No era a Zoey a quien tenía que encontrar… era a Heath. Por más molesta que Aphrodite pudiese resultar ser, él sabía que sus visiones eran reales. ¿Qué demonios le había dicho Aphrodite? Algo sobre que Heath tenía que avanzar para que Zoey volviese. Stark pensó en ello. Por más que le costase admitirlo, podía entender por qué lo que había visto Aphrodite tenía que ser cierto. Zoey llevaba con Heath desde que eran críos. Lo había visto morir y eso le había hecho tanto daño que su alma se había roto en pedazos. Si podía estar completa y quedarse aquí con Heath…

Stark miró a su alrededor y, al igual que cuando estaba conectado con el *claymore,* pudo ver de verdad.

El reino de Nyx era increíble. La arboleda estaba delante de él, pero podía sentir la inmensidad del lugar y sabía que aquel reino era mucho más grande que ese pequeño lugar. Aunque, para ser honestos, la propia arboleda le era suficiente… Verde, acogedora… era como un cobijo para su espíritu. A pesar de todo lo que acababa de vivir, conociendo su responsabilidad como guardián de Zoey y entendiendo que su búsqueda aún estaba lejos de llegar a su fin, Stark quería entrar en la arboleda, respirar profundamente y dejar que la paz lo inundase. Si se le añadiese la presencia de Zoey a todo aquello, estaría más que contento de quedarse allí al menos un pedacito de eternidad.

Así que sí: si a Zoey le devolvían a Heath, ella querría quedarse. Stark se pasó la mano por la cara. Odiaba admitirlo, le rompía el corazón hacerlo, pero Zoey amaba a Heath, quizás incluso más que a él.

Stark apartó ese pensamiento. ¡El amor que ella sintiese por Heath no importaba! Zoey tenía que volver… hasta la visión de Aphrodite lo decía claramente. Y estaba seguro de que, si Heath no andaba por allí, probablemente Stark podría convencerla para regresar con él. Ese era el tipo de chica que era: se preocupaba por sus amigos más que por sí misma.

Y esa era la razón por la que precisamente Heath tendría que abandonarla... y no al revés.

Así que tenía que encontrar a Heath y convencerlo para que dejase a la única chica a la que había amado nunca. Para siempre.

Joder.

Imposible.

Pero también le pareció imposible derrotarse a sí mismo y aceptar todo lo que aquello implicaba.

¡Así que piensa, maldita sea! Piensa como un guardián y no actúes y reacciones como un chiquillo estúpido.

Podía encontrar a Zoey. Ya lo había hecho antes. Y una vez hallada, Heath también estaría allí.

La vista de Stark fue hacia el árbol votivo. Este de aquí era más grande que el que había en Skye y los trozos de tela que colgaban del inmenso paraguas que formaban sus ramas no dejaban de cambiar de color y de tamaño mientras ondeaban suavemente en la cálida brisa.

El árbol votivo hablaba de sueños, deseos y amor. Bueno, él amaba a Zoey.

Stark cerró los ojos y se concentró en ella, en lo mucho que la amaba y lo mucho que la echaba de menos.

Pasó el tiempo... minutos, quizás horas. Nada. Ni una mierda. Ni siquiera un vago presentimiento de dónde podría estar. No podía sentirla en absoluto.

No puedes rendirte. Piensa como un guardián.

Así que el amor no lo iba a conducir hasta Zoey. ¿Y entonces qué? ¿Qué era más fuerte que el amor?

Stark parpadeó, sorprendido. Ya tenía la respuesta. Se la habían dado con el título de guardián y el *claymore* místico.

—Para un guardián, el honor es más fuerte que el amor —dijo en voz alta.

No había acabado de hablar cuando una delgada cinta dorada apareció directamente sobre él, en el árbol votivo. Resplandecía con una luminiscencia metálica y a Stark le recordó el brazalete de oro amarillo que llevaba Seoras en la muñeca. Cuando la cinta se desató y se soltó del árbol, entrando en la arboleda, Stark no lo dudó. Siguió a su instinto y a este pequeño vestigio de honor, caminando con decisión tras él.

27

Heath

Zoey estaba empeorando. No era justo. ¿No había tenido suficiente ya? Y
ahora tenía que lidiar con esto... lo de tener el alma rota; y se iba desvaneciendo, alejándose de él, de todo. Al principio fue poco a poco. Ahora ya era más
parecido a un tremendo cataclismo en el que se le iban desprendiendo pedacitos
poco a poco. Cuanto más se adentraban en el corazón de la arboleda, alejándose
de los bordes de los árboles y de lo que probablemente era Kalona, que los
acechaba desde fuera, con mayor rapidez cambiaba ella. No parecía haber nada
que él pudiese hacer. No lo escuchaba. No podía razonar con ella. Ni siquiera
podía estarse quieta. Literalmente.

La veía pasear inquieta delante de él. Aunque estaba casi corriendo por la
orilla musgosa de un pequeño arroyo musical, no se movía lo suficientemente
rápido para ella. Ella deambulaba delante de él, a veces susurrándole cosas al
aire que la rodeaba, a veces llorando quedamente, pero siempre llena de
desazón... siempre en movimiento.

Era como si pudiese ver cómo se iba evaporando.

Heath tenía que hacer algo. Se daba cuenta de que lo que le estaba pasando
era porque su alma no estaba entera. Eso tenía sentido. Trató de razonarlo con
ella, trató de hacer que llamara a los pedazos que se habían ido y de que
regresaran a su cuerpo. No entendía mucho de todo eso del Otro Mundo,
aunque cuanto más tiempo pasaba allí, más cosas parecía saber, seguramente
porque estaba tan muerto como una piedra.

Jesús, seguía haciéndosele raro pensar que estaba muerto. No raro de miedo,
raro de extraño porque no se sentía muerto. Se sentía como siempre... pero en
otro lugar. Heath se rascó la cabeza. Maldita sea, era difícil de entender, pero
lo que no era difícil de entender era que Zo no estaba muerta y, por lo tanto, en
realidad no pertenecía a aquel lugar.

Heath suspiró. A veces él también sentía que tampoco él pertenecía a aquel
lugar. Y no porque el sitio no fuese genial. Vale, sí, Zo estaba hecha una mierda

y no podían salir de la arboleda sin que Kalona o quién coño fuera se les abalanzase encima y lo matase a él de nuevo. Si eso era posible. Aparte de eso, se podría estar bien allí.

Pero solo bien.

Era como si su espíritu buscase algo diferente… algo que no pudiese encontrar allí.

—Te moriste demasiado pronto. Eso es lo que te pasa.

Heath pegó un salto, sorprendido. Zoey estaba de pie delante de él, meciéndose hacia delante y hacia atrás, apoyándose en un pie y después en el otro, mirándolo con ojos que parecían angustiados y tristes.

—Zo, preciosa, me asustas cuando haces eso de aparecer de repente —dijo tratando de reírse—. Es como si tú, y no yo, fueses el fantasma.

—Lo siento… lo siento… —murmuró y empezó a caminar en círculos a su alrededor—. Es solo que me dijeron que no eras feliz aquí porque habías muerto demasiado pronto.

Heath se quedó en el sitio, pero giraba para verle cara mientras ella lo rodeaba.

—¿Quiénes?

Zoey movió la mano con un gesto vago, señalando la arboleda.

—Los que son un poco como yo.

Heath se acercó para caminar a su lado mientras ella continuaba con su incesante movimiento.

—Nena, ¿no te acuerdas de que hemos hablado de ellos? Son pedazos de ti. Por eso te sientes tan confusa ahora mismo. La próxima vez que te hablen, quiero que les pidas que vuelvan a tu interior. Eso te hará sentir mucho mejor.

Lo miró con ojos grandes y perdidos.

—No, no puedo.

—¿Por qué no, nena?

Zoey rompió a llorar.

—No puedo, Heath. Hace tiempo que no están. No puedo reunir los pedazos de mi alma. No puedo recordar cosas… no puedo concentrarme… Lo único que sé seguro es que me merezco esto.

—¡Tú no te mereces esto! —dijo Heath acercándose a Zoey.

Estaba a punto de levantar las manos para colocárselas firmemente sobre los hombros y hacer así que lo escuchara, de una vez por todas, cuando una cinta dorada captó su atención y la apartó de ella por un momento.

Un momento era todo lo que la angustiada Zoey necesitaba.

—¡Tengo que irme! —dijo con un grito amargo—. Tengo que seguir, Heath. Parece que eso es lo único que puedo hacer.

Y antes de que pudiera detenerla, se alejó de él con un movimiento extraño, casi flotando, transportando su cuerpo como una pluma en un viento fuerte, mientras se adentraba en la arboleda.

—Bueno, mierda. Pues eso a mí no me vale.

Empezó a seguir a Zoey. Tenía que hacer que lo escuchase. Tenía que ayudarla. Después acabó por titubear, disminuyendo el ritmo hasta quedarse inmóvil. El problema era que él no sabía cómo ayudarla.

—¡No sé qué hacer! —gritó, golpeando con el puño uno de los árboles cubiertos de musgo de la arboleda—. ¡No sé qué hacer!

Heath siguió golpeando el árbol, ignorando el dolor de su mano.

—¡¡No… sé… qué… cojones… hacer!!

Marcó cada palabra con un puñetazo hasta que se le abrieron los nudillos y el olor de su sangre se extendió a su alrededor.

Fue entonces cuando una sombra cubrió el sol. Se limpió su dolorida mano con el musgo y miró hacia arriba.

Oscuridad. Alas. Ocultando la luz de la Diosa.

Con el corazón saliéndosele del pecho, Heath se agazapó y apretó los puños, a la defensiva. Pero el ataque no llegó.

Lo que llegó en su lugar fue una revelación en forma de pensamientos susurrados que parecían filtrarse desde las sombras de arriba y sumergirse a través del aroma de su sangre en sus venas.

Ella podría quedarse aquí contigo, para siempre, pero tiene que estar entera.

Heath parpadeó, sorprendido.

—¿Eh? ¿Quién eres?

¡Usa tu mente, mortal insignificante!

—Sí, vale —dijo Heath, entrecerrando los ojos para mirar las sombras que se cernían sobre él.

¿Era Kalona? No alcanzaba a ver bien a esa cosa.

Debes hacer que reúna los pedazos de su alma y así podrá descansar aquí, en la arboleda sagrada, contigo.

—Eso lo entiendo. Lo que no sé es cómo conseguir que lo haga. Si es que eso tiene sentido.

La respuesta está en tu vínculo con ella.

—En mi vínculo con ella, pero no sé…

Y entonces Heath se dio cuenta de que sí que sabía cómo usar su vínculo. Lo único que tenía que hacer era conseguir que Zo lo escuchase y eso siempre lo había logrado, incluso cuando se comportaba como un gilipollas y bebía y la montaba en la escuela y ella había tratado de romper con él. Él siempre fue capaz de volverlos a unir, de mantenerlos juntos.

Entonces Heath sonrió. ¡Eso era! Olvidándose de la Oscuridad alada, corrió hacia Zoey. La luz de la Diosa, sin más impedimentos, volvió a brillar en la arboleda. Su vínculo era la clave. Se trataba de ellos, de los dos juntos, eso siempre había funcionado, sin importar nada más de sus vidas. El vínculo seguía existiendo allí. Había traído a Zo a su lado, incluso después de su muerte. Eso era lo que iba a utilizar. En cuanto Zo supiese que a él le parecía genial estar allí, que se sentía conforme, ella volvería a estar entera. Y se enfrentarían a todo lo que llegase después, juntos... para siempre. Demonios, no podía ser tan difícil. No había duda de que su Zo podría darle una paliza a cualquiera.

Con una nueva determinación, Heath corrió detrás de Zoey, aunque se paró de golpe cuando oyó un susurro.

—¡Heath!

—¿Qué demonios...?

—¡Aquí atrás!

Heath se volvió hacia donde la cinta dorada se había enganchado en las ramas de un serbal. Parpadeó asombrado cuando un conocido salió de detrás de un árbol.

—¿Stark? ¿Qué de...? —preguntó Heath caminando hasta el árbol—. ¿Qué demonios estás haciendo aquí?

Sin embargo, no le dio oportunidad a Stark para que contestara.

—¡Ah, mierda! ¿Tú también estás muerto? ¡Zo no va a poder superar esto!

—Baja el maldito tono. No, no estoy muerto. He venido a proteger a Zoey para que pueda volver a su cuerpo, adonde pertenece. —Stark hizo una pausa antes de continuar—. Tú sabes que estás muerto, ¿no?

—Colega, ¿en serio? ¿Estoy muerto? —dijo Heath sarcásticamente—. Menos mal que estás tú aquí para iluminarme. No sé qué demonios haría sin ti.

—Bueno, y a ver esto: ¿sabes que el alma de Zoey está rota?

Antes de que Heath pudiese decir nada, ambos vieron a Zoey, y Stark se volvió a meter detrás del árbol, escondiéndose en su sombra. Heath se movió rápidamente para interceptarla e impedir así que pudiese ver a su guerrero.

—No has venido detrás de mí. Tú siempre vienes, siempre me sigues.

Su cuerpo se meció hacia delante y hacia atrás mientras trataba de permanecer quieta en un solo lugar.

—Ya voy, Zo. Ya sabes que no te voy a dejar nunca. Solo que ahora tú eres más rápida que yo.

—¿Entonces no me vas a dejar?

Heath le tocó la mejilla, odiando lo débil e insegura que parecía, lo lejana de su Zoey que estaba.

—No. No te voy a dejar. Sigue corriendo. Te alcanzaré.

Vio que dudaba y parecía claro que iba a empezar a trazar ese maníaco círculo de nuevo a su alrededor. Eso la acercaría demasiado al escondite de Stark.

—Eh, quizás te sentirías mejor si te movieses realmente rápido. ¿Por qué no tratas de correr, o flotar, o lo que sea durante un rato y después vuelves? Si te parece bien, yo esperaré aquí un ratito. Necesito descansar un poco.

—Lo siento... lo siento... Olvidé que tú necesitas descansar... lo olvidé...

Empezó a alejarse flotando y Heath le gritó a sus espaldas.

—¡Pero no te vayas muy lejos! Y no te olvides de moverte en círculos y volver aquí.

—No lo olvidaré... no puedo olvidarte —dijo ella.

Sin mirarlo, desapareció entre las sombras.

Stark salió de detrás del árbol. Su voz estaba ronca por la sorpresa.

—¡Oh, mierda! Es bastante peor de lo que pensaba.

Heath asintió con gravedad.

—Sí. Lo sé. Eso de tener el alma rota la tiene totalmente confundida. No puede descansar, así que no puede pensar y eso le va a causar algo realmente terrible...

—El Alto Consejo dijo que esto ocurriría —dijo Stark todavía mirando hacia el lugar por donde se había marchado Zoey—. Se está transformando en una *caoinic shi'*. No está ni muerta ni viva y está aquí, en el reino de los espíritus, sin su propia alma. Por eso está así. Y va a empeorar. Nunca podrá descansar... jamás.

—Entonces tenemos que hacer que se recomponga. Creo que yo podría hacerlo. Colega, no quiero ser borde, pero no es algo en lo que tú puedas ayudarnos. Si quieres echarme una mano, sal de aquí y dale una paliza a esa cosa chunga que nos tiene atrapados aquí dentro. Tú te ocupas de eso. Yo me ocupo de Zo.

Heath empezó a caminar, siguiendo a Zoey, pero las palabras de Stark hicieron que frenase en seco.

—Sí, puedes conseguir que su espíritu esté completo de nuevo diciéndole que te vas a quedar aquí con ella... Pero si haces eso, fastidiarás todo lo que Zoey ama en el mundo real.

Heath se giró para mirar a Stark.

—No está bien que digas esas cosas. Déjala ir, colega. Sé que la quieres y todo eso, pero en serio, solo la conoces desde hace un tiempo. Yo llevo años con ella. Entiendo que la eches de menos, pero ella estará bien aquí conmigo... será feliz.

—No es una cuestión de amor. Se trata de hacer lo correcto. Te doy mi palabra de guardián de que te estoy diciendo la verdad. Si Zoey no vuelve a su cuerpo, el mundo tal y como ella lo conocía, como tú lo conocías, será destruido.

—¿De qué va eso del guardián?

Stark respiró profundamente.

—Tiene que ver con el honor.

Algo en la voz de Stark hizo que Heath lo mirara con nuevos ojos. El guerrero había cambiado. De alguna manera parecía más alto, más viejo... diferente a su arrogante yo normal. Parecía triste. Muy triste.

—Me estás diciendo la verdad.

Stark asintió.

—Aphrodite tuvo una visión. Lo que vio es que tú consigues que Zoey reúna los pedazos de su espíritu. Lo consigues prometiéndole que vas a quedarte con ella. Entonces ella no se convierte en una *caoinic shi'*. Vuelve a ser ella misma.

Y se queda aquí contigo... para siempre. Pero sin Zoey, no habrá forma de detener a Neferet y a Kalona.

—Y dominarán el mundo —acabó Heath por él.

—Y dominarán el mundo —confirmó Stark.

Heath lo miró a los ojos.

—Tengo que dejar a Zoey.

—No estará sola —le dijo Stark—. Yo soy su guerrero, su guardián. Te juro que me aseguraré de que esté siempre a salvo.

Heath asintió, apartando los ojos de Stark, tratando controlar sus emociones. Quería correr... encontrar a Zo y asegurarse de que se quedaría con él, aquí o en cualquier lugar, para siempre. Pero cuando volvió a mirar a Stark, supo la verdad absoluta: Zoey odiaría que destruyesen a sus amigos. Odiaría eso más de lo que lo amaba a él, más de lo que amaba a nadie. Así que si él la amaba de verdad, tendría que renunciar a ella.

Aunque se sentía como si fuese a vomitar, Heath se alegró de que su voz sonase tranquila y normal.

—¿Cómo vas a hacer que reúna su alma después de que yo me vaya?

—¿No puedes decirle que te vas a quedar, recomponerla y después irte?

Heath soltó una carcajada.

—Colega, no voy a ser muy duro contigo porque eso de no estar muerto parece que te hace un poco ignorante sobre estas cosas del espíritu, pero has de saber que no existe ninguna manera de conseguir que Zo reúna todos los pedazos de su alma contándole una mentira. Venga, vamos, si ni siquiera suena bien.

—Sí, vale. Supongo que tienes razón —dijo Stark pasándose la mano por el pelo—. Entonces no sé cómo voy a hacerlo, pero lo haré. Tengo que hacerlo. Si tú eres lo suficientemente hombre como para dejarla, yo soy lo suficientemente hombre como para averiguar cómo salvarla.

—Bueno, recuerda esto: a Zo no le gusta ese rollo de que nadie la vaya rescatando. Le gusta cuidar de sí misma. Normalmente tienes que apartarte y dejar que haga lo que tenga que hacer.

Stark asintió solemnemente.

—Lo recordaré.

—Vale, de acuerdo. Vamos junto a ella.

Los dos echaron a caminar hacia la parte de la arboleda donde habían visto a Zoey por última vez.

—Me mantendré alejado mientras te despides. No voy a dejar que me vea hasta que te vayas —dijo Stark.

Heath no confiaba en su voz, así que solo asintió.

—Háblame de esa otra cosa que decías... de eso que os tiene atrapados aquí.

Heath se aclaró la garganta.

—Al principio pensé que era Kalona, pero hoy me pasó algo raro que me hace pensar que probablemente no sea él. Me refiero a que lo que sea que hay ahí afuera me estaba ayudando a encontrar la manera de salvar a Zoey.

—Pero quedándoos aquí, ¿no?

—Sí, justo. Esa era un poco la idea general.

—Así que Kalona te ha contado cómo asegurarte de que Zoey no abandona el Otro Mundo… de que no vuelve a su cuerpo —dijo Stark—. Y eso es exactamente lo que se le ha encargado que haga.

—Y casi lo consigue hoy utilizándome. Será hijo de puta. ¡Como si no le bastase con haberme matado! —Heath miró a Stark—. ¿Por eso estás tú aquí? O sea, sé que me tenías que decir que debía avanzar, pero básicamente estás aquí para luchar contra Kalona para que Zoey pueda volver de verdad contigo a casa.

—Sí, cada vez comprendo mejor que es por eso para lo que estoy aquí.

Heath soltó otra carcajada.

—Buena suerte con tu enfrentamiento contra un inmortal, colega.

—Ya lo he pensado, y en realidad lo único que tengo que hacer es mantenerlo alejado de Z el tiempo suficiente para que vuelva a ser ella. Después podrá salir de aquí y regresar a su cuerpo, donde Kalona no puede hacerle daño… al menos por ahora.

—No. Siento fastidiarte el plan, pero si eso fuese así, Zo no te necesitaría para protegerla.

Stark lo miró, interrogante.

—Esto funciona así: Zo está a salvo en la arboleda —dijo Heath señalando la vegetación que los rodeaba—. Esas cosas chungas no pueden entrar aquí. Hay algo especial en este lugar. Es como si toda la magia de la tierra proviniese de esta arboleda. Es una especie de oasis, un lugar lleno de una completa paz. ¿No puedes sentirlo?

—Sí, oasis es un buen nombre —dijo Stark—. Y también siento esa paz. Desde el principio. Por eso sabía que se quedaría aquí contigo.

—Sí, lo habría hecho. Por eso te necesita. Porque mientras esté a salvo aquí, no volverá al mundo real. Por eso, de nuevo, te deseo buena suerte protegiéndola de Kalona. Ese pedazo de mierda acabó conmigo. Espero que tú lo hagas mejor que yo. Y si lo haces, dale fuerte por mí… y también por Zoey.

—Lo haré. Eh, Heath, quiero que sepas algo —dijo Stark—. Yo no sería lo suficientemente valiente para hacer lo que tú estás haciendo. Yo no sería capaz de dejarla.

Heath lo miró y se encogió de hombros.

—Sí, bueno, yo la amo más que tú.

—Pero estás haciendo lo correcto. Lo honorable.

—¿Sabes? Desde mi posición ahora mismo, el honor me importa una mierda.

Caminaron en silencio, cada uno perdido en sus pensamientos, mientras seguían a Zoey. Las palabras de Heath se repetían en la cabeza de Stark, una y otra vez: «El amor es lo que funciona entre Zo y yo. Siempre lo ha hecho, y siempre lo hará», hasta que de repente lo entendió, sorprendido. Lo tenía. No le iba a facilitar lo que tenía que hacer, pero lo haría más soportable.

La encontraron en un pequeño claro, dentro de la arboleda. Caminaba incesantemente dando vueltas alrededor de un árbol perenne magnífico, pero que estaba un poco fuera de lugar entre los serbales, los espinos y el musgo. El aroma del árbol llenaba el lugar. Se acercaron sigilosamente, tratando de mantener algún arbusto entre ellos y la línea de visión de Zoey. Cuando Stark asintió y señaló un grupo de rocas cubiertas de musgo del tamaño de un hombre que estaban lo suficientemente cerca de Zoey, pero aun así a cubierto, Heath se detuvo a su lado y respiró profundamente, saboreando el aire.

—Esto es raro —dijo Heath en voz queda, para que ella no lo escuchase—. Me pregunto qué está haciendo aquí un cedro.

—¿Cedro? ¿Es eso lo que es? —dijo Stark.

—Sí. Hay uno enorme entre la vieja casa de Zo y la mía que es casi exactamente igual a este… y huele de la misma forma, también.

—Es lo que la abuela de Zoey dijo que quemáramos mientras yo estaba aquí, en el Otro Mundo. Aphrodite trajo una bolsa enorme. Lo encendieron antes de que saliese de mi cuerpo. —Miró a Heath—. El árbol es una buena señal. Significa que estamos en el camino correcto.

Heath miró durante un rato largo a los ojos de Stark antes de hablar.

—Espero que sea una buena señal, pero que sepas que eso no me lo va a hacer más fácil.

—Sí, lo entiendo.

—¿Sí? Porque estoy preparándome para dejarte a la única mujer que he amado nunca, aunque me necesite terriblemente.

—¿Qué quieres que te diga, Heath? ¿Que desearía que no tuviese que ser así? Ojalá. ¿Que desearía que no estuvieses muerto y que el alma de Zoey no estuviese rota y que así mi mayor preocupación serían mis celos y ese gilipollas de Erik? Ojalá.

—No estés celoso de Erik. Zo nunca duraría mucho con un chico que es un mamón posesivo. No dejes que te pongan nervioso los tíos de esa clase.

—Si consigo llevarla de vuelta a su cuerpo, entera, nunca más me voy a preocupar por ningún otro tío —dijo Stark.

—Cuando —dijo Heath solemnemente.

Stark frunció el ceño. Heath suspiró y se lo explicó:

—Cuando la lleves de vuelta, no «si». No voy a dejarla si no estás seguro de lo que estás haciendo.

Stark asintió.

—Vale, tienes razón. Cuando la lleve de vuelta. Estoy seguro de que estoy haciendo lo correcto… de que lo estamos haciendo. Solo que sea como sea, esto le va a hacer daño a Zoey.

—Sí, lo sé —dijo Heath señalando después con la barbilla a Zoey—. Pero nada puede ser peor que lo que le está pasando ahora mismo.

Heath inclinó la cabeza un momento y después se golpeó los hombros, como si se golpeara las hombreras de su uniforme de rugbi. Movió los brazos, respiró profundamente y después levantó la vista para mirar a Stark por última vez.

—Asegúrate de que sabe que no quiero que se quede aquí llorando y moqueando, asustada por mí. Recuérdale de mi parte que no está nada guapa cuando lo hace.

—Lo haré.

—Oh, a propósito… Deberías irte acostumbrado a llevar pañuelos de papel en los bolsillos, porque no exagero: cuando Zo moquea, es asqueroso.

—Vale, sí, lo haré.

Heath le dio la mano a Stark.

—Cuídala por mí.

Stark le agarró del antebrazo.

—De guerrero a guerrero, te doy mi juramento.

—Bien, porque te recordaré tu juramento la próxima vez que te vea.

Heath soltó el brazo de Stark, respiró profundamente de nuevo y salió de su escondite. Trató de no pensar en lo que estaba a punto de suceder.

Para no hacerlo, miró a Zoey y pudo ver a través de la especie de sombra en la que se estaba convirtiendo y pensó en la niña a la que amaba desde que era un crío. Podía hasta ver el flequillo trasquilado que se había dejado en cuarto. Sonrió, pensando en lo marimacho que era en primaria, con las rodillas machacadas y llenas de costras que no desaparecían en meses. Después llegó el verano antes de su primer año de instituto, cuando él se había ido de vacaciones con su familia durante un mes y la había dejado siendo una niña desgarbada y torpe, solo para volver y descubrir que se había convertido en una joven diosa. En su joven diosa.

—Eh, Zo —dijo cuando la alcanzó y se enganchó al paso de su interminable caminata circular.

—¡Heath! Ya me estaba preguntando dónde estabas. Yo, eh, me paré aquí para que pudieses alcanzarme. Te he echado de menos.

—Eres rápida Zo. Te alcancé en cuanto pude. —La cogió del brazo y notó su piel aterradoramente fría—. ¿Qué tal estás, nena?

—No lo sé. Me siento un poco rara. Mareada pero pesada a la vez. ¿Sabes lo que me está pasando Heath?

—Sí, nena, lo sé.

Dejó de caminar, pero continuó con su brazo enganchado a ella, forzándola a pararse también.

—Tu alma está rota, Zo. Estamos en el Otro Mundo, ¿te acuerdas?

Sus grandes ojos oscuros lo miraron y por un momento pareció ser la de siempre.

—Sí, ahora me acuerdo... ¡y eso es caca de la vaca!

Sus lágrimas hicieron que la imagen de ella se diluyera, pero parpadeó con fuerza y sonrió.

—Tienes toda la razón, pero sé cómo arreglarlo.

—¿Sí? Genial, pero... eh... ¿no puedes arreglarlo mientras caminamos? Porque esto de estar quieta no va ahora conmigo.

En lugar de dejarla ir, Heath le puso las manos firmemente sobre los hombros y la obligó a quedarse allí y a mirarlo a los ojos.

—Tienes que reunir los pedazos de tu alma y después volver a tu cuerpo, en el mundo real. Tienes que hacerlo por tus amigos, por Stark, por tu abuela. Zo, tienes que hacerlo incluso por mí.

El cuerpo de Zoey se retorció, pero Heath notó que hacía un esfuerzo por mantenerse quieta.

—No sin ti, Heath. No quiero volver al mundo real sin ti.

—Lo sé, nena —le dijo suavemente—. Pero a veces hay que hacer cosas que no nos gustan, como me pasa a mí ahora mismo... No quiero dejarte, pero es hora de que avance.

Sus ojos se abrieron y sus manos cubrieron las de Heath, que le agarraban los hombros.

—¡No puedes dejarme, Heath! Me moriré si me dejas.

—No, nena. Todo lo contrario. Te recompondrás y vivirás.

—¡No, no, no! No puedes dejarme. —Zoey empezó a llorar—. ¡No puedo estar aquí sin ti!

—Eso es lo que estoy intentado que entiendas, Zo. Si yo no estoy aquí, volverás adonde perteneces y dejarás de ser esta cosa patética y fantasmal en la que te estás convirtiendo.

—Vale, no. No. Me recompondré. Pero quédate. Quédate conmigo. Estaré bien, ya lo verás. Te lo prometo, Heath.

Él sabía que ella diría algo así, así que tenía la respuesta preparada. Pero eso no impedía que su corazón se fuese desgarrando mientras hablaba.

—No solo se trata de ti, Zo. También se trata de lo que es bueno para mí. Es hora de que me vaya a otro reino.

—¿De qué estás hablando? Heath, no lo entiendo —sollozó.

—Ya sé que no, nena. Yo tampoco lo entiendo muy bien, pero puedo sentirlo —le dijo con sinceridad.

Mientras hablaba, las palabras adecuadas llegaron hasta él y, cuando lo hicieron, la paz lo invadió, aliviando el dolor de su corazón y haciéndole ver, más allá de cualquier duda, que estaba haciendo lo correcto.

—Tenías razón en eso de que perdí la vida demasiado pronto. Quiero mi vida, Zo. Quiero mi oportunidad.

—Yo… yo lo siento, Heath. Es culpa mía y yo no puedo devolvértela.

—Nadie puede, Zo. Pero puedo tener otra oportunidad de vivir. Pero no si me quedo aquí contigo. Si me quedo aquí, yo nunca habré vivido, y tú tampoco.

Zoey había parado de sollozar, pero las lágrimas seguían rebosando sus ojos, resbalando por sus mejillas y cayendo desde su cara como si estuviese al aire libre en un lluvioso día de verano.

—No puedo. No puedo continuar sin ti.

Heath la sacudió con suavidad y se obligó a sonreír.

—Sí, sí que puedes. Si yo puedo hacerlo, tú también. Porque ya sabes que tú eres más inteligente y más fuerte que yo, Zo. Siempre lo has sido.

—No, Heath —susurró Zoey.

—Quiero que recuerdes algo, Zo. Es importante y tendrá más sentido cuando vuelvas a ser tú. Voy a irme de aquí y tendré otra oportunidad de vivir. Tú vas a ser una importante y famosa alta sacerdotisa. Eso significa que vas a durar como tropecientos años. Te encontraré de nuevo. Aunque tarde en hacerlo cien de esos años. Te lo prometo, Zoey Redbird, volveremos a estar juntos.

Heath la abrazó y la besó, intentando transmitirle que su amor era eterno. Cuando se obligó por fin a soltarla, pensó que podía ver comprensión en su mirada angustiada y sorprendida.

—Te amaré para siempre, Zo.

Después Heath se giró y se alejó de su amor verdadero. El aire se abrió como una cortina delante de él y pasó de un reino a otro, desapareciendo por completo.

Completamente rota, Zoey se tambaleó hacia atrás hasta llegar al cedro. En silencio, como un cadáver, con las lágrimas cayéndole sin parar de la cara, empezó a caminar de nuevo en círculos.

28

Kalona

Kalona no podría decir cuánto tiempo llevaba en el reino de Nyx.

Al principio había sido tan maravilloso verse arrancado de su cuerpo por la Oscuridad que utilizaba Neferet que, física y espiritualmente, no se había dado cuenta de nada excepto del sobrecogimiento y del miedo que sentía por haber regresado a su reino.

No había olvidado la belleza de aquel lugar… el puro deleite del Otro Mundo, la magia que desprendía. Especialmente para él.

Él era diferente cuando perteneció a aquel lugar.

Él había sido una fuerza de la Luz que protegía a Nyx contra cualquier cosa que la Oscuridad pudiese conjurar para intentar romper la balanza del equilibrio del mundo hacia el mal, el dolor, el egoísmo y la desesperación de los que se alimentaba.

Durante incontables siglos, Kalona había protegido a su Diosa contra todo excepto contra él mismo.

Era irónico que hubiese sido el amor lo que había usado la Oscuridad para derrotarlo.

Y aún más irónico era que, después de caer, la Luz hubiese usado también el amor para atraparlo. Se preguntó por un momento si el amor podría hacerle algo peor de lo que ya le había hecho. ¿Era siquiera capaz de amar aún?

Él no amaba a Neferet. La había utilizado para escapar de su prisión en la tierra y después ella, a cambio, lo había usado a él para sus propósitos.

¿Amaba a Zoey?

Él no quería ser la causa de la destrucción de Zoey, pero la culpa no era amor. El arrepentimiento tampoco era amor. Tampoco eran emociones lo suficientemente fuertes para hacerle querer sacrificar la libertad de su cuerpo a cambio de salvarla.

Moviéndose por el reino de la Diosa, el inmortal caído apartó de su cabeza todas las preguntas sobre el amor y sus dolorosas trampas y se concentró en su tarea.

El primer paso era encontrar a Zoey.

El segundo sería asegurarse de que ella no volvía al reino de la tierra a reclamar su cuerpo de nuevo. Así Kalona cumpliría con el juramento que le había hecho a Neferet.

Encontrar a Zoey no había sido difícil. Le bastó con concentrar su voluntad en ella para que su espíritu se subiera a la marea de la Oscuridad y lo llevara directamente hasta ella... hasta los pedazos fragmentados de su alma.

El humano que él aniquiló estaba allí con ella, o más bien estaba con la esencia de Zoey en esta vida.

Resultaba extraño verlo consolándola, tranquilizándola y, después, de alguna manera, por instinto, guiándola hacia la arboleda sagrada de la Diosa. Un lugar hecho de la pura esencia de Nyx en el que, mientras el equilibrio entre la Luz y de la Oscuridad se mantuviese en el mundo, ningún mal podría entrar.

Kalona recordaba bien la arboleda. Había sido en su interior cuando se había dado cuenta por primera vez de su amor por Nyx. En aquellos horribles momentos antes de elegir fallarle, aquel había sido el único lugar donde pudo encontrar al menos una mínima paz.

Intentó entrar de nuevo; seguir a Zoey y a Heath y acabar con la carga que las maquinaciones de Neferet habían echado sobre sus hombros, pero Kalona no había sido capaz de romper la barrera de la arboleda sagrada. El intento lo había dejado débil y sin aliento, recordándole demasiado bien lo que había sentido cuando estuvo atrapado por la tierra.

Esta vez el remanso de paz y de magia de la tierra de la Diosa lo había rechazado, y no encerrado.

La Oscuridad pesaba demasiado dentro de él como para que la arboleda de Nyx lo aceptase.

Kalona había medio esperado que la Diosa apareciese ante él en cualquier momento, acusándolo de ser el intruso que obviamente era... y, que de nuevo, lo expulsara de su reino.

Pero no apareció. Parecía que Neferet tenía razón: si Nyx hubiese desterrado su cuerpo y su alma, el mismo Érebo habría ido a su encuentro para cumplir los deseos de su Diosa y, haciendo uso de sus poderes de consorte divino, habría expulsado su espíritu del Otro Mundo.

Así que Kalona tenía esta libertad, esta maldita posibilidad que le otorgaba la Diosa para poder observar lo que más deseaba y nunca podría tener.

La ira, familiar y reconfortante, hirvió en el interior del inmortal.

Persiguió a Zoey y al chico. No le llevó mucho tiempo darse cuenta de que con solo forzarlos a quedarse en la arboleda, podría cumplir por fin su tarea.

Zoey se estaba desvaneciendo. Se convertía progresivamente en un inquieto *caoinic shi'* y, como tal, jamás volvería a su cuerpo.

Pensar en Zoey convertida en un ser ni vivo ni muerto, eternamente condenado a no descansar, le causó a Kalona un curioso sentimiento de dolor.

¡Sentimientos de nuevo! ¿Es que nunca se iba a librar de ellos? Sí, tenía que haber una manera. Quizás Neferet tenía razón. Quizás era tan fácil como librarse de Zoey. Entonces se desembarazaría de la culpa, del deseo y de la pérdida que le recordaba.

Mientras lo pensaba, Kalona supo que no se libraría de ella si la dejaba allí y permitía que se convirtiera en un espectro, en una mera sombra de sí misma. Conocer su estado lo perseguiría durante toda la eternidad.

Kalona lo reconsideró mientras observaba desde fuera de la arboleda a Heath al lado de Zoey, intentando consolarla cuando el consuelo era imposible.

Sí que la ama, y ella a él. A Kalona le sorprendió no sentir ira o celos ante aquella idea. Era un simple hecho. Si la vida de Zoey no hubiese dado tal giro, ella podría haber llevado una vida inocente, mundana y feliz con ese humano.

Y con una claridad repentina, Kalona entendió cómo podía librase de Zoey y cumplir el juramento que le había hecho a Neferet.

Ella sería feliz aquí con el chico y su felicidad sería suficiente para aliviar la culpa que Kalona podría sentir por ser el impulsor de su muerte. Allí estaría bien, en la arboleda de Nyx, con su amor de la infancia, y Kalona volvería al reino terrenal libre de su deuda con ella. *Sería bueno que se quedase,* se justificó Kalona. *Así nunca volvería a conocer las preocupaciones y los dolores terrenales.* Parecía una solución satisfactoria.

Kalona no se permitió pensar en cómo se sentiría al verse privado de la única persona que, en dos vidas, le había recordado a su Diosa perdida y que le había hecho sentir de verdad.

En lugar de eso, se concentró en el chico. Heath era la clave. Había sido su muerte lo que había causado que el alma de Zoey se rompiera, y sentirse responsable de ello era lo que impedía que ella volviese a estar entera.

¡Estúpido humano! ¿No sabe que solo él puede mitigar su culpa y permitir la curación de su alma?

No, por supuesto que no. Era solo un chiquillo y no era muy intuitivo. Habría que ayudarle para que se diera cuenta.

Pero el chico estaba en la arboleda y a Kalona no se le permitía entrar allí. Por eso, Kalona la sobrevoló y se dedicó a observarlo. Y cuando el enfado del chico se convirtió en rabia y sangre, usó esas emociones básicas para susurrarle la solución, para guiarlo y enseñarle el camino.

Casi satisfecho, Kalona se retiró a un extremo de la arboleda a esperar. El chico ayudaría a Zoey a recomponer su alma, pero ella no lo iba a abandonar… no si él lograba que ella volviera a estar entera. Así que solo era cuestión de tiempo, muy poco, que su cuerpo terrenal pereciera sin su espíritu.

Entonces él podría volver a su propio cuerpo y su juramento a Neferet se habría cumplido. *Entonces,* pensó Kalona con gravedad, *me aseguraré de que la* tsi sgili *nunca consiga controlarme.*

Concentrado en aquellos razonamientos y en su engaño interno, el inmortal no vio a Stark entrando en la arboleda, así que no fue testigo de cómo el mundo de Zoey se volvía a poner patas arriba.

Stark

Stark observó a Heath pasar a través de la cortina de un reino al siguiente. Durante un momento, no fue capaz de moverse, ni siquiera para ir junto a Zoey.

Tenía razón: Heath era más valiente que él. Stark inclinó la cabeza.

—Quédate con Heath, Nyx, y ayúdalo de alguna manera a encontrar a Zoey de nuevo en esta vida. —Sonrió de medio lado—. Aunque eso sea una putada para mí más adelante.

Después Stark levantó la barbilla, se secó los ojos y abandonó la roca que lo escondía, caminando rápidamente y en silencio hacia Zoey.

Tenía una pinta aterradora, horrible. Su pelo enmarañado se elevaba por una extraña brisa que parecía susurrar mientras ella caminaba, como moviéndose al ritmo de un viento espectral. Justo antes de ver a Stark, levantó la mano para apartarlo un poco de su cara y él vio que la mano e incluso su brazo, parecían transparentes de repente.

Estaba desvaneciéndose, literalmente.

—Zoey, eh, soy yo.

El sonido de su voz fue como una descarga eléctrica para ella. Su cuerpo se agitó y Zoey se volvió rápidamente para mirarlo.

—¡Heath!

—No. Soy Stark. Yo... yo siento lo de Heath —le espetó, sintiéndose estúpido pero sin saber qué otra cosa decir.

—Se ha ido.

Miró inexpresivamente hacia el lugar donde había estado Heath antes de desaparecer y después retomó su caminata circular, apartando su angustiada mirada de Stark.

Él supo perfectamente en qué momento Zoey lo reconoció porque se tambaleó hasta pararse, abrazándose a sí misma, como protegiéndose de un golpe.

—¡Stark! —dijo sacudiendo la cabeza de un lado a otro—. No, ¡tú también no!

Él sabía lo que debía de estar pensando y corrió hasta ella, envolviendo su rígido y frío cuerpo entre sus brazos y sosteniéndola cerca.

—No estoy muerto —dijo lenta y cuidadosamente, mirándola a la cara—. ¿Lo entiendes, Zoey? Estoy aquí, pero mi cuerpo está bien. Está en el mundo real, con el tuyo. Ninguno de los dos está muerto.

Por un momento, ella casi sonrió. Incluso, brevemente, se dejó abrazar por completo y le permitió sujetarla.

—Te he echado tanto de menos… —murmuró. Después se separó y estudió su cara con cuidado—. Tú eres mi guerrero.

—Sí. Soy tu guerrero. Siempre seré tu guerrero.

Con un pequeño suspiro, ella empezó a recorrer su camino nuevamente.

—El siempre ya se ha acabado.

Él caminó con ella, inseguro de cómo podía llegar al interior de aquella extraña y fantasmagórica versión de su Zoey. Recordaba que Heath le había hablado prácticamente como solía hacerlo, así que, ignorando sus confusas palabras y el hecho de que no pudiese quedarse quieta, la cogió de la mano, actuando como si estuviesen solo caminando juntos por la arboleda.

—Este es un lugar bastante guay.

—Se supone que es un remanso de paz.

—Yo creo que lo es.

—No. Para mí no. Nada volverá a ser tranquilo para mí. Perdí esa parte de mí.

Él le apretó la mano.

—Por eso estoy yo aquí. Voy a protegerte para que puedas reunir los pedazos de tu alma y después nos iremos a casa.

Ella ni lo miró.

—No puedo. Vuelve sin mí. Yo tengo que quedarme y esperar a Heath.

—Zoey, Heath no va a volver. Avanzó, está en otra vida. Volverá a nacer. Volverá a estar en el mundo real.

—No puede. Está muerto.

—Vale, yo tampoco sé muy bien cómo funciona esto del Otro Mundo pero, por lo que puedo entender, Heath se fue para poder renacer y vivir otra vida. Y así te encontrará de nuevo.

Z se detuvo, lo miró, inexpresiva, sacudió la cabeza y volvió a su interminable caminata.

Stark apretó fuertemente los labios para evitar decir lo que le estaba desgarrando por dentro: que ella se recobraría por lo mucho que amaba a Heath, pero no por él. Ella no lo amaba lo suficiente.

Stark sacudió la cabeza mentalmente. No se trataba solo de amor. Lo supo desde que Seoras se había encarado con él preguntándole si arriesgaría su vida por Zoey, aunque la perdiera. *Me quedaré con ella,* le había dicho Stark. *Aye, muchacho, como su guerrero seguro, pero quizás no como su amante.*

Quizás no como su amante.

Stark miró a Zoey y la vio realmente. Estaba completamente rota. Sus tatuajes habían desaparecido. Su espíritu estaba hecho trizas. Se estaba perdiendo a sí misma. Y aun así, pudo ver la bondad y la fortaleza en su interior. Stark seguía sintiéndose atraído por ella. Ya no era lo que había sido… no era lo que podría llegar a ser… pero incluso destrozada, ella era su As, su *bann ri shi',* su reina.

Pero has de saber que no hay marcha atrás, pues esta es tanto la obligación como el destino del guardián: ser puro, sin rencor, sin malicia, sin prejuicios ni venganza. Con tu férrea fe en el honor como única recompensa. Sin promesas de amor, felicidad o lucro.

Stark era el guardián de Zoey, no importaba lo que pasase. Estaba vinculado a ella por algo más fuerte que el amor: el honor.

—Zoey, tienes que volver. Y no por ti y por Heath, ni por nosotros dos. Tienes que volver porque es lo correcto, lo que debes hacer.

—No puedo. No me queda suficiente de mí misma.

—Ahora tienes ayuda. Tu guardián está aquí.

Stark levantó la mano hasta sus labios y se la besó. Después sonrió al acordarse:

—Aphrodite me hizo memorizar un poema para ti. Es uno de los de Kramisha. Ella y Stevie Rae piensan que puede ser una especie de guía que quizás puedas utilizar para recomponerte.

—Aphrodite… Kramisha… Stevie Rae… —murmuró Zoey dudosa, como si estuviese aprendiendo las palabras de nuevo—. Son mis amigas.

—Sí, eso son.

Stark le apretó la mano de nuevo. Como parecía estar llegando a ella, continuó.

—A ver, escucha el poema. Ahí va:

Una espada de doble filo:
un lado destruye
el otro libera.
Yo soy tu nudo gordiano.
¿Me liberarás o me destruirás?
Sigue la verdad y
me encontrarás en el agua.

Me purificarás a través del fuego,
nunca más atrapado por la tierra.
El aire te susurrará
lo que el espíritu ya sabe:
que, incluso destrozado,
todo es posible
si crees.

Entonces ambos seremos libres.

Cuando acabó de recitar el poema, Zoey se permaneció quieta el tiempo suficiente para mirarlo a los ojos.

—No significa nada.

Empezó a caminar de nuevo pero agarrándole la mano con fuerza, manteniéndolo cerca de ella.

—Sí que significa algo. Habla de ti y de Kalona. Él tiene algo que ver con que tú consigas salir de aquí. —Stark hizo una pausa—. Te acuerdas de que estáis unidos, ¿no?

—Ya no, ahora ya no —dijo ella rápidamente—. Rompió ese vínculo cuando le rompió el cuello a Heath.

Te aseguro que espero que sea así, pensó Stark, aunque no dijo eso.

—Sí, aun así, parte del poema ya se ha hecho realidad. Tú seguiste lo que creías que era la verdad acerca de él para encontrarlo sobre el agua. El siguiente verso dice: «*Me purificarás a través del fuego*». ¿Qué crees que puede significar?

—¡No lo sé! —le gritó Zoey.

Aunque no había duda de que estaba enfadándose, Stark se alegró al ver en su cara, que hasta entonces estaba tan inexpresiva y muerta, algún tipo de expresión.

—Kalona no está aquí. El fuego no está aquí. ¡No lo sé!

La agarró fuerte de la mano y dejó que se calmara antes de seguir hablando.

—Kalona está aquí. Ha venido tras de ti. Pero no puede entrar en la arboleda. —A continuación, sin pensarlas racionalmente, las siguientes palabras le salieron del corazón y no de la cabeza—: Y el fuego me hizo venir a mí. O, al menos, algo que parecía fuego.

Zoey lo miró y, con voz despreocupada, dijo algo que cambió el curso de su vida:

—Entonces parece que el poema es sobre Kalona y tú, no se refiere a mi vínculo con Kalona.

Las palabras cayeron sobre Stark como una malla de acero.

—¿A qué te refieres con Kalona y yo?

—Tú fuiste conmigo a Venecia y también sabías lo monstruoso que es Kalona antes de que yo lo averiguara. El fuego te trajo hasta aquí. El resto probablemente signifique algo para ti si lo piensas de nuevo.

—Una espada de doble filo… —dijo Stark en voz baja.

El *claymore* era de doble filo. Y le había destrozado a la par que lo liberaba. Sí que sabía la verdad, sabía que Kalona resultaba peligroso cuando lo siguió con Zoey a Venecia… el dolor de fuego de los cortes de Seoras lo había traído hasta aquí, a un lugar que le recordaba a la tierra, aunque estaba en el Otro Mundo. Y Zoey estaba aquí atrapada y necesitaba ser liberada. Y ahora tenía que seguir lo que su espíritu sabía del honor para acabar con todo esto.

—¡Oh, mierda! —dijo mirando a Zoey, en constante movimiento a su lado, mientras las piezas del rompecabezas encajaban por fin—. Tienes razón. El poema es para mí.

—Bien, entonces te muestra cómo ser libre —dijo Zoey.

—No, Z. Me muestra cómo liberarnos a los dos —dijo él—. A Kalona y a mí.

Sus ojos preocupados e inquietos lo miraron antes de apartar la vista rápidamente.

—¿Liberar a Kalona? No lo entiendo.

—Yo sí —dijo él con gravedad, recordando el golpe asesino que había liberado a su reflejo—. Hay un montón de maneras diferentes de ser libre.

Le tiró de la mano, haciendo que disminuyese el ritmo y lo mirara.

—Y yo creo en ti, Zoey. Aunque estés rota, mi juramento sigue en pie. Te protegeré y, mientras siga fiel al honor y no te falle nunca más, creo que todo es posible. De eso trata el ser un guardián: es una cuestión de honor.

Levantó su mano y la besó de nuevo antes de empezar a andar. No dejó que su caminata circular lo controlase. Esta vez Stark la llevó en línea recta, directamente hacia un lateral de la arboleda.

—No. No. No podemos ir por ahí —dijo Zoey.

—Por ahí es por donde tenemos que ir, Z. Todo va a ir bien. Yo confío en ti.

Stark siguió caminando hacia los puntos cada vez más brillantes de los arbustos que marcaban el límite de la arboleda.

—¿Confías en mí? No. Esto no tiene nada que ver con la confianza. Stark, no podemos dejar este lugar. Nunca. Hay cosas malas ahí fuera. Él está ahí fuera.

Ella tiraba de su mano con fuerza, intentado que cambiase de dirección.

—Zoey, te voy a decir unas cuantas cosas muy rápidamente y sé que tu mente está confusa ahora mismo, pero tienes que escucharme —dijo Stark casi arrastrando a Zoey con él, avanzando sin tregua, hacia el borde de la arboleda—. Yo ya no soy tu guerrero. Soy tu guardián. Y eso va a conllevar unos cuantos cambios tanto para ti como para mí. El mayor de ellos es que estoy unido a ti por el honor aún más de lo que lo estoy por el amor. Nunca te volveré a fallar. No sé decirte cuál va a ser tu cambio.

El final de la arboleda brilló ante ellos. Stark se detuvo y, siguiendo su instinto, se arrodilló ante su reina rota.

—Pero estoy seguro al cien por cien de que vas a estar a la altura. Zoey, tú eres mi As, *mo bann ri*, mi reina, y tienes que juntar tus pedazos o ninguno de los dos podremos salir de aquí.

—Stark, me estás asustando.

Él se levantó, le besó ambas manos y después la frente.

—Bueno, Z, pues no desconectes porque solo acabo de empezar —dijo mirándola con su vieja mueca arrogante—. No importa lo que pase, al menos he llegado hasta aquí. Si volvemos, ¡podremos refregarles a las estiradas del Alto Consejo de los vampiros un «ya os lo dijimos»!

Después apartó las hojas de dos serbales y traspasó la frontera rocosa de la arboleda.

Zoey se quedó dentro, pero sostuvo las ramas separadas para poder ver a Stark mientras se mecía hacia delante y hacia atrás, haciendo que las hojas susurraran como si fueran el murmullo de un público.

—¡Stark, vuelve!

—No puedo hacer eso, Z. Tengo que ocuparme de algo.

—¿De qué? ¡No lo entiendo!

—Voy a darle un par de patadas a un culo inmortal. Por ti, por mí y por Heath.

—¡Pero no puedes! No puedes vencer a Kalona.

—Seguramente tengas razón, Z. Yo no puedo. Pero tú sí.

Stark extendió los brazos hacia arriba y gritó al cielo de Nyx.

—¡Vamos, Kalona! ¡Sé que estás ahí! Ven a por mí. Es la única manera de asegurarte de que Zoey no vuelva, porque mientras yo esté vivo, ¡lucharé por ella!

El cielo sobre Stark se onduló y el azul prístino empezó a volverse grisáceo. Hilos de Oscuridad, como el humo de un fuego tóxico, se extendieron, se hicieron más densos y tomaron forma. Sus alas aparecieron primero. Inmensas, blancas y desplegadas, surgieron de entre la luz dorada del sol de la Diosa. Después se materializó el cuerpo de Kalona... más grande, más fuerte y más peligroso de lo que Stark recordaba.

Todavía flotando sobre Stark, Kalona sonrió.

—Ah, eres tú, chico. Te has sacrificado para seguirla hasta aquí. Mi trabajo se ha terminado. Tu muerte la atrapará aquí con mayor facilidad de lo que yo pudiera haber imaginado nunca.

—Te equivocas, imbécil. No estoy muerto. Estoy vivo y voy a seguir así. Y Zoey también.

Kalona entrecerró los ojos.

—Zoey no abandonará el Otro Mundo.

—Sí, bueno, yo estoy aquí para asegurarme de que vuelves a estar equivocado.

—¡Stark! ¡Vuelve aquí! —gritó Zoey desde el interior de la arboleda.

Kalona la miró. Pareció triste, como si tuviese el corazón roto cuando dijo:

—Habría sido más fácil para ella si hubieses permitido que el humano hiciese mi voluntad.

—Ese es el problema contigo, Kalona. Tienes esa especie de complejo de dios. O no, supongo que debería llamarlo complejo de diosa. Mira, que seas inmortal no te permite controlarlo todo. De hecho, en tu caso, parece que solo te ha permitido cometer un error tras otro.

Despacio, Kalona apartó la vista de Zoey para mirar a Stark. Los ojos color ámbar del inmortal se habían vuelto duros y fríos por la cólera que sentía.

—Te estás equivocando, niñato.

—Ya no soy ningún niñato —respondió Stark con el mismo tono que Kalona.

—Siempre vas a serlo para mí. Insignificante, débil y mortal.

—Tercera vez seguida que te equivocas. Ser mortal no significa ser débil. Baja hasta aquí y deja que te lo demuestre.

—Muy bien, chico. Que el dolor que esto le va a causar a Zoey permanezca en tu alma, no en la mía.

—¡Sí, porque no estaría nada bien que tú, por una vez, asumieses la jodida responsabilidad que te corresponde por todo lo que tú mismo has causado!

Tal como Stark pensó que pasaría, su burla hizo que la ira que se había ido formando en el interior de Kalona estallase.

—¡¿Te atreves a hablar de mi pasado?! —rugió.

El inmortal extendió un brazo y cogió una lanza de la Oscuridad que se retorcía en el aire. La punta estaba hecha de un metal que brillaba perversamente, negra como un cielo sin luna. Después Kalona descendió de los cielos.

En lugar de aterrizar delante de Stark, sus inmensas alas lo llevaron hacia abajo y hacia delante, ayudándole a cortar el suelo formando un círculo perfecto alrededor de Stark. La tierra tembló y después se desintegró. Como si el infierno se hubiese abierto a sus pies, Stark empezó a caer... y siguió cayendo...

Golpeó el fondo con tanta fuerza que perdió el aliento y la vista se le ensombreció. Luchó para ponerse en pie mientras oía la risa burlona a su alrededor.

—Eres solo un crío debilucho tratando de jugar conmigo. Esto no va a ser ni divertido —dijo Kalona.

Arrogante. Es más arrogante de lo que yo fui nunca.

Con el pensamiento de lo que había sido y de lo que ya había derrotado, el pecho de Stark se liberó y pudo respirar. La vista se le aclaró a tiempo de vislumbrar un destello de luz rasgar la Oscuridad que había entre él y Kalona. Su *claymore* de guardián estaba allí, clavado en la tierra, a sus pies.

Stark agarró la empuñadura y sintió instantáneamente la calidez y el pulso de sus latidos mientras el *claymore,* su *claymore,* entonaba un cántico que seguía el ritmo de su sangre.

Miró a Kalona y vio la sorpresa en los ojos ámbar del inmortal.

—Ya te dije antes que ya no era ningún niñato.

Sin dudarlo, Stark avanzó, agarró el *claymore* con ambas manos, teniéndolo perfectamente centrado sobre las líneas de ataque geométricas que se fusionaban sobre el cuerpo de Kalona.

29

Zoey

El asombro que sentí cuando Kalona se materializó por encima de Stark fue terrible. Verlo me hizo recordar todo lo que había pasado, en aquel último día antes de que mi mundo explotara en forma de muerte, desesperación y culpa. Completamente materializado, me miró con sus ojos ámbar y me paralizó por la tristeza que en ellos se reflejaba y por los recuerdos de aquellos momentos en que los había mirado y había creído ver en ellos destellos de humanidad, de bondad e incluso de amor. Me había equivocado tanto...

Heath había muerto por mi profundo error.

Después Kalona apartó la vista de mí y miró a Stark mientras mi guerrero lo provocaba.

¡No! ¡Oh, Diosa! Por favor, haz que se calle. Por favor, haz que venga corriendo hasta aquí.

Pero Stark parecía disfrutar provocándolo. No se calló; no corrió. El terror se apoderó de mí mientras Kalona desprendía la lanza del cielo. Sus alas hicieron un agujero en el suelo y después Stark desapareció en su negrura.

En aquel momento me di cuenta de que también Stark iba a morir por mi culpa.

¡No! El grito silencioso me desgarró desde el interior, donde todo parecía vacío, desesperanzador e inquieto. Necesitaba correr, seguir moviéndome, escapar de lo que estaba pasando.

No podía soportarlo. No quedaba lo suficiente dentro de mí para poder soportarlo.

Pero si no aguantaba, Stark moriría.

—No.

Esta vez la palabra no fue un grito fantasmal e insonoro. Fue mi voz... mi voz... y no esa mierda de horrible parloteo que había estado saliendo de mi boca.

—Stark-no-puede-morir.

Saboreé esas palabras y seguí su forma y su familiaridad, escuchándome mientras salía de la arboleda e iba hasta el agujero negro en cuyo interior había desaparecido mi guerrero.

Cuando el agujero se abrió ante mis pies, miré hacia abajo y vi a Stark y a Kalona, el uno enfrente del otro, en el centro. Stark sostenía una espada reluciente con las dos manos ante la lanza oscura de Kalona.

Me di cuenta entonces de que aquello no era un agujero en el suelo. Era un campo de batalla. Kalona lo había creado con muros altos, lisos y resbaladizos. Unos muros por los que no se podía escalar.

Kalona tenía a Stark atrapado. Ahora no podría correr aunque me hiciese caso. No podía escapar. Y tampoco tenía posibilidades de ganar. Y a Kalona no le bastaría con darle un par de golpecitos a Stark... o unos cuantos. Kalona pensaba matar a Stark.

La persistente impaciencia que me reconcomía empezó a asfixiarme de nuevo mientras Stark se enfrentaba a Kalona. Sentí moverse a mis pies pero me obligué a quedarme donde estaba para poder ver a los adversarios caminando alrededor de la circunferencia de la arena. Stark, increíblemente, atacó al inmortal caído.

Riéndose con crueldad, Kalona desvió la espada con un golpe de lanza y con otro movimiento tan veloz que Stark no pudo verlo, Kalona abofeteó con la mano abierta la cara de Stark, en un gesto lleno de desdén feroz y cruel. El impulso hacia delante de Stark lo llevó extrañamente a superar al inmortal y caer al suelo, con las manos sobre las orejas, como si estuviera tratando de aliviar el dolor de su cabeza.

—Un *claymore* de guardián... divertido. ¿Crees que puedes formar parte de ellos? —dijo Kalona mientras Stark recuperaba el equilibrio y se giraba para enfrentarse a él de nuevo con la espada levantada.

Le corrían gotas de sangre de las orejas, la nariz y los labios, formando pequeños hilos escarlata bajo la barbilla y el cuello.

—Yo no creo que sea un guardián. Soy un guardián.

—No puedes serlo. Conozco tu pasado, chico. Te he visto abrazar a la Oscuridad. Cuéntales eso a los guardianes, a ver si siguen aceptándote.

—La única persona que puede hacer que yo sea o no un guardián es mi reina. Y ella nos conoce a mí y a mi pasado.

Observé a Stark embistiendo de nuevo. Con un sonido desdeñoso, Kalona usó la lanza para hacer a un lado la hoja. Aquella vez, cuando golpeó a Stark lo hizo con el puño cerrado. La fuerza del puñetazo le rompió la nariz y ensangrentó sus pómulos, tirando a mi guerrero de espaldas.

Aguanté la respiración, observando sin esperanza lo que sabía que sería el golpe final de Kalona.

Pero el inmortal no hizo más que reírse mientras Stark luchaba dolorosamente por ponerse en pie.

—Zoey no es ninguna reina. No es lo suficientemente fuerte. Es solo una cría débil que dejó que su alma se rompiese por la muerte de un humano —dijo Kalona.

—Te equivocas. Zoey no es débil, ¡se preocupa por los demás! ¿Y ese humano? Esa es una de las razones por las que estoy aquí. Necesito cobrar la deuda de vida que contrajiste al matarlo.

—¡Estúpido! ¡Solo Zoey puede cobrarse esa deuda!

Con esas palabras fue como si Kalona hubiese usado su lanza para rasgar la niebla de culpa que me había envuelto desde que presencié cómo le retorcía el cuello a Heath. Entonces pude verlo todo muy claro.

Quizás no me veía como una reina (o como alguien con importancia), pero Stark creía en mí. Heath creía en mí. Stevie Rae creía en mí. Hasta Aphrodite creía en mí.

Y como habría dicho Stark, la frase de Kalona tenía tan poco sentido como inventar un sujetador para tíos.

Preocuparme por los demás no me hacía ser débil. Lo que me definía como persona eran las decisiones que había tomado al intentar hacer algo por ellos.

Había dejado que el amor me rompiese una vez y, mientras miraba a Kalona luchando con mi guerrero, con mi guardián, elegí que el honor me sanase. Y eso me hizo decidirme por fin.

Le di la espalda a la arena y me acerqué rápidamente al borde de la arboleda de la Diosa. Bloqueando la sensación de agitación que amenazaba con tirar de mí hacia delante para siempre sin llevarme realmente a ningún sitio, me obligué a quedarme quieta. Abrí los brazos y me concentré primero en el último espíritu que había hablado conmigo.

—¡Brighid! ¡Necesito que vuelva mi fuerza!

La pelirroja se materializó delante de mí. Parecía una diosa, tan feroz y alta, llena del poder y de la confianza que yo no tenía.

—No —me corregí a mí misma en voz alta—. El poder y la confianza son míos. Solo los perdí durante un tiempo.

—¿Estás preparada para aceptarlos y que vuelvan? —dijo ella mirándome con aquellos ojos familiares.

—Sí.

—Bueno, ya iba siendo hora.

Avanzó y me abrazó, apretándome tan fuerte como íntimamente. Mis brazos se cerraron a su alrededor y, al aceptarla, se disolvió en mi piel y de repente una oleada de energía y de poder, poder puro, me inundó.

—Una menos —murmuré—. Trae tu culo hasta aquí, niña.

Volví a extender los brazos. Esa vez mis pies se quedaron plantados firmemente en la tierra y el deseo de moverme, de buscar, de escapar… fluyó sobre mí, traspasándome, inocuo como la lluvia primaveral.

—¡Necesito que vuelva mi alegría!

Mi yo de nueve años no se materializó. Saltó desde la arboleda. Riéndose, se arrojó a mis brazos, donde la acogí.

—¡Yuupiiiiiiii! —gritó mientras era absorbida por mi alma.

Riéndome, volví a abrir los brazos. La alegría y la fuerza me permitieron aceptar el último pedazo perdido de mi alma… la compasión.

—A-ya, necesito que tú también vuelvas —la llamé.

La doncella cheroqui avanzó elegantemente desde la línea de árboles.

—A-de-ly, hermana, me alegro de oír tu llamada.

—Sí, bueno, no puedo decir sinceramente que me guste tenerte como parte de mí, pero te acepto, A-ya. Totalmente. ¿Volverás?

—He estado aquí todo el tiempo. Solo tenías que pedirlo.

Me encontré con ella a medio camino y la apreté con fuerza, devolviéndola a mí, recomponiendo los pedazos de mi alma.

—Y ahora vamos a ver quién es una cría débil —dije, corriendo hacia el campo de batalla de Kalona.

Llegué al borde y miré hacia abajo. Stark estaba sobre sus rodillas de nuevo. Verlo me encogió el corazón. Mi guardián tenía una pinta horrible. Sus labios estaban hinchados y abiertos por muchos lugares. Tenía la nariz aplastada y rezumaba sangre. Su hombro izquierdo era una cosa amorfa y dislocada y hacía que el brazo le colgara flácidamente a su lado. La maravillosa espada yacía en el suelo, fuera de su alcance. Podía ver que tenía los huesos de un pie y una rótula hechos añicos, pero Stark seguía luchando desde el suelo, a los pies de Kalona, intentando desesperadamente acercarse a su *claymore*. Kalona sostenía su lanza como si sopesara su peso, estudiando a Stark.

—Un guardián roto para una chica con el alma rota. Parece que ahora encajáis mejor —dijo.

Y eso me cabreó… mucho.

—No tienes ni idea de lo cansada que estoy de toda tu mierda, Kalona —dije.

Ambos me miraron. No aparté la vista de Kalona, pero pude ver la sonrisa de Stark.

—Vuelve a la arboleda, Zoey —dijo Kalona—. Es mejor que estés allí.

—¿Sabes lo que odio de verdad? Que los tíos intenten decirme lo que tengo que hacer.

—Sí, mi reina, eso fue lo que dijo Heath —dijo Stark con una voz en la que sentí su satisfacción.

Tuve que mirarlo. En su mirada vi reflejado el orgullo que sentía por mí y eso hizo que mis ojos se llenasen de lágrimas.

—Mi guerrero… —le susurré.

Ese instante, mi pequeño error, fue suficiente para Kalona.

—Deberías haber elegido volver a la arboleda —le escuché decir.

Vi agrandarse los ojos de Stark y mientras mi mirada volvía al inmortal, Kalona se giró con el brazo derecho extendido hacia atrás como un antiguo dios de la guerra. Soltó la lanza con una fuerza y velocidad que yo sabía que no podría…

—¡No! —grité—. ¡Ven a mí, aire!

Salté a la arena, confiando en que mi elemento suavizara mi caída. Pero mientras notaba cómo la corriente me sostenía, vi que era demasiado tarde.

La lanza de Kalona golpeó a Stark en medio del pecho. Atravesó su cuerpo y las muescas de la lanza lo atravesaron alcanzando su caja torácica y arrojándolo hacia atrás con tanta potencia que lo empaló en el muro más lejano con una fuerza enfermiza.

Apenas mis pies tocaron el suelo eché a correr hacia Stark. Llegué junto a él y me miró. ¡Seguía vivo!

—¡No te mueras! ¡No te mueras! Puedo arreglarlo. Tengo que poder arreglarlo.

Increíblemente, me sonrió.

—Exacto. Mi reina no dejará que nadie la vuelva a romper. Cóbrate tu deuda y volvamos a casa.

Stark cerró los ojos y, con una sonrisa en sus labios rotos, vi cómo su cuerpo se convulsionó. Burbujas de aire de sangre salieron como espuma alrededor de la lanza de su pecho y, de repente no hubo más movimientos ni sonidos provenientes de él. Mi guerrero estaba muerto.

Esta vez, cuando me enfrenté al ser que acababa de matar a alguien que amaba, no me dejé invadir por el terror y el dolor. Esta vez mantuve al espíritu cerca en lugar de lanzarlo lejos y de él saqué el poder de la sabiduría y permití que mis instintos, y no la culpa y la desesperación, me guiaran.

Kalona sacudió la cabeza.

—Ojalá esto hubiera acabado de otra manera. Si me hubieses escuchado, si me hubieses aceptado, este final no habría tenido lugar —dijo.

—Me alegra oír que estás de acuerdo conmigo porque esto sí que va a acabar de otra manera —dije.

Antes de empezar a andar hacia él, recogí la espada de Stark. Era más pesada de lo que pensaba pero seguía todavía caliente por su mano y aquel calor me ayudó a encontrar la fuerza para levantarla.

La sonrisa de Kalona era casi amable.

—No voy a luchar contigo. Ese es mi regalo para ti —dijo desplegando sus grandes alas—. Adiós, Zoey. Te echaré de menos y pensaré a menudo en ti.

—Aire, no dejes que se marche.

Le arrojé mi elemento, que atrapó sus alas totalmente desplegadas con facilidad y lo sujetó contra el muro del campo de batalla usando una poderosa ráfaga de viento, imitando inquietantemente la posición final de Stark.

Caminé hasta acercarme a él y, sin dudarlo, le atravesé el pecho con el *claymore*.

—Esta es por Stark. Sé que esto no te matará, pero te aseguro que sienta bien hacerlo —le dije—. Y sé que a él le gustaría.

Los ojos de Kalona brillaron peligrosamente.

—No puedes mantenerme así para siempre. Y cuando me liberes por fin, te haré pagar por esto.

—Vale, mira, como ha dicho Stark: te equivocas. De nuevo. Las reglas son diferentes en el Otro Mundo, así que probablemente te podría tener así para siempre si quisiera quedarme y convertirme en la Vengadora Loca. Pero resulta que ya casi enloquezco antes y no tengo mucho interés en volver a ese estado. Además, quiero regresar a casa. Así que esto es lo que vas a hacer: me vas a pagar la deuda de vida que me debes por haber matado a mi consorte, Heath Luck, devolviéndome a Stark. Después Stark y yo volveremos a casa. Oh, y por cierto, no me importa adónde vayas tú.

—Te has vuelto loca. No puedo devolverle la vida a los muertos.

—En este caso creo que sí puedes. El cuerpo de Stark está a salvo en el mundo real, junto con el mío. Estamos en el Otro Mundo y aquí todo es espíritu. Tú eres inmortal, lo que significa que tú eres todo espíritu. Así que vas a coger un poco de tu alma inmortal y vas a compartirla con mi guardián para traérmelo de vuelta. Ahora. Porque me lo debes. ¿Lo captas? Reclamo la deuda. Es hora de que saldes tu cuenta.

—No tienes poder para obligarme a hacerlo —dijo Kalona.

Ella no, pero yo sí.

Las palabras incorpóreas resonaron en la arena. Reconocí la voz de Nyx inmediatamente y miré a mi alrededor con expectación, tratando de verla. Sin embargo, fue Kalona quien la encontró primero. Tenía la vista fija, por encima de mi hombro, y su expresión cambió su rostro completamente. Me llevó un segundo reconocerla. Él me había mirado con lujuria, con afán de posesión e incluso con lo que él llamaba amor. Pero se equivocaba. Él no me amaba. Kalona amaba a Nyx.

Seguí su mirada y me giré para ver a la Diosa de pie, al lado del cuerpo de Stark. Una de sus manos descansaba con ternura sobre su cabeza.

—¡Nyx! —dijo el inmortal con una voz rota y sorprendentemente joven—. ¡Mi Diosa!

Los ojos de Nyx se apartaron del cuerpo de Stark, pero no miró a Kalona. La Diosa me miró a mí. Sonrió y todo mi interior se vio invadido por la alegría.

—Feliz encuentro, Zoey.

Sonreí e incliné la cabeza.

—Feliz encuentro, Nyx.

—Lo has hecho bien, hija. Me has hecho sentirme orgullosa de ti, de nuevo.

—Me ha llevado demasiado tiempo —dije—. Lo siento.

Su mirada continuaba siendo amable.

—Como siempre pasa contigo, igual que con muchas de mis hijas más fuertes, es a vosotras mismas a quienes debéis perdonar. No hace falta que me lo pidáis a mí.

—¿Y qué pasa conmigo? —dijo Kalona con voz ronca—. ¿Me perdonarás alguna vez?

La Diosa lo miró con ojos tristes, pero el gesto de su boca era severo y sus palabras cortantes y carentes de emoción.

—Si alguna vez merecieras ser perdonado, podrías pedírmelo. Hasta entonces, no.

Nyx levantó la mano de la cabeza de Stark y señaló con sus dedos a Kalona. El *claymore* desapareció de su pecho. El viento se aplacó y Kalona cayó del muro a la arena.

—Le pagarás la deuda que le debes a mi hija y después volverás al mundo y a las consecuencias que allí te aguardan sabiendo esto, mi guerrero caído: tu espíritu, así como tu cuerpo, tienen prohibida la entrada en mi reino.

Sin volver a mirar a Kalona, Nyx le dio la espalda. Se inclinó y besó suavemente los labios de Stark y después el aire que la rodeaba onduló, destelló y ella se desvaneció.

Cuando Kalona se puso en pie retrocedí rápidamente, levantando las manos y preparándome para volver a lanzarle la fuerza del viento. Entonces sus ojos me miraron y vi que estaba llorando silenciosamente.

—Haré lo que me ordena. Excepto una vez, una sola vez, siempre he hecho lo que me ha ordenado —dijo quedamente.

Lo seguí mientras iba hasta el cuerpo de Stark.

—Te devuelvo ese último aliento dulce de vida. Con él, vuelve a vivir y acepta un pedacito de mi inmortalidad por la vida humana que he tomado.

Después, para mi total sorpresa, Kalona se inclinó e, imitando a Nyx, besó a Stark.

El cuerpo de Stark se movió. Jadeó y tragó una larga bocanada de aire. Antes de que yo lo pudiese evitar, Kalona le puso una mano en el hombro a Stark y con la otra retiró la lanza de su cuerpo. Con un grito de dolor, Stark se cayó.

—¡Imbécil!

Corrí junto a Stark y posé su cabeza en mi regazo. Respiraba agitadamente, con jadeos dolorosos, pero estaba respirando. Miré hacia arriba, a Kalona.

—Está claro por qué no te perdona. Eres cruel, no tienes corazón y no haces más que cometer errores.

—Cuando vuelvas al mundo, permanece alejada de mí. Estarás fuera del reino de Nyx entonces y ella no podrá llegar corriendo para salvarte —me advirtió.

—Cuanto más lejos esté de ti, mejor.

Kalona abrió sus alas pero antes de que pudiese despegar, unos hilos de Oscuridad, pegajosos y afilados, salieron de los laterales negros del campo de batalla y de la tierra de color alquitrán bajo sus pies. Mientras me miraba, le envolvieron el cuerpo, cortándole la carne. Segmento a segmento, lo rasgaron y lo cubrieron hasta que no quedó nada de él, solo una Oscuridad retorcida, sangre y ojos ámbar. Entonces los hilos sombríos llegaron hasta sus ojos, sumergiéndose en ellos. Grité de terror mientras desgarraban algo tan brillante y deslumbrante del interior de Kalona que tuve que cerrar los ojos para luchar contra su resplandor. Cuando los volví a abrir, su cuerpo había desaparecido junto con el campo de batalla, y Stark y yo estábamos dentro de la arboleda.

30

Zoey

—¡Zoey! ¿Qué pasa? ¿Qué ha pasado?

Stark luchó por hacer que su cuerpo destrozado le respondiese.

—Shhh, está bien. Todo va bien. Kalona se ha ido. Estamos a salvo.

Sus ojos me encontraron y toda su tensión lo abandonó. Se dejó caer en mis brazos y permitió que le acunara la cabeza en mi regazo.

—Vuelves a ser tú. Ya no estás rota.

—Vuelvo a ser yo —dije acariciándole la mejilla en uno de los pocos lugares donde su cara no estaba ensangrentada, rota o amoratada—. Esta vez parece que eres tú el que está destrozado.

—No, Z. Mientras tú estés completa, yo estaré bien.

Tosió. La sangre le brotó de la herida abierta del pecho. Cerró los ojos y su cuerpo se retorció de dolor.

¡Oh, Diosa! ¡Está malherido! Traté de hablar con calma.

—Vale, bien, pero realmente no tienes muy buena pinta, así que… ¿qué te parece si volvemos a nuestros cuerpos? Nos están esperando, ¿no?

Lo atravesó otro escalofrío de dolor. Respiraba con inspiraciones superficiales y dolorosas, pero abrió los ojos para mirarme.

—Tú deberías volver. Te seguiré después de descansar un poco.

El pánico se retorció en mi interior.

—Oh, no. No voy a dejarte aquí. Tú dime solo qué necesitas para volver.

Parpadeó un par de veces y después sus labios rotos se elevaron para formar algo que se parecía a su sonrisa arrogante.

—No sé muy bien cómo volver.

—¿Que no qué? Stark, en serio…

—En serio, no tengo ni idea.

—¿Cómo llegaste hasta aquí?

Volvió a sonreír.

—A través del dolor.

Solté una risotada.

—Bueno, entonces volver te va a resultar fácil porque pareces estar experimentando algo de eso...

—Sí, pero allí hay un guardián a cargo de mantenerme en la línea entre la vida y la muerte. No sé muy bien cómo decirle que ya es hora de que me despierte. ¿Cómo vas a volver tú?

Ni siquiera tuve que pensarlo. La respuesta era tan natural como respirar.

—Voy a seguir a mi espíritu de vuelta a mi cuerpo. Es el lugar al que pertenezco, allí, en el mundo real.

—Hazlo... —Tuvo que hacer una pausa mientras otra oleada de dolor lo invadía—. Y, después de descansar, yo haré lo mismo.

—No, tú no tienes una afinidad por el espíritu como yo. No funcionará contigo.

—Es bueno que sigas teniendo tus elementos. Tenía mis dudas, por eso de que te habían desaparecido los tatuajes.

—¿Han desaparecido?

Le di la vuelta a mi mano y vi claramente que no había ningún tatuaje cubriendo mis palmas con filigranas de color zafiro. Después me miré el pecho. La larga cicatriz rosada seguía allí, pero tampoco había ningún tatuaje.

—¿Me han desaparecido todos? ¿Hasta los de la cara?

—Solo te queda la luna creciente —dijo.

A continuación, volvió a hacer una mueca de dolor. Claramente superando su nivel de agotamiento, volvió a cerrar los ojos para hablar.

—Adelántate y sigue a tu espíritu de vuelta a casa. Yo pensaré en algo. Cuando no esté tan cansado. No te preocupes. No te voy a dejar... en realidad no.

—Oh, demonios, no. No voy a perder a otro tío con algún abstracto «nos volveremos a ver». Eso no me vale ya, nunca más.

Él abrió los ojos.

—Entonces dime qué hacer, mi reina. Y yo lo haré.

Ignoré eso de «mi reina». A ver, lo había oído llamándome así antes, y después diciéndoselo a Kalona. Me pregunté brevemente si aquello tendría que ver con que el inmortal le hubiese golpeado la cabeza y después me concentré en la parte de «lo haré». Entonces haría lo que yo le dijese... ¿pero qué demonios le diría que hiciese?

Lo miré. Estaba tan mal... incluso peor que cuando había recibido el flechazo que debía haberme matado y le había quemado todo el pecho, casi acabando con él.

De nuevo.

Pero se había recuperado prácticamente solo. Tuvo que hacerlo. Yo también estaba hecha polvo.

Respiré profundamente, recordando la lección de Pepito Grillo que me había soltado Darius cuando había querido que Stark bebiese de mí para que se curara antes. Me había explicado que entre un guerrero y su alta sacerdotisa había un vínculo tan grande que a veces los guerreros podían sentir las emociones de sus altas sacerdotisas.

Miré la cara amoratada de Stark. Él sería capaz de hacerlo. Y cuando aquello sucedía, también podían absorber algo más de sus altas sacerdotisas que solo su sangre... podían absorber energía.

Y eso era exactamente lo que Stark necesitaba: energía para restablecerse, energía para volver a su cuerpo.

Esta vez no iba a mejorar por su cuenta y, gracias a la Diosa, yo no estaba hecha polvo.

—Eh —le dije—. Ya sé lo que quiero que hagas.

Sus ojos se abrieron con dificultad y me horrorizó ver tanto sufrimiento reflejado en ellos.

—Dime. Si puedo hacerlo, lo haré.

Le sonreí.

—Quiero que me muerdas.

Pareció sorprendido y a continuación, aunque estaba claro que le dolía, volvió a mostrar su sonrisita.

—¿Y ahora me lo pides? Cuando mi cuerpo está hecho un desastre. Genial.

—No seas tan machito —le dije—. Te lo pido precisamente porque tu cuerpo está hecho un desastre.

—Te haría pensar de otra manera si estuviese bien.

Sacudí la cabeza y le puse los ojos en blanco.

—Si estuvieses bien, te daría un puñetazo ahora mismo.

Y después, con cuidado, intentando hacerlo lo más suave posible, lo deslicé de mi regazo. Intentó ahogar un gemido.

—¡Lo siento! Siento hacerte daño.

Me tumbé a su lado y empecé a llevarlo a mis brazos, intentando sostenerlo cerca de mí, como si pudiese absorber su dolor.

—Está bien —jadeó—. Tú solo ayúdame a colocarme sobre mi lado bueno.

¿Lado bueno? No estaba segura de si debía reírme o romper a llorar, pero le ayudé a girarse sobre el lado que no tenía el hombro destrozado para poder mirarnos a la cara.

Vacilante, me acerqué a él, pensando que quizás debería hacerme un corte en el brazo para que pudiese beber de mí más fácilmente, sin moverse demasiado.

—No —dijo estirando una mano temblorosa, tratando de impedírmelo—. Así no. Acércate a mí, Z, el dolor no importa.

Hizo una pausa.

—A no ser que no puedas a causa de mi sangre. ¿No te tienta?

—¿La sangre?

De repente entendí a qué se refería y parpadeé, sorprendida.

—Ni me había dado cuenta —dije, aunque continué al ver que torcía el gesto—. Quiero decir que claro que me he dado cuenta de que estabas todo ensangrentado. Pero no he olido la sangre.

Pensativa, tomé un poco de ella de sus labios con la punta de un dedo.

—No parece que tenga sed de sangre.

—Aquí somos espíritu, esa debe de ser la razón —dijo él.

—¿Entonces funcionará esto? ¿Que te alimentes de mí?

Me miró.

—Funcionará, Z. Entre nosotros hay algo más que cosas físicas. Estamos unidos por el espíritu.

—Vale, bien. Eso espero —dije, nerviosa de repente.

El único al que le había dejado alimentarse de mí era Heath… mi Heath. Mi mente trató de evitar hacer comparaciones entre él y Stark, pero no pude negar un aspecto de lo que iba a pasar: dejar que un chico bebiese mi sangre tenía un alto componente sexual. Te hacía sentir bien. Muy bien. Así es como somos. Es algo normal, natural y correcto.

Y también hacía que me doliese la barriga.

—Eh, tú: relájate y acércame ese cuello.

Mis ojos como platos miraron la cara machacada de Stark y su cuerpo destrozado.

—Sí, sé que estás nerviosa, pero con lo chungo que estoy, no hace falta que te preocupes. —Su expresión cambió—. ¿O es otra cosa? ¿Has cambiado de opinión?

—No —dije rápidamente—. No he cambiado de opinión. No voy a cambiar de opinión sobre ti, Stark. Jamás.

Intentando ser lo más cuidadosa posible, me acerqué a él. Estirándome para que la curva de mi cuello estuviese cerca de su boca, me aparté el pelo y me incliné sobre él, tensa, esperando su mordedura.

Pero me sorprendió. En lugar de sus dientes sentí la calidez de sus labios mientras me besaba el cuello suavemente.

—Relájate, mi reina.

Su aliento me provocó escalofríos. Temblé. ¿Cuánto tiempo había pasado desde la última vez que alguien me había tocado? Seguramente serían solo días en el mundo real pero aquí, en el Otro Mundo, parecía que había sido intocable, que nadie me había rozado durante siglos.

Stark me besó de nuevo. Me tocó con la lengua y gimió. Esa vez no creo que fuese de dolor. No lo dudó más: me pellizcó el cuello con los dientes. Me escoció pero en cuanto sus labios se cerraron sobre el pequeño corte, el dolor fue reemplazado por un placer tan intenso que me tocó a mí gemir.

Quería envolverlo entre mis brazos y cerrar mi cuerpo sobre el suyo, pero me mantuve quieta e intenté lo mejor que pude no intensificar su dolor.

Demasiado pronto, su boca dejó mi piel.

—¿Sabes cuándo descubrí por primera vez que te pertenecía? —dijo con una voz que ya sonaba más fuerte.

Su aliento cálido contra mi cuello me hizo estremecerme de nuevo.

—¿Cuándo? —dije sin aliento.

—Cuando te enfrentaste a mí en la enfermería, en la Casa de la Noche, antes del cambio. ¿Te acuerdas?

—Sí.

Claro que me acordaba… estaba desnuda y amenacé con golpearle con los elementos mientras me interponía entre él y Darius.

Sentí que las comisuras de sus labios se elevaban.

—Parecías una reina guerrera llena de la cólera de la Diosa. Creo que fue justo en ese momento cuando supe que te pertenecería siempre, porque tú conseguiste llegar a mí a pesar de toda esa oscuridad.

—Stark —susurré su nombre, completamente abrumada por lo que sentía por él—. Esta vez has sido tú el que ha llegado a mí. Gracias. Gracias por venir a buscarme.

Con un sonido, sin palabras, volvió a colocar la boca sobre mi cuello y esta vez me mordió más fuerte y bebió de verdad de mí.

De nuevo, el placer reemplazó rápidamente el escozor. Cerré los ojos y me concentré en el exquisito calor que corría por mi cuerpo. No pude evitar tocarlo y deslicé una mano alrededor de su cintura para poder sentir los músculos tensos bajo la piel de su espalda. Quería más de él. Quería tenerlo más cerca.

Separó los labios de mi cuello y consiguió incorporarse. Tenía los ojos oscuros por la pasión y respiraba agitadamente.

—Bueno, Zoey, ¿me vas a dar algo más que tu sangre? ¿Me vas a aceptar como tu guardián?

Lo miré fijamente. En sus ojos había algo que no había visto antes en él. El chico que se había alejado de mí en Venecia, celoso y enfadado, había desaparecido. El hombre que lo había reemplazado era algo más que un vampiro, algo más que un guerrero. Aunque yacía roto entre mis brazos, podía sentir su fortaleza: era sólido, digno de confianza, honorable.

—¿Guardián? —dije pensativamente, acariciándole la cara—. ¿Así que es en eso en lo que te has transformado?

Su mirada no se apartaba de mí.

—Sí, si tú me aceptas. Sin la aceptación de su reina, un guardián no es nada.

—Pero yo no soy una reina.

Tener los labios rotos no le impidió a Stark esbozar su sonrisita arrogante.

—Tú eres mi reina y cualquiera que diga lo contrario puede irse a tomar por culo.

Le sonreí.

—Ya acepté tu juramento como guerrero.

La arrogancia de Stark desapareció de repente.

—Esto es diferente, Zoey. Es algo más. Puede cambiar las cosas entre nosotros.

Le volví a tocar la cara. No entendía muy bien lo que me estaba pidiendo, pero sabía que necesitaba algo más de mí y sabía que dijese lo que dijese e hiciese lo que hiciese en ese momento, nos afectaría durante el resto de nuestras vidas. *Diosa, dame las palabras adecuadas,* rogué en silencio.

—James Stark, de ahora en adelante te acepto como mi guardián y acepto también lo que eso conlleva.

Volvió la cabeza y besó la palma de mi mano.

—Entonces te serviré con mi honor y mi vida, para siempre Zoey. Mi As, *mo bann ri,* mi reina.

Su juramento entró como una oleada en mi cuerpo, físicamente. Stark tenía razón. Era diferente de lo que nos había pasado cuando me había prestado el juramento de guerrero. Esta vez era como si me hubiese entregado un pedazo de sí mismo y yo sabía que sin mí, nunca podría estar completo de nuevo. Aquella responsabilidad me asustó tanto como me fortaleció y le acerqué la boca hacia mi cuello de nuevo.

—Toma más de mí, Stark. Déjame sanarte.

Con un gemido, puso su boca en mi cuello. Su mordisco se hizo más profundo y pasó algo totalmente sorprendente. Primero, el poder único que acompañaba al elemento del aire se sumergió en mi cuerpo y fluyó de mí a Stark. Se estremeció y yo supe que era por el intenso placer que lo invadía mientras el elemento le proporcionaba un remolino de energía. Al mismo tiempo, un dolor dulce y familiar barrió mi frente y mis pómulos y a través de mis párpados cerrados vi una imagen de Damien, gritando de alegría. Jadeé de la sorpresa. No tuve que preguntar, no necesitaba ningún espejo para verlo… Sabía que había vuelto el primero de mis tatuajes.

Siguiendo de cerca al aire llegó el fuego. Me calentó y después se extendió por el interior de Stark, llenándolo, reforzándolo para que pudiese levantar el brazo y acercarme a él, bebiendo con más fuerza. Una sensación ardió en mi espalda mientras volvía mi segundo tatuaje y veía a Shaunee riéndose y haciendo su baile sensual de la victoria.

El agua se deslizó entre nosotros, bañándonos, penetrando por nuestros poros, conduciéndonos alrededor del círculo que habíamos iniciado. Seguí con los ojos bien cerrados, absorbiendo cada momento del milagro que Stark y yo experimentábamos juntos. Me estremecí de placer cuando mi tercer tatuaje, el que envolvía mi cintura, volvía, mientras Erin reía y gritaba.

—¡Demonios, sí! ¡Z está regresando!

La tierra vino después y fue como si Stark y yo nos convirtiésemos en parte de la arboleda. Conocimos su fértil placer y el poder que descansaba entre las raíces, el suelo y el musgo. Stark me apretó más fuerte y se colocó encima de mí.

Me agarró y supe que sus heridas ya no le dolían porque yo sentía lo que él sentía. Compartí su alegría, su placer y su asombro. Mis palmas ardieron de nuevo por el toque de la Diosa mientras volvía mi cuarto tatuaje. Fue extraño, pero no recibí una imagen visual de Stevie Rae mientras su elemento me poseía, solo una lejana sensación de ella, una alegría distante, como si de alguna manera ella estuviese fuera de mi alcance.

El espíritu refulgió a través de nosotros en último lugar y, de repente, ya no solo sentía lo que Stark sentía... era como si estuviésemos unidos. No en cuerpo, sino en alma. Y nuestras almas resplandecieron juntas con un fulgor que era más brillante de lo que cualquier pasión física podría ser mientras recuperaba mi último tatuaje.

Con un jadeo, Stark apartó sus labios de mi piel y enterró la cabeza en mi cuello. Su cuerpo temblaba y su respiración era agitada, como si acabara de correr una maratón. Tocó con la lengua la herida que había hecho en mi cuello: la estaba cerrando y curando. Levanté la mano para acariciarle el pelo y me sorprendió sentir que el sudor y la sangre habían desaparecido.

Se levantó y después, tratando de controlar su respiración, me miró desde arriba.

¡Diosa, era magnífico! No hacía ni un momento había estado herido de muerte, machacado, ensangrentado y tan destrozado que casi no se podía mover. Ahora irradiaba energía, salud y fuerza.

—Esto ha sido lo más impresionante que me ha pasado nunca —dijo. Después sus ojos se agrandaron—. ¡Tus tatuajes!

Me tocó la cara con reverencia. Volví la cabeza para que sus dedos pudieran recorrer la filigrana que, de nuevo, me cubría la espalda y los hombros. Después levanté una mano para que pudiese juntar su palma con mis símbolos color zafiro.

—Han vuelto todos —dije—. Los elementos los trajeron.

Stark sacudió la cabeza, asombrado.

—Lo sentí. No sabía lo que estaba pasando, pero lo sentí contigo. —Me volvió a estrechar en sus brazos—. Lo sentí todo contigo, mi reina.

—Y yo soy parte de ti ahora, mi guardián —respondí antes de besarlo.

Stark me besó largamente y después me apretó contra sí, tocándome con suavidad, como si intentara convencerse a sí mismo de que no me iba a evaporar entre sus brazos.

Siguió sosteniéndome cuando lloré por Heath y cuando me contó cómo este había elegido avanzar y lo valiente que había sido.

Pero no era necesario que Stark me relatara esa parte. Yo ya sabía lo valiente que era Heath, igual que sabía que esa valentía sería en parte la manera en que lo reconocería de nuevo. Eso y su amor. Su amor por mí, por siempre.

Cuando dejé de llorar, de lamentar su muerte y de recordarlo, me sequé los ojos y permití que Stark me ayudase a levantarme.

—¿Estás listo para ir a casa? —le pregunté.

—Oh, sí. Eso suena genial. Pero... eh... Z, ¿cómo voy a llegar yo hasta allí? Le sonreí.

—Confiando en mí.

—*Ach*, bueno, va a ser un viaje facilito, entonces, ¿no? —dijo Stark imitando a Seoras.

—¿De dónde demonios has sacado ese acento irlandés?

—¡Irlandés! ¿Estás sorda, mujer? —me gruñó con el mismo acento mientras yo le fruncía el ceño.

Después la risa de Stark llenó la arboleda. Me abrazó.

—Es escocés, Z, no irlandés. Y enseguida verás de dónde lo he sacado.

31

Stevie Rae

Cuando el sol se puso, Stevie Rae abrió los ojos. Durante un segundo se sintió muy confusa. Estaba oscuro, pero no había sido eso lo que la había desorientado… eso estaba genial. Sentía a la tierra a su alrededor, acunándola y protegiéndola… eso también era genial. Hubo un mínimo movimiento a su lado y giró la cabeza. Su aguda visión nocturna podía diferenciar las siluetas en medio de las tinieblas y una enorme ala tomó forma, seguida por un cuerpo.

Rephaim.

Todo volvió a su memoria entonces: los iniciados rojos, Dallas y Rephaim. Siempre Rephaim.

—¿Te has quedado aquí abajo conmigo?

Él abrió los ojos y sintió que los suyos propios se agrandaban de la sorpresa. El color escarlata abrasador se había transformado en un tranquilo color rojizo que tiraba más ámbar que a rojo.

—Sí. Eres vulnerable cuando el sol está en el cielo.

Stevie Rae pensó que sonaba tenso, casi como si le estuviese pidiendo perdón, así que le sonrió.

—Gracias, aunque es un poco rollo acosador por tu parte observarme mientras duermo.

—¡No te he estado observando mientras dormías!

Lo dijo tan rápido que era obvio que estaba mintiendo. Stevie Rae abrió la boca para decirle que no pasaba nada, que no hacía falta que se asegurase de que estaba a salvo todo el tiempo, pero que era genial que lo hiciera, especialmente después del día que había tenido… Y su teléfono escogió justo ese momento para sonar con la melodía que anunciaba un mensaje de voz.

—Ha estado haciendo ruido. Mucho ruido —le dijo Rephaim.

—Mierda. No puedo oír nada mientras duermo profundamente.

Suspiró y cogió de mala gana el iPhone de donde lo había dejado, a su lado.

—Supongo que es mejor que me enfrente a esta maldita música.

Stevie Rae abrió la pantalla y vio que la batería estaba casi agotada. Suspiró de nuevo. Pulsó en las llamadas perdidas.

—Ah, mierda. Seis llamadas perdidas. Una de Lenobia y cinco de Aphrodite.

Con el corazón latiéndole con fuerza, pulsó la de Lenobia primero. Puso el altavoz y miró a Rephaim.

—Puedes oír lo que está pasando. Seguramente estén hablando de ti.

Pero la voz de Lenobia no sonaba a «¡Demonios! ¡Estás con un cuervo del escarnio y voy a tener que ir para allá y tomar medidas!». Parecía totalmente normal.

Stevie Rae, llámame cuando despiertes. Kramisha ha dicho que no estaba segura de dónde estabas pero que estabas a salvo aunque Dallas había huido. Iré a buscarte inmediatamente. Dudó y bajó la voz antes de continuar. También me ha contado lo que ha pasado con los otros iniciados rojos. Le he enviado plegarias a Nyx por sus espíritus. Bendita seas, Stevie Rae.

Ella le sonrió a Rephaim.

—Ah, eso ha sido amable por su parte.

—Dallas aún no ha ido a visitarla.

—No —dijo ella, borrando la sonrisa de su cara—. Eso está claro.

Volvió a mirar al teléfono.

—Cinco llamadas perdidas de Aphrodite, pero solo ha dejado un mensaje. Ojalá no sean malas noticias…

Pulsó el botón de «play».

La voz de Aphrodite sonaba metálica y distante, pero no por ello dejaba de ser pedante.

¡Oh, demonios, contesta tu puto teléfono! ¿O estás en tu ataúd? ¡Diosa! Las zonas horarias son un rollo. Bueno, informe: Z sigue siendo un vegetal y Stark sigue traspuesto. No dejan de despedazarlo poco a poco. Esas son las buenas noticias. Las malas son que en mi nueva visión salís tú, un chico indio buenorro y el más malo de todos los cuervos del escarnio: Rephaim. Tenemos que hablar porque tengo el presentimiento de que eso no es nada bueno. Así que espabílate de una maldita vez y llámame. Si estoy dormida, me despertaré y todo para responderte.

—Vaya sorpresa que cuelgue sin decir adiós —dijo Stevie Rae.

Como no quería quedarse en la misma habitación donde flotaban las palabras «el más malo de todos los cuervos del escarnio: Rephaim», se guardó el teléfono en el bolsillo y empezó a subir las escaleras del sótano. No tuvo que mirar hacia atrás para saber que él la estaba siguiendo. Ya sabía que iría tras ella.

La noche era fresca, pero no fría, estaba justo en el límite entre la congelación y la fase de deshielo. Stevie Rae lo sentía por la pobre gente que habitaba las casas que rodeaban Gilcrease y se alegró al ver que algunas luces habían vuelto. Pero al mismo tiempo eso le dio la inquietante sensación de que la estaban observando y vaciló antes de salir al porche de entrada de la mansión.

—No hay nadie por aquí. Primero se ocuparán de reponer la electricidad en las casas. Este será uno de los últimos lugares a los que vengan, sobre todo de noche.

Aliviada, Stevie Rae asintió y se alejó del porche, caminando sin rumbo hacia la fuente que había en medio del jardín, silenciosa y fría.

—Tú gente descubrirá lo mío —dijo Rephaim.

—Algunos ya lo han hecho.

Stevie Rae alargó la mano hacia abajo y tocó el borde superior de la fuente, rompiendo un carámbano que colgaba allí y dejándolo caer en el agua de la alberca de abajo.

—¿Qué vas a hacer?

Rephaim estaba de pie, a su lado. Los dos miraron hacia abajo, a la oscura agua de la fuente, como si allí se reflejara la respuesta.

—Creo que la pregunta debería ser mejor «¿qué vas a hacer tú?» —dijo ella finalmente.

—¿Qué quieres que haga?

—Rephaim, no puedes responder a mis preguntas con más preguntas.

Él emitió un sonido desdeñoso.

—Tú lo hiciste con la mía.

—Rephaim, para. Dime lo que quieres hacer con… bueno… lo nuestro.

Ella le miró a esos ojos tan diferentes, deseando que sus rasgos fuesen más fáciles de interpretar. Tardó tanto en contestar que pensó que no lo iba a hacer y la frustración la reconcomió por dentro. Ella tenía que volver a la Casa de la Noche. Tenía que controlar los daños antes de que Dallas lo complicara todo.

—Lo que haré será quedarme contigo.

No entendió aquellas palabras, simples, honestas y dichas rápidamente. Al principio lo miró, interrogante, incapaz de comprender mínimamente lo que había dicho. Y cuando por fin oyó lo que había dicho y captó su significado, sintió una oleada inesperada y no deseada de alegría.

—No creo que eso sea bueno —dijo—, pero yo también quiero que te quedes conmigo.

—Van a intentar matarme. Eso debes saberlo.

—¡No les dejaré! —dijo Stevie Rae tomándolo de la mano.

Despacio, muy despacio, sus dedos se entrelazaron con los de ella y él dio un pequeño tirón, acercándola a su lado.

—No les dejaré —repitió ella.

Stevie Rae no lo miró. En lugar de eso, apretó su mano y disfrutó de ese pequeño rato juntos. Trató de no pensar demasiado. Trató de no cuestionárselo todo. Miró fijamente el agua quieta y negra de la fuente y la nube que cubría la luna se elevó, mostrando su reflejo. *Soy una chica que de alguna manera se ha visto vinculada a la humanidad de un chico que es una bestia.*

—Estoy conectada contigo, Rephaim —dijo en voz alta.

—Y yo contigo, Stevie Rae —respondió él sin dudarlo.

Mientras él hablaba, el agua se onduló, como si la propia Nyx hubiese soplado sobre su superficie, y su reflejo cambió. La imagen que quedó en el agua era la de Stevie Rae sosteniendo la mano de un joven nativo americano alto y musculoso. Tenía el pelo grueso y largo y tan negro como las plumas de cuervo que se entrelazaban en toda su extensión. Tenía el pecho desnudo y era más atractivo que un vaso de agua en el desierto de Oklahoma.

Stevie Rae se quedó muy quieta, con miedo de que si se movía, el reflejo cambiase. Pero no pudo evitar sonreír.

—Uau, eres muy guapo —dijo en voz baja.

El chico del reflejo parpadeó un montón de veces, como si no estuviese seguro de si estaba viendo con claridad.

—Sí, pero no tengo alas —le contestó entonces, con la voz de Rephaim.

El corazón de Stevie Rae se agitó y su estómago se tensó. Quería decirle algo profundo y muy inteligente o, al menos, un poco romántico. Pero en lugar de eso...

—Sí, es verdad, pero eres alto y tienes entre el pelo esas plumas tan guays.

En el reflejo, el chico levantó la mano que no sostenía la suya y se tocó el pelo.

—No son gran cosa si las comparas con unas alas —dijo, pero sonrió a Stevie Rae.

—Bueno, sí, pero seguro que son más fáciles de meter en una camisa.

Rephaim se rió y, con una clara sensación de asombro, dejó que su mano acariciase su propia cara.

—Suave —dijo Rephaim—. La cara humana es tan suave...

—Sí, lo es —dijo Stevie Rae, totalmente hipnotizada por lo que estaba pasando en el reflejo.

Tan despacio como había entrelazado sus dedos, sin apartar la vista de la superficie acuática, Rephaim movió la mano hacia el rostro de Stevie Rae. Le tocó la piel ligeramente, suavemente. Le acarició la mejilla y dejó que sus dedos le tocasen los labios. Ella sonrió y después no pudo evitar soltar una extraña risita.

—¡Es que eres tan guapo!

El reflejo de Rephaim también sonrió.

—Tú sí que eres guapa —le dijo en voz tan baja que casi no lo oyó.

—¿Eso crees? ¿De verdad? —le preguntó Stevie Rae con el corazón latiéndole con fuerza.

—Sí. Pero no te lo había podido decir antes. No podía dejar que supieras lo que sentía por ti.

—Ahora lo estás haciendo —dijo ella.

—Lo sé. Por primera vez siento…

Las palabras de Rephaim se detuvieron a media frase. El reflejo del chico ondeó y luego desapareció. En su lugar, la Oscuridad se elevó desde el agua quieta, creando la forma de las alas de un cuervo y el cuerpo de un poderoso inmortal.

—¡Padre!

Rephaim no tuvo que decir su nombre. Stevie Rae supo lo que se había interpuesto entre ellos en cuanto sucedió. Apartó la mano de la suya y él solo se resistió un momento antes de soltarla. Después se volvió hacia ella, extendiendo un ala oscura para ocultar su reflejo de la fuente.

—Ha regresado a su cuerpo. Puedo sentirlo.

Stevie Rae no se atrevió a hablar. Solo pudo asentir.

—Pero él no está aquí. Está lejos de mí. Debe de estar en Italia.

Rephaim hablaba apresuradamente. Stevie Rae se alejó un paso de él, todavía incapaz de decir nada.

—Está diferente. Algo ha cambiado.

Después fue como si entendiese lo que aquello significaba y miró a Stevie Rae a los ojos.

—¿Stevie Rae? ¿Qué vamos a…?

Stevie Rae soltó un grito ahogado, interrumpiendo sus palabras. La tierra dio vueltas a su alrededor, inundando sus sentidos con una alegre danza de bienvenida. El paisaje frío de Tulsa tembló, se elevó y, de repente, se vio rodeada de árboles impresionantes, todos verdes y de hojas brillantes y de una cama de musgo grueso y suave. Después la imagen se hizo más clara y vio a Zoey allí, en los brazos de Stark, riéndose, entera de nuevo.

—¡Zoey! —gritó Stevie Rae.

La imagen desapareció, dejando solo la alegría que le había transmitido y la certidumbre de que su mejor amiga volvía a estar entera y, sin duda, viva. Sonriendo, fue junto a Rephaim y lo abrazó.

—¡Zoey está viva!

Él la apretó entre sus brazos, pero solo un momento. Después los dos recordaron la situación y, al mismo tiempo, se separaron.

—Mi padre regresa.

—Y también Zoey.

—Y para nosotros eso significa que no podemos estar juntos —dijo él.

Stevie Rae se sintió enferma y triste. Sacudió la cabeza.

—No, Rephaim. Solo significa eso si tú dejas que sea así.

—¡Mírame! —gritó—. ¡No soy el chico del reflejo! Soy una bestia. No pertenezco al mismo mundo que tú.

—¡Eso no es lo que dice tu corazón! —le replicó a gritos ella.

Los hombros de Rephaim se desplomaron a ambos lados y apartó la mirada de ella.

—Pero Stevie Rae, mi corazón nunca ha importado.

Ella se acercó a él. Automáticamente, él la encaró. Se miraron y, con terrible desesperación, Stevie Rae vio que el color escarlata volvía a brillar en sus ojos.

—Bueno, cuando decidas que tu corazón te importa tanto a ti como a mí, ven a buscarme. Seguro que no tienes problemas. Solo sigue tu corazón.

Sin dudarlo, le pasó los brazos alrededor y lo abrazó con fuerza. Stevie Rae ignoró el hecho de que él no le devolvía el abrazo.

—Te voy a echar de menos —le susurró antes de dejarlo.

Mientras comenzaba a caminar por la calle Gilcrease, el viento nocturno le llevó los susurros de Rephaim.

Yo también te voy a echar de menos…

Zoey

—Es realmente hermoso —apunté, levantando la vista hacia el árbol y las tropecientas cintas de tela que tenía atadas—. ¿Cómo has dicho que se llama?

—Árbol votivo —dijo Stark.

—No me resulta un nombre demasiado romántico para algo tan guay —afirmé yo.

—Sí, eso fue lo que pensé yo al principio también, pero supongo que ya me he acostumbrado.

—¡Oh! Mira esa. Es tan brillante…

Señalé una cinta estrecha y dorada que acababa de aparecer. Al contrario que el resto de las tiras de tela, esta no se hallaba atada a otra. En lugar de eso, flotaba libremente, bajando con un suave balanceo hasta quedarse suspendida justo por encima de nosotros.

Stark alargó la mano y la cogió. Me acercó la cinta para que pudiese comprobar lo suave que era.

—Es lo que seguí para encontrarte.

—¿En serio? Es como un hilo de oro.

—Sí, a mí también me recordó al oro.

—¿Y tú lo seguiste hasta encontrarme?

—Sí.

—Vale, bueno. Veamos si funciona de nuevo —dije yo.

—Tú dime lo que tengo que hacer. Estoy a tus órdenes.

Con los ojos brillantes de humor, Stark se inclinó hacia mí.

—Para de bromear. Esto es serio.

—Oh, Z, ¿no lo ves? No es que crea que esto no es serio. Es que confío totalmente en ti. Sé que conseguirás llevarme de vuelta contigo. Creo en ti, *mo bann ri*.

—Has aprendido unas cuantas palabras raras mientras he estado fuera.

Él me sonrió.

—Espera. Aún no has escuchado nada.

—¿Sabes una cosa? Estoy cansada de esperar —dije atándole un extremo de la cinta dorada en la muñeca mientras mantenía el otro agarrado con fuerza—. Cierra los ojos.

Sin cuestionarme, hizo lo que le pedí. Me puse de puntillas y lo besé.

—Hasta pronto, guardián.

Después les di la espalda al árbol votivo, a la arboleda y a toda la magia y misterios del reino de Nyx. Miré a la negrura enorme que parecía extenderse infinitamente. Abrí los brazos.

—Espíritu, ven a mí.

El último de los cinco elementos, al que siempre me había sentido más unida, me llenó e hizo que mi alma recompuesta vibrase de alegría, de compasión, de fuerza y, finalmente, de esperanza.

—¡Por favor, llévame a casa!

Mientras lo decía, corrí hacia delante y, sin ningún tipo de miedo, salté en la oscuridad.

Pensé que sería como saltar desde un acantilado, pero me equivocaba. Fue algo más moderado, más suave... como bajar en ascensor de la cima de un rascacielos. Sentí que aterrizaba y supe que había regresado.

No abrí los ojos inmediatamente. Primero quería concentrarme... quería saborear cada una de las sensaciones de mi vuelta. Sentí que yacía sobre algo duro y frío. Respiré profundamente y me sorprendió oler el cedro que solía estar más abajo de la casa de mi madre en Broken Arrow, en una esquina. Al principio, solo oí el suave murmullo de unas voces, pero tras un par de respiraciones, esas voces se transformaron en un grito de Aphrodite.

—¡Oh, por todos los demonios, abre los ojos! ¡Sé que estás ahí!

Entonces sí que los abrí.

—Jesús, pareces una verdulera. ¿Hace falta gritar tanto?

—¿Verdulera? Mira, se supone que tú debes cuidar tus palabras. Y eso que has dicho sobre mí es realmente feo —dijo Aphrodite.

Después sonrió y soltó una carcajada, dándome un abrazo tan excesivamente fuerte que estoy segura de que negaría habérmelo dado más tarde.

—¿Has vuelto de verdad? ¿Y no tienes... a ver... daños cerebrales ni nada?

—¡Sí que he vuelto! —me reí—. Y no tengo más daños cerebrales que antes de irme.

Por encima de su hombro apareció Darius. Con ojos sospechosamente brillantes, puso el puño sobre su corazón y se inclinó ante mí.

—Bienvenida de vuelta, alta sacerdotisa.

—Gracias, Darius —dije sonriéndole y alargando una mano para que me ayudase a ponerme en pie.

Sentía las piernas como si fueran de gelatina, así que me agarré a él mientras la habitación me daba vueltas.

—Necesita comida y bebida —pronunció una voz con gran autoridad.

—Enseguida, Majestad —respondieron inmediatamente.

Finalmente parpadeé, conseguí serenar el mareo y pude ver.

—¡Uau, un trono! ¿En serio?

La hermosa mujer que estaba sentada en el trono de mármol tallado me sonrió.

—Bienvenida de vuelta, joven reina —dijo.

—Joven reina —repetí, medio riéndome.

Pero cuando mis ojos recorrieron la habitación, mi risa desapareció y el trono, la genial habitación y las preguntas sobre reinados se evaporaron por completo.

Stark estaba allí, sobre una enorme piedra. Había un guerrero vampiro a su cabecera que sostenía una daga afiladísima sobre el pecho de Stark, que estaba ensangrentado y lleno de cortes.

—¡No! ¡Detente! —grité.

Aparté a Darius y me lancé contra el vampiro.

Más rápido de lo que parecía posible, la reina se interpuso entre el guerrero y yo. Me colocó una mano sobre el hombro y solo me hizo una pregunta, en voz baja.

—¿Qué te ha contado Stark?

Sacudí la cabeza mentalmente, intentando pensar más allá de la visión ensangrentada de mi guerrero, de mi guardián.

Mi guardián…

Miré a la reina.

—Así es como Stark pudo llegar al Otro Mundo. Ese guerrero que ves ahí, en realidad le está ayudando.

—Mi guardián —me corrigió la reina—. Sí, está ayudando a Stark. Pero ahora su búsqueda ha terminado. Es tu responsabilidad como reina traerlo de vuelta.

Abrí la boca para preguntarle cómo, pero la cerré antes de hablar. No tenía que preguntárselo. Ya lo sabía. Y era responsabilidad mía ayudar a mi guardián a volver.

Debió de verlo en mis ojos porque la reina inclinó la cabeza, muy ligeramente, y se apartó a un lado.

Caminé hacia el hombre que ella llamaba su guardián. El sudor se deslizaba por su pecho musculoso. Estaba completamente concentrado en Stark. Parecía que no veía ni oía a nadie en la habitación.

Cuando levantó el cuchillo de nuevo, obviamente para hacer otro corte, la luz de una antorcha brilló en el brazalete dorado diseñado para enroscarse en su muñeca. Entonces entendí de dónde provenía el hilo dorado que había conducido a Stark hasta mí y sentí una oleada de agradecimiento hacia el guardián de la reina. Le toqué la muñeca suavemente, cerca de la joya dorada.

—Guardián, puedes parar ahora. Es hora de que vuelva.

Su mano se detuvo instantáneamente. Un temblor recorrió el cuerpo del guardián. Cuando me miró, vi que las pupilas de sus ojos estaban completamente dilatadas.

—Puedes parar ahora —repetí suavemente—. Y gracias por ayudar a Stark a llegar hasta mí.

Parpadeó y sus ojos se aclararon. Su voz era ronca y casi sonreí cuando reconocí el acento escocés que Stark había imitado para mí.

—*Aye*, mujer… como desees.

Se tambaleó hacia atrás. Supe que la reina lo había acogido entre sus brazos y la escuché murmurándole quedamente. También sabía que había otros guerreros en la habitación y sentí a Aphrodite y a Darius observándome… Pero los ignoré a todos.

Para mí, Stark era la única persona en la habitación. Lo único que importaba.

Me acerqué a él. Estaba tumbado sobre la piedra, sobre el charco formado por su sangre. Esta vez sí que olí su aroma y sí que me afectó. Dulce y pesado, hizo que se me hiciese la boca agua. Pero tenía que controlarlo. No era momento para dejarme embriagar por la sangre de Stark y el deseo que me hacía sentir.

Levanté una mano.

—Agua, ven a mí.

Cuando la suave humedad del elemento me rodeó, moví la mano sobre el cuerpo ensangrentado de Stark.

—Lávalo.

El elemento hizo lo que le pedía, lloviendo suavemente sobre él. Lo observé limpiando la sangre de su pecho, cayendo sobre la piedra y siguiendo los nudos célticos por los laterales de la enorme roca, rebosando las dos ranuras que recorrían el suelo a cada lado. Cuernos, descubrí. *Me recuerdan a unos cuernos gigantes.*

Me sorprendió ver, cuando toda la sangre ya se había ido con el agua, que las ranuras no eran blancas, como el resto del suelo. En lugar de eso, brillaban con un negro maravilloso y místico que me recordaba al cielo nocturno. Pero no me detuve a maravillarme por la magia que sentía allí. Volví a concentrarme en Stark. Su cuerpo estaba limpio. Las heridas parecían no sangrar ya, pero estaban abiertas y rojas. Entonces comprendí lo que estaba viendo y respiré profundamente. A cada lado del pecho de Stark los cortes formaban flechas, flechas completas con sus plumas y con puntas puntiagudas y triangulares. Eran el complemento perfecto para la flecha rota quemada que había sobre su corazón.

Extendí una mano y la puse sobre la parte superior de esa cicatriz, aquella de cuando me salvó la vida… la primera vez. Me sorprendió ver que mi otra mano seguía agarrando el hilo dorado. Suavemente levanté la muñeca de Stark y envolví el hilo de oro a su alrededor. El extremo sedoso se endureció, se retorció y se cerró, asemejándose al del viejo guardián, solo que en el brazalete de Stark se veían imágenes grabadas de tres flechas. Una de ellas rota.

—Gracias, Diosa —murmuré—. Gracias por todo.

Después coloqué la mano sobre el corazón de Stark y me incliné. Le hablé justo antes de poner mis labios sobre los suyos.

—Vuelve a tu reina, guardián. Ya ha terminado todo.

Después lo besé.

Cuando sus párpados se movieron y se abrieron, oí la risa musical de Nyx ocupando mi mente.

No, hija, todavía no se ha acabado. Esto es solo el principio...

TRAKATRÁ - JUVENIL

1. Nathan Fox 1: Tiempos peligrosos   Lynn Brittney

TRAKATRÁ - OLIVER NOCTURNE

1. Oliver Nocturne 1: La fotografía del vampiro   Kevin Emerson
2. Oliver Nocturne 2: Asesinato a pleno sol   Kevin Emerson
3. Oliver Nocturne 3: Lazos de sangre   Kevin Emerson

TRAKATRÁ - LA CASA DE LA NOCHE

1. La Casa de la Noche 1: Marcada   P. C. Cast y Kristin Cast
2. La Casa de la Noche 2: Traicionada   P. C. Cast y Kristin Cast
3. La Casa de la Noche 3: Elegida   P. C. Cast y Kristin Cast
4. La Casa de la Noche 4: Indómita   P. C. Cast y Kristin Cast
5. La Casa de la Noche 5: Atrapada   P. C. Cast y Kristin Cast
6. La Casa de la Noche 6: Tentada   P. C. Cast y Kristin Cast
7. La Casa de la Noche 7: Abrasada   P. C. Cast y Kristin Cast

Próximamente

8. Manual del iniciado   P. C. Cast y Kristin Cast

TRAKATRÁ - GUARDIANES OCULTOS

1. Guardianes ocultos 1: Luz de luna   Rachel Hawthorne
2. Guardianes ocultos 2: Luna llena   Rachel Hawthorne

Próximamente

3. Guardianes ocultos 3: Luna oculta   Rachel Hawthorne

TRAKATRÁ - LA TIERRA HEREDADA

1. La Tierra heredada 1: Tiempo de cosecha   Andrew Butcher

Próximamente

2. La Tierra heredada 2: Cosecha de esclavos   Andrew Butcher

TRAKATRÁ - PEQUEÑAS MENTIROSAS

1. Pequeñas mentirosas 1: Pequeñas mentirosas   Sara Shepard
Próximamente
2. Pequeñas mentirosas 2: Secretos   Sara Shepard

TRAKATRÁ - DEMONIOS PERSONALES

1. Demonios personales 1: Demonios personales   Lisa Desrochers
Próximamente
2. Demonios personales 2: *Original Sin*   Lisa Desrochers

TRAKATRÁ - CÍRCULO DE SANGRE

1. Chicos que muerden   Mari Mancusi
Próximamente
2. *Stake That*   Mari Mancusi

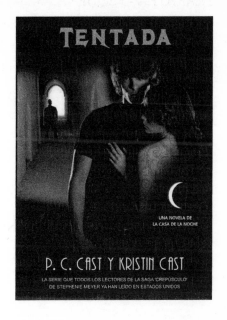

Tentada

Kristin y P. C. Cast

Oscuros secretos y sospechas se interponen entre Zoey y Stevie Rae, poniendo en riesgo su amistad… y la Casa de la Noche.

Después de que Zoey Redbird y sus amigos desterrasen a Kalona y Neferet de Tulsa, parecía que llegaría la calma. Pero con Zoey y su sexi guerrero Stark, que puede leer sus emociones, y con los iniciados tratando de asumir las consecuencias de la caída del reino de terror de Neferet, esa calma no llega. Stevie Rae, por su parte, no cuenta qué ha estado haciendo ni dónde, y Zoey empieza a preguntarse si puede confiar en quien pensó que siempre estaría a su lado.

¿Destruirán sus decisiones a Zoey y a Stevie Rae? ¿Consumirá la oscuridad la Casa de la Noche?

●

«Esta serie sustituirá pronto en nuestras mentes el espacio que los libros de Rowling y Meyer dejaron, hasta convertirse en una historia única con una fuerza propia que enganchará a todos los lectores.»
—*SCU*

●